PSICOLOGIA RELIGIOSA

ENSAYISTAS - 58

ANTOINE VERGOTE

PSICOLOGIA RELIGIOSA

Versión española de

MIGUEL HERRERO DE MIÑON

Título original:
Psychologie religieuse

Primera edición española: 1969
Segunda » » : 1973
Tercera » » : 1975

Plaza del Marqués de Salamanca, 7 - MADRID-6
ISBN: 84-306-1058-8
Depósito legal: M. 2.259-1975
PRINTED IN SPAIN

NOTA PRELIMINAR A LA VERSION ESPAÑOLA

La versión española de la sugestiva obra del profesor A. Vergote fue realizada sobre la primera edición francesa, bajo la inmediata dirección del autor, durante los semestres cursados en la Universidad de Lovaina en los años 1966 y 1967. Esta circunstancia hizo posible llevar a cabo una profunda revisión del texto original, que no sólo permitió corregir algunos errores materiales y eliminar ambigüedades de expresión, sino depurar y completar el aparato bibliográfico, adaptar algunos pasajes del texto al lector de cultura española y, lo que es más importante, precisar el pensamiento del autor sobre numerosos puntos merced a su enseñanza oral.

En la traducción de la obra se han tenido en cuenta las versiones neerlandesa, inglesa e italiana de la misma, que ya han visto la luz. Sin embargo, las correcciones e innovaciones hechas bajo la dirección del autor y que, sin afectar para nada la estructura fundamental del texto, se extienden a todo lo largo del mismo, convierten la versión que sigue en una verdadera segunda edición revisada.

Al justificar así lo que sería impropio de una mera traducción, dejo constancia de mi gratitud al autor por todo ello.

M. H. M.

PREFACIO

En la corriente caudalosa de ciencias humanas, característica de la cultura contemporánea, son numerosos los estudios consagrados a los fenómenos religiosos, sobre los que arrojan su luz, entre otras, las ciencias psicológicas cuya importancia no cabe subestimar. El propósito de este libro es agrupar las aportaciones de múltiples trabajos de psicología religiosa, interpretándolos y completándolos en algunos puntos esenciales.

Por muy incompleto o, incluso, descabellado, que semejante intento pueda parecer a primera vista, nuestro ensayo de síntesis e interpretación, quedará suficientemente justificado si permite subrayar la importancia de uno u otro punto cuyo significado puede escapar a los más concienzudos trabajos monográficos o si consigue suscitar la búsqueda de la verdad mediante nuevas investigaciones. Nuestro trabajo, en fin, no será inútil si ayuda al lector, cualquiera que sea la tendencia de éste, a revisar algunas de sus opiniones referentes al fenómeno religioso.

Nuestro propósito es presentar en forma accesible al lector culto no especialista, los resultados hoy en día alcanzados por la Psicología de la Religión, y por ello renunciamos a utilizar una terminología excesivamente especializada. Sin embargo, razones de honestidad científica nos han obligado en más de una ocasión a precisar y justificar el punto de vista adoptado mediante una exposición de mayor rigor técnico. El lector a quien no interesen tales desarrollos metodológicos y científicos, podrá prescindir del capítulo preliminar y de las primeras secciones de los capítulos II y IV de la Primera Parte.

Nuestra obra hubiera debido terminar con el estudio de los fenómenos religiosos patológicos; pero la inclusión de una materia tan importante en el limitado número de páginas de este volumen hubiera exigido condensarla al extremo. Por ello hemos preferido reservar su estudio para un futuro volumen que esperamos publicar en breve.

Queremos expresar aquí nuestro reconocimiento a los colegas amigos y colaboradores que nos han ayudado en el curso de nuestras investigaciones. Quede constancia de nuestra especial gratitud al profesor A. Dondeyne, que nos ha iluminado con sus consejos, y a nuestro amigo el P. E. Florival, O. S. B., con quien en tantas ocasiones hemos tratado de estos temas, y que ha tenido la bondad de releer el texto. Gracias, en fin, a nuestros colaboradores y estudiantes de la Universidad de Lovaina, a quienes tengo el placer de dedicar el presente volumen.

CAPITULO PRELIMINAR

EL PSICOLOGO FRENTE A LOS FENOMENOS RELIGIOSOS

La relación entre psicología y religión no ha sido todavía establecida de una manera definitiva. La idea que se tiene de la religión es en extremo variable, y, además, abunda la impresión de que no existe gran cosa en común entre las diversas psicologías que se ocupan de ella. Sin embargo, cualquiera que sea la diversidad de los problemas planteados y la variedad de los métodos empleados, es indudablemente cierto que los psicólogos de la religión pretenden hacer obra de tal y no de teólogos o filósofos. Les anima una intención común y, a través de numerosas vicisitudes cuya influencia sería interesante analizar, se construye, paso a paso, una historia de la Psicología Religiosa. No es ésta la ocasión de abordar su exposición detallada, pero es indispensable indicar algunos principios que de la misma se derivan, a efectos de optar por un determinado punto de vista y acotar un campo de investigación. Por ello nuestro plan implica una previa definición de la religión en cuanto campo de investigación psicológica. No se trata de elucidar aquí los fenómenos religiosos, pero, en tanto que no hayamos definido lo que consideramos como hecho religioso, permaneceremos en la incertidumbre en cuanto a la extensión del objeto material de nuestra ciencia, careciendo de todo criterio, para delimitar la religión de la ética, y, ya en el campo mismo de lo religioso, lo normal de lo patológico.

Ciencia positiva de la religión

La psicología, en sus investigaciones en torno a la personalidad, la cultura y la religión, se ha afirmado progresivamente como ciencia autónoma, desprendiéndose tanto de la filosofía como de la fisiología, y constituyéndose en ciencia específica, la ciencia positiva del hombre. Es decir, no existe una psicología que sea religiosa por naturaleza, sólo puede serlo en cuanto al objeto. En la expresión psicología religiosa, el adjetivo debe entenderse como un genitivo objetivo.

La psicología religiosa es, ante todo, la investigación de las experiencias, actitudes y expresiones religiosas, observándolas y analizándolas con ayuda de las diversas técnicas a las cuales toda psicología debe recurrir (análisis codificados de documentos personales, cuestionarios y escalas de actitudes, *tests* proyectivos, observaciones sistemáticas de comportamiento, entrevistas, escalas de análisis semántico, e incluso análisis profundos mediante la aplicación de métodos clínicos). Como en toda ciencia, la elaboración de técnicas conduce a una diferenciación cada vez más fina de los diferentes factores y registros que componen su objeto. En los fenómenos religiosos, se distingue actualmente, de una forma más clara que en otras épocas, las diferentes dimensiones y los distintos vectores, y se pretende captar sus correlaciones e interacciones. Tal es el caso de las opiniones y creencias, los juicios de valor, las experiencias, las actitudes, comportamientos y ritos. Mejor que dar aquí una lista de fastidiosas definiciones recurriremos a su descripción cada vez que debamos hacer de ellos un uso sistemático. Tampoco en esta *Introducción* vamos a presentar un esquema histórico de la evolución de nuestra disciplina, en sus diferentes sistemas e investigaciones. Bástenos el proporcionar algunos datos básicos en el momento de abordar cada uno de los principales problemas. Una ciencia se elabora siempre en diálogo entre los investigadores y, de vez en cuando, las referencias históricas nos serán útiles para situar en adecuada perspectiva las cuestiones y los métodos, y frecuentemente también para poner de manifiesto su carácter contingente.

Neutralidad benevolente

Como ciencia positiva, la psicología de la religión no se pronuncia sobre la verdad religiosa en sí. La observa, la describe, analiza los fenómenos religiosos en tanto que objetos y contenidos de la conciencia y de los comportamientos; pero puede decirse, utilizando una expresión acuñada por la fenomenología, que hace abstracción de su contenido de realidad, poniendo entre paréntesis la existencia efectiva del Dios al que se refieren las actitudes y los ritos religiosos.

¿Es acaso posible esta reducción del polo objetivo de la religión? Si en ella el hombre todo se refiere a Dios, ¿cómo describirla sin tomar partido frente a El? La evolución histórica de la psicología religiosa atestigua la real envergadura de esta dificultad sucumbiendo más de una vez a la tentación de constituirse en juez absoluto y, en consecuencia, reduciendo la intención religiosa a un fenómeno puramente humano. Semejante actitud es típicamente «psicologista»; consiste en considerar que todo fenómeno religioso, es susceptible de ser dilucidado plenamente por la comprensión psicológica. En lugar de descubrirnos en el hombre una dimensión transnatural, hace de ésta el epifonema de los dinamismos propiamente naturales.

Pero ¿acaso no es la finalidad buscada por la psicología religiosa el descubrirnos las estructuras y los factores humanos sobre los que se fundamenta la actitud religiosa? El hombre religioso olvida su situación humana; basta tener en cuenta las diferentes mitologías o los relatos bíblicos en los que se atribuyen a Dios pensamientos excesivamente humanos, enraizados en el medio cultural propio de estas creencias. Difícilmente pueden estudiarse los mitos de manera científica a la vez que se les atribuye un valor de realidad. Parece como si al nombrarlos se desvanecieran los misterios, de la misma manera que el hombre exorcisa los espíritus y los hace huir, desde el momento en que conoce y pronuncia su nombre. ¿El estudio científico de la religión no supondrá de forma análoga la tentativa de explicar lo sobrenatural por lo puramente humano, reduciendo y en último término también disolviendo el Dios metafísico en una experiencia puramente humana? La desconfianza con que ciertos teólogos abordan el problema, avala la gravedad de esta cuestión preliminar. Baste citar la posición radical de un calvinista como Karl Barth, uno de los más grandes genios teológicos de nuestra época: «Dios en nosotros, yo en ti, tú en mí. ¿Por qué no?... La experiencia se convierte... en fin en sí misma. La moción de Dios se transforma en emoción. El hombre toma posesión de lo divino y lo explota... En una palabra, es la historia de la religión la que comienza, es decir, la historia de la infidelidad de la religión hacia su propia significación esencial, porque tan pronto como la religión toma conciencia de sí misma, tan pronto como adquiere un volumen psicológica e históricamente perceptible o visible, se desprende de su raíz más profunda y pierde su verdad fundamental convirtiéndose en idolatría»[1]. El juicio teológico de Barth sobre la religión tiene como consecuencia inmediata, el condenar a la psicología religiosa a no ser más que la ciencia de las idolatrías.

Aunque con menor intransigencia, los teólogos católicos no han dejado de desconfiar de la psicología religiosa, en la que presienten con temor el riesgo inherente a su hipótesis de trabajo, el reducir toda intencionalidad religiosa a sus particularidades propiamente humanas; reservas que corresponden, por otra parte, a la ambición, siempre presta a renacer en los psicólogos, de someter

[1] K. BARTH, *Das wort Gottes und die theologie,* Munich, 1942, pp. 80-81.

todo el dado teológico a una nueva lectura psicológica, que sustituye a la ciencia de las cosas de Dios una ciencia de las cosas simplemente humanas. En el capítulo sobre la experiencia religiosa citaremos algunos ejemplos elocuentes de ello.

Exclusión metodológica de lo Trascendente

Esta cuestión de principio sólo puede ser abordada con provecho en la medida misma en que progrese nuestra investigación; sin embargo, y a guisa de simples prolegómenos, daremos aquí algunas aclaraciones indispensables en torno a la misma.

Consideramos que es posible reconocer una actitud y un comportamiento religioso haciendo abstracción del valor efectivo, óntico, de la intención religiosa que anima tal actitud y tal comportamiento. La investigación del psicólogo versa sobre la manera específicamente humana de ponerse en relación con aquello que se cree lo Absoluto. Basta que el psicólogo recoja y sistematice las creencias en tanto que éstas sean observables al nivel de las expresiones verbales, simbólicas y comportamentales. Hacer abstracción de la existencia de Dios significa, por lo tanto, que no se plantea en sí misma la afirmación de existencia presente en el núcleo de toda religión, sino que basta contentarse con participar en ella a través de una cierta simpatía afectiva y razonable, como lo exige el reconocimiento de una posibilidad humana. De esta manera, creyentes e increyentes, pueden en virtud de su simple connaturalidad humana observar con comprensión tanto el teísmo como el ateísmo.

La posición propia del psicólogo, le impone por lo tanto tratar de conciliar, al menos en cuanto punto de partida, dos exigencias que frecuentemente se han considerado como irreductiblemente opuestas. En psicología religiosa es necesario desde el principio consentir en la regla de la exclusión metodológica de lo Trascendente según el principio enunciado por Flournoy [2]. El psicólogo tendrá buen cuidado de no tomar a Dios como hecho observable. Por definición, Dios no pertenece al campo del psicólogo. Ningún método empírico, en efecto, es capaz de llegar a la observación de Dios. Este no se hace presente al psicólogo sino en la medida en que el hombre se refiere a El por actos propiamente humanos. De otra parte, el psicólogo no puede tampoco hacer coincidir la vida religiosa con la vida psicológica. Debe mantener el carácter referencial o intencional de la conciencia y del acto religioso. El estudio de lo psíquico ha de respetar la especificidad de la conciencia humana, que es el ser una conciencia abierta, al mundo, a los otros, a Dios. Reducir la religión a lo puramente humano cerrado en sí mismo, equivale a desnaturalizar el objeto de la psicología religiosa. Es necesario, por lo tanto, explorar la religión tal cual se presenta en el lenguaje y en los gestos, y, a la vez, resistir a la tentación de realizar el movimiento de afirmación religiosa en virtud del cual estas palabras y estos gestos reenvían efectivamente a una realidad transhumana.

Son muchos los que esperan de la psicología, que nos introduzca en el interior mismo de la religión, revelándonos su sentido más íntimo. Tal fue la esperanza de los primeros cultivadores de esta disciplina, como Starbuck y James, que, obedientes a una preocupación de orden netamente filosófico, se proponían alcanzar mediante sus investigaciones psicológicas la particular esencia de la religiosidad [3]. Por nuestra parte tenemos por insensata toda esperanza de una revelación psicológica en cuanto a la naturaleza íntima de la religión. Esta cuestión de la naturaleza profunda y del sentido último, no es un problema de orden psicológico, sino de orden metafísico o teológico. Sólo la filosofía está vocacionalmente llamada a pen-

---

2 FLOURNOY, *Les Principes de la psychologie religieuse,* París, 1902.

3 E. STARBUCK, *The Psychology of Religion,* Londres, 1901, pp. 16-17. Cf. W. JAMES, *The varieties of religious experience,* Nueva York, 1902, Lect. II.

sar el ser transfenoménico, y a desvelar las estructuras esenciales y necesarias del mismo. En tanto que ciencia positiva, la psicología no se enfrenta sino con los puros fenómenos; en nuestro caso la religión tal como se manifiesta y se estructura en el hombre.

Rigor científico en el respeto del objeto

Ahora bien, decir estudio de los fenómenos, no implica limitarse a las apariencias fenomenales. La psicología pretende también comprender, según el orden de los medios técnicos empleados. Toda psicología se encuentra animada de una intención común, explicar el comportamiento humano. Las escuelas, sin embargo, conciben este objeto según criterios y modalidades bien diferentes, y la historia de la psicología religiosa, como la de toda psicología, está jalonada de crisis constantes en la búsqueda de su estatuto científico. Los límites impuestos a nuestro trabajo, no nos permiten el evocar aquí las antinomias y las revisiones llevadas a cabo por una ciencia, sometida a la doble exigencia de ser una ciencia objetiva, capaz de formular leyes, y de ser, por otra parte, una ciencia de lo humano en tanto que tal, y de comprender por ello el sentido de los comportamientos. Por razones varias, los psicólogos han rechazado el camino de la introspección. Por exceso de objetividad, algunos, como es el caso de los «conductistas», han llegado hasta querer eliminar de la psicología la noción de sentido, identificando, no sin grave falta de rigor metodológico, el estudio del sentido y la introspección, de la misma manera que otros englobaban abusivamente, bajo el concepto de introspección, el psicoanálisis, el método reflexivo, e incluso la fenomenología. ¡Se ha llegado incluso a la paradoja de que, por un mayor empeño de objetividad, los psicólogos no sepan de qué hablan cuando se refieren al pensamiento, al sentimiento, a la relación con otro y, en fin, a cualquier fenómeno psicológico de que se trate! Concluyamos, por lo tanto, afirmando nuestra convicción, de que la objetividad de la psicología depende de su capacidad para definir su objeto, y de que el rigor científico se encuentra en la obediencia estricta a las exigencias metodológicas impuestas por su propio dominio. Pretender calcar la psicología sobre los procedimientos de la física, constituye el peor de los prejuicios y lleva a sacrificar el objeto psicológico a una noción puramente formal de la ciencia objetiva.

El juicio psicológico de verdad

Nuestra finalidad será, en consecuencia, el inventariar los comportamientos religiosos, explorar las diferencias significativas, comprenderlas en sus relaciones con los otros fenómenos humanos, hasta conocer las estructuras internas de las experiencias y los comportamientos religiosos, cuya exploración sistemática, en su contexto humano, debe sacar a la luz su contenido y su sentido, pero nunca su sentido último y su verdad definitiva. Lo que corresponde a la psicología, es el examen de su sentido humano y de su verdad relativa con relación a su inherencia a los múltiples vectores que integran lo humano.

La psicología implica en consecuencia un juicio de verdad sobre los hechos religiosos. Por su objetivación a nivel del hombre religioso, está inevitablemente abocada a realizar un esfuerzo capaz de discernir la actitud religiosa aparente de la religión humanamente auténtica. A los ojos del psicólogo, la religión podrá no ser, en último término, más que una ilusión, un sueño sin consistencia, pero nada impide que, «desde esta ladera», deba distinguirse entre la pseudorreligión y la religión verdadera. El estudio de la motivación conduce ineluctablemente, como veremos más adelante, a un juicio de verdad humana. Desde el momento que se plantea el problema del *porqué* de un comportamiento, está implicada la cuestión de su verdad. Plantear el problema de la religiosidad en función de las relaciones de motivación que la vinculan a otros factores, ¿no es tal vez explicar la religión, parcialmente o incluso totalmente, acudiendo a algo ajeno a ella misma? Desde una perspectiva psicológica la religión deja de ser puro contacto con lo Absoluto; el hombre religioso se nos ofrece en su mundo natural en medio de las cosas y de los otros hombres con sus inquietudes y sus deseos, y la religión aparece prendida en la red de relaciones que constituyen el mundo y de las que emerge en una cierta medida, pudiendo, por lo tanto, mantenerse y comprenderse en grados diversos a nivel de relaciones mundanas. Descubrir las motivaciones del comportamiento religioso, no implica necesariamente erigir un sistema absoluto de explicación total del fenómeno religioso, pero, al menos, supone mostrar los diferentes fundamentos humanos de la religión, y deducir de ello los tipos de verdades relativas correspondientes. Mostrar los hechos religiosos equivale a sacar a luz su sentido y a determinar su verdad relativa con relación al medio y a los intereses del sujeto religioso.

Como no hay ciencia sino en ejercicio, el significado real de estas divagaciones preliminares se aclarará progresivamente de capítulo en capítulo.

Dios no es un principio de comprensión psicológica

El principio científico de exclusión metodológica de lo Trascendente, impide al psicólogo recurrir a la intervención de lo Trascendente como factor de explicación. De un lado, lo Trascendente no es accesible, en tanto que tal, a la observación científica. Por ninguna parte, la mirada objetiva puede descubrir las manifestaciones visibles de un poder sobrenatural en los gestos y en la experiencia del hombre. Si aquél interviene, es encarnándose en la red de los comportamientos humanos. Lo sobrenatural, se da solamente a quien sabe descifrar los signos inscritos en lo humano, pero, para hacer tal cosa, es necesario recurrir a principios de interpretación, que son de un orden distinto al puramente psicológico. Sólo las referencias propiamente metafísicas o teológicas, permiten reconocer los índices de lo invisible sobrenatural en lo visible humano.

La psicología religiosa no introduce, por lo tanto, un factor de explicación sobrenatural en el encadenamiento de hechos y de causas. No se coloca fuera de las situaciones propiamente psicológicas. Considera la religión en tanto que afecta a la personalidad y a la sociedad. Esta especificidad de la comprensión psicológica, implica como contrapartida su limitación esencial. La psicología permanece abierta en dos sentidos al menos: hacia la fisiología y hacia la metafísica. Frecuentemente ha sucumbido a la tentación de cerrarse sobre sí misma. Por exigencias heurísticas, tiende a ser total, a no dejar blanco alguno. Ante la pregunta *¿por qué el hombre es religioso?*, la psicología pretende dar una respuesta decisiva.

En la gran historia del ateísmo moderno la psicología ocupa un lugar eminente. Queriendo devolver el hombre a sí mismo, ha contribuido de forma importante a la desmitificación y a la desalienación religiosa. A semejante intento, no tenemos derecho de oponer una no aceptación de principio, sino, simplemente, una reserva metodológica. Para que la psicología religiosa se constituya en ciencia, no es preciso que concluya necesariamente la muerte de Dios, ni que afirme el principio de su existencia efectiva. La idea de una explicación radicalmente humana de la religión, no debe prescribirse como hipótesis de investigación. La esperanza de explicar un día, en virtud de una evaluación progresiva, todos los hechos religiosos, reconduciéndolos a lo puramente humano, animaba las múltiples tentativas freudianas de psicoanálisis aplicado a la religiosidad y ello ha fecundado la investigación psicoanalista; pero el método científico de la psicología no autoriza a erigir en tesis, la exigencia de una explicación exhaustiva. Por otra parte, es necesario añadir que, un *a priori* heurístico, exclusivamente ateo, restringe la apertura del punto de vista objetivo. Más de una vez, se ha visto a psicólogos declaradamente ateos, tratar los hechos religiosos como cosas despojadas de su sentido manifiesto, al excluir de su mismo campo de visión la hipótesis de trabajo, una gran parte del problema que pretendían examinar. Es necesario reconocer el contenido específico de lo religioso antes de pretender elucidarlo. Cualesquiera que sean las opiniones personales, el conocimiento psicológico exige que se acepte, como punto de partida, la intencionalidad religiosa que orienta los hechos de la religiosidad.

Por principio, la psicología religiosa no plantea el problema de la existencia de Dios y no acude tampoco a su intervención sobrenatural. En este sentido es neutra, o, para emplear una expresión paradójica, es a-tea, con *a* privativa, pero no es, evidentemente, antiteísta. No funda lo religioso ni sobre Dios ni sobre lo puramente humano. El recurso directo a lo sobrenatural o a lo exclusivamente infrarreligioso, no puede sino cegar sus genuinas posibilidades de explicación. Se encuentran así en psicología religiosa, los mismos obstáculos que ponen en peligro de fracasar a toda investigación psicológica. Llevada por su deseo de encontrar un fundamento último, rebasa con gran facilidad sus límites, y, traicionando su propia vocación, tiende a convertirse, ya en metafísica, ya en fisiología, doble exceso con el que nada gana arriesgándose a perderlo todo.

¿Qué es la religión?

A-tea en principio, la psicología religiosa debe mantenerse en contacto con la religiosidad. Para cumplir su tarea, es preciso que se deje guiar por los índices objetivos, creencias y comportamientos inalienables, que representa la religión.

El proyecto mismo de la psicología religiosa, nos lleva a definir su objeto material, entendiendo por definición, no una construcción nominal deducida del pensamiento puro, sino un retorno a la experiencia sobre la cual ha de medirse nuestro campo de investigación. Definir, según la etimología del término, es delimitar, trazar los términos fronterizos de los fenómenos que se nos presentan. Así en la geografía religiosa, como en todo espacio propiamente humano, hay siempre un centro y una periferia. El centro se sitúa en la religión cuyas manifestaciones nos aparecen como las más adecuadas y fieles a ellas mismas. La periferia, será integrada por todos los fenómenos que permaneciendo bajo su dependencia, se orientan hacia el centro o se alejan de él, pero que no juzgamos religiosos sino en la medida en que con él se relacionan de alguna manera. Ciertamente la elaboración de una definición semejante es tarea que, hablando propiamente, corresponde más bien al fenomenólogo o al teólogo; sin embargo, el psicólogo no puede prescindir de ella.

La definición de la religión que adoptamos, más bien restrictiva sin llegar a la exclusividad, será la dada por Thouless[4], según la cual, «la religión es una relación vivida y practicada con el ser o los seres suprahumanos en los que se cree. La religión, en consecuencia, es un comportamiento y un sistema de creencias y de sentimientos». En nuestra opinión los «sentimientos religiosos», las «experiencias religiosas», los ritos, las creencias, son fenómenos parciales. No negamos la posibilidad de una actitud religiosa individual, inexpresada a través de un rito socializado, del mismo modo que concebimos sin dificultad, que un sujeto pueda realizar ritos religiosos sin adherirse interiormente a su sentido propiamente cultual, pero tanto desde el punto de vista subjetivo del hombre religioso, como desde el punto de vista objetivo de las religiones existentes, creemos, que solamente la realidad compleja, compuesta de creencias, de *praxis* y de sentimientos orientados, realiza la intencionalidad religiosa. Diversas escuelas han elaborado teorías referentes a la

---

[4] R. H. THOULESS, *An Introduction to the Psychology of Religion*³, Londres, 1961, pp. 3-4.

esencia de la religión, planteando la alternativa de una religión esencialmente interior o esencialmente exterior. Schleiermacher, W. James y R. Otto, han creído encontrar la naturaleza específica de la religión en el orden de los sentimientos. Durkheim, por el contrario, identificaba la religión en sus formas elementales, pero sin duda igualmente en sus formas superiores, con un conjunto de creencias, de ritos y de instituciones, constitutivas de las sociedades y en virtud de las cuales éstas tomaban conciencia de sí mismas. La alternativa de una religión esencialmente interior o esencialmente social, no ha sido la única que opone entre ellas sus múltiples definiciones. Como se sabe, Leuba ya coleccionó cuarenta y ocho definiciones de la religión, a las que él mismo añadió otras dos, posteriormente abandonadas ante la imposibilidad de justificarlas por criterios objetivos. Más recientemente, Clark, psicólogo americano de la religión, en una encuesta realizada entre 63 especialistas de ciencias sociales, ha reunido respuestas tan diversas, que las definiciones parecen inconciliables, al centrarse, ya sobre lo sobrenatural, ya sobre el concepto de grupo, ya sobre las creencias institucionalizadas. Tales contradicciones, pueden solamente asombrar a quien peque de excesivo positivismo; definir es ya interpretar. En el movimiento de los fenómenos contingentes, la definición fija un campo y traza sus líneas de fuerza; definir, equivale siempre, a leer una figura geométrica en un conjunto de líneas ambiguas. En nuestra definición, rehusamos plantearnos la alternativa entre la interioridad y lo social. Para abarcar esta doble realidad de lo religioso, nos guiamos tanto por el testimonio de la historia de las religiones, como por la imagen del hombre que se deduce de las investigaciones antropológicas, en psicología como en filosofía. La historia pone, en efecto, de relieve que la religión no es jamás, ni la realidad mental de una idea, ni el sistema objetivo de las prácticas cultuales, sino, de una parte, encuentro con lo divino y, de otra, respuesta a través de una *praxis*. El encuentro puede tener lugar por el conocimiento interior, por la lectura simbólica del mundo, por la escucha iniciada o extática de una palabra santa, por una visión o una iluminación. En todo caso se realiza en el hombre integral, ser de afectividad y de inteligencia. El hombre se abre a lo sagrado en el corazón de su ser carnal e intelectual. La religión es un conjunto orientado y estructurado de sentimientos y de pensamientos. El hombre y la sociedad, toman en ella conciencia vital de su ser íntimo y último, y al mismo tiempo se hacen presentes las potencias santas. Entre el encuentro y la respuesta práctica puede darse una sucesión temporal o una coincidencia. Jacob *(Gén.,* 28) veía en sueños los ángeles de Yavé y escuchó al mismo Yavé anunciarle: «Yo soy Yavé, el Dios de Abraham tu padre y el Dios de Isaac. Yo estoy contigo y te guardaré.» Jacob se despertó y tuvo miedo y dijo: «¡Qué temible es este lugar!», y tomó la piedra que le había servido de cabecera, y, levantándola como una estela, la ungió con aceite y al lugar le dio el nombre de *Bethel.* El encuentro con Dios, en sueños y auditivamente, le revela al Dios temible y al Dios providencia. Jacob le responde con un gesto cultual y con un voto religioso de fidelidad: «Entonces Yavé será mi Dios.» En otros tipos de religión el encuentro explícito de lo sagrado no precede al gesto cultual, sino que es éste el que, por el contrario, sirve de acceso a lo divino. El rito puede tener por función integrar al hombre en el poder sagrado que anima el ciclo de vida y muerte, y que hace surgir las generaciones. En su virtud, el individuo y la comunidad, actores y espectadores a la vez, pueden insertarse en el orden sacral, e incluso a voces, en el tránsito extático, intentan alzarse sensiblemente al nivel de Lo Otro.

Sin duda, la relación entre religión interior y religión cultual e institucional está determinada por los tipos de cultura, e incluso en las sociedades se inserta en la evolución psicológica del individuo. En las sociedades primitivas, en las que la religión pertenece esencialmente al grupo clánico o nacional, las formas religiosas sociales determinan y llevan en sí la vida religiosa del individuo. En nuestras sociedades occidentales, las religiones son, a la vez, más universales y más individualistas. La religión está presente en el lenguaje, las reglas de vida y las prácticas cultuales, pero, porque a la vez es universal y concierne al individuo en sus preocupaciones personales de salvación, tiende a dar la preponderancia a la orientación existencial del sujeto; el consentimiento personal y la disposición ética, tienen en ellas una importancia mayor, hasta el punto de que el sujeto religioso puede vivir su religión en la abstención de toda expresión cultual, pero, pese a su más bajo nivel simbólico e institucional, la oración y la conducta moral que expresan la adhesión religiosa, no dejan de ser formas de *praxis* y en consecuencia comportamiento más o menos socializado y exteriormente manifiesto.

En el fondo, cuando los autores presentan concepciones inconciliables de la religión, ¿acaso no es que su propio método les lleva a restringir el hecho religioso a los fenómenos directamente observados por ellos? Se comprende que el sociólogo Durkheim, los tratara como una cosa social, y que James, al proyectar un análisis idiográfico de documentos personales, los concibiera como una esencia particular de relaciones afectivas. El psicólogo contemporáneo, por el contrario, con su concepción dinámica de la persona total, no puede dejar de ver en la religión toda una arquitectónica de la persona en acto. Freud lo comprendió bien, al ser uno de los primeros en intentar un estudio total de lo humano. Para él, la religión articula toda la personalidad: sentimientos, creencias, comportamientos; y asume la vida psicológica total del sujeto: angustia y deseo, relación a la sociedad y al mundo, confrontación con la muerte y la culpabilidad. Por ello mismo, se enraiza en el pasado más oscuro del individuo, incorporando así los lazos afectivos más íntimos y más durables y constituyendo el problema mayor sobre el que la razón ha de decidirse.

En resumen, el querer reconciliar todas las definiciones que sociólogos y psicólogos han dado de la religión, implica el riesgo de caer en la ya superada tendencia a la fragmentación propia de las «psicologías de facultades», que localizaban lo esencial del hombre en alguna facultad prevalente, ya sea ésta la razón, la voluntad, o el sentimiento, y, por otra parte, se corre el riesgo de sufrir la malhadada oposición que sociólogos y conductistas introducían entre el hombre interior y el hombre social. ¿El progreso de la antropología no pone de manifiesto que el hombre es, a la vez, producto de sociedades y estructuras que le preceden y le sobreviven y, al mismo tiempo, se revela a sí mismo en formas institucionales en las que introduce el fermento de sus intenciones creadoras? Análogamente, en el interior del sujeto, afectividad, razón y voluntad práctica, se compenetran y se hallan en interacción dinámica permanente. Una de las preocupaciones mayores de nuestro estudio, serán justamente las relaciones dialécticas que sostienen entre sí los elementos integrantes de la religión. Esta es siempre acto y expresión total de lo humano, a la vez ser «pathico» y ser de razón, sujeto individual y persona en sociedad.

Religión y mística humanitaria

Nos queda por elucidar, en nuestra definición de la religión, el objeto mismo de las creencias, los sentimientos y comportamientos, que denominamos religión. Hemos dicho, la religión es una relación con lo que el hombre cree ser lo «suprahumano». Y, en el curso de nuestra explicación, hemos utilizado el término de «sagrado». El primer término, «suprahumano», expresa una toma de conciencia prefilosófica; «divino» y «sagrado» se refieren más directamente al objeto propio del acto religioso con sus consonancias afectivas y cultuales. Los términos «sagrado» y «divino», expresan adecuadamente el misterio al que se refiere el acto religioso. Sin embargo, conviene especificarlos, delimitando más estrictamente el objeto de las creencias religiosas al que toda una corriente ambigua de exaltación o de interioridad ha dado resonancias típicamente terrenas.

Llamamos religión la posición del sujeto ante la realidad y la actividad de lo divino, reconocido en su alteridad con referencia al universo de lo humano. Incluso si en ciertas actitudes religiosas predomina la tendencia a la unión y a la absorción, es necesario señalar que no concebimos como religión sino aquella en que el polo sagrado aparece como suprahumano o, en términos metafísicos, como trascendente, y, a nuestro entender, la trascendencia no se verifica sino allí donde lo sagrado se concibe en un sentido personal, esto es, centro de conciencia y de voluntad. El valor de la salvación que lo sagrado ofrece, aparece como la relación vivida con un centro trascendente de voluntad salvífica. Es cierto que muchos elementos no propiamente personales intervienen en la búsqueda religiosa como en el amor humano, y por ello mismo es necesario el estudio psicológico de la religión. Deseos y temores con relación a lo divino, integran todas las fuerzas vivas del hombre tanto pulsionales como intelectuales; sin embargo, no hablamos de religión sino allí donde las fuerzas psíquicas están polarizadas hacia un elemento divino, que rebasa lo humano como un centro más o menos autónomo.

Sin duda algunos juzgarán nuestra definición demasiado sujeta a determinada filosofía tributaria de la teología cristiana y no faltan pensadores en cuya opinión si el hombre religioso prosigue hasta el fin su experiencia, llega a sobrepasar toda concepción de Dios para llegar a un centro donde puede considerarse abolida toda conciencia. Para otros, la religión es ante todo el lazo vivido con las fuerzas abisales de la vida e incluso con las tenebrosas del mal. A ambos, hemos de responder que no tomamos como objeto de estudio sino la religión que cree en un Dios más o menos personal. En cuanto a las otras experiencias y actitudes sedicentemente religiosas las situamos con relación a este centro, y trataremos de fijar su referencia e interacción con él, tanto entre los teístas como entre los ateos.

De esta manera no llamamos religiosos a los fervores calificados de místicos desde Peguy, y que a veces se preferiría llamar pseudomísticos, inspiradores de los grandes movimientos del humanismo, como es el caso del socialismo, del marxismo, del nacionalismo, e incluso del cientismo. ¿No es acaso una aberración englobar los humanismos ateos bajo la designación genérica de religión? El término de humanismo parece expresar adecuadamente esta búsqueda entusiasta y ética de los valores humanos, y encontramos deshonesto asimilar aquellos que se confiesan decididamente ateos con los hombres religiosos. Nos parece, incluso, que esta similación implica una falta de respeto ante su opinión deliberada, y les imputa una mala conciencia o una conciencia deformada que les deshonra.

El hecho cristiano

Es indudable que en el mundo occidental los hombres religiosos están en diversos grados marcados por el cristianismo, lo que, en nuestra opinión, no plantea ningún problema particular desde el punto de vista psicológico; sin embargo, ya hemos visto que ciertas concepciones teológicas ponen en duda incluso la posibilidad de una psicología religiosa y ello nos exige justificar lo que la psicología implica frente al cristianismo.

La psicología, y el psicólogo cristiano, de la misma manera que cualquier otro, considera el cristianismo como una forma particular de fe religiosa. Hace abstracción de la verdad histórica y teológica de los dogmas cristianos, y pone entre paréntesis la influencia de la gracia en el comportamiento de los sujetos, pero respeta la originalidad de la relación vivida con las realidades enunciadas por los dogmas cristianos. El principal defecto de que adolecen numerosos estudios de psicología religiosa, es integrar toda actitud religiosa en las abstracciones preestablecidas de una religiosidad indiferenciada, y el olvido de las sendas específicas que corresponden a cada creencia. En ello, se pone de manifiesto un psicologismo que sigue como una sombra a la psicología misma. Sin embargo, el sentido de una actitud depende tanto del asentimiento dado a las realidades de la fe, como de las condiciones subjetivas individuales y sociales de ésta fe. Por lo tanto, interesa al máximo analizar con rigor el contenido efectivo de las creencias y establecer los esquemas de acuerdo a los cuales el sujeto se pone en relación con ellas, cómo se autoplantea en cuanto problema, cómo reacciona ante ello, cómo se defiende, se entrega o se rehúsa.

Si el psicólogo centra raramente su atención en las creencias dogmáticas y en las transformaciones que pueden imputársele, ¿no es justamente porque las tiene por irreales? No serían otra cosa que la emanación de una subjetividad religiosa, y el que las toma en serio juega el ruboroso papel de teólogo.

Planteada la cuestión de la fe dogmática, abordamos igualmente la dificultad radical de toda psicología de la persona. ¿El individuo refleja la sociedad cultural o por el contrario ésta expresa al individuo? Una vez más encontramos la antinomia de la concepción subjetiva y de la concepción sociológica de la religión. De hecho, como ya dijimos, una psicología dinámica supera la antítesis y reconoce en el hombre el lugar de interacción de ambos polos. Ningún psicólogo del lenguaje se permitiría enfocar su estudio sobre una pura subjetividad o sobre la sola dimensión de lo social, sino que las recientes escuelas de lingüística afirman la autonomía del lenguaje en cuanto tal, como universo simbólico que no se deja reducir ni a la interioridad genética ni a las reglas sociales y en el que el individuo se integra, y por el que se deja formar, introduciendo al mismo tiempo en todo ello un centro creador. De manera análoga, la religión real existe en las múltiples relaciones entrelazadas entre los sujetos religiosos, la sociedad religiosa a la que éste pertenece y el universo de creencias y de ritos al que el individuo y la sociedad se adhieren. Sin dejar de suspender todo juicio sobre la realidad efectiva de los dogmas religiosos, el psicólogo debe permanecer atento a las ligazones primordiales que se establecen entre el individuo, la sociedad y las estructuras dogmáticas.

Ciertos teólogos partiendo de posiciones radicalmente diferentes rehúsan en principio reconocer todo derecho de observación sobre los fenómenos cristianos a la psicología religiosa. K. Barth, fiel en ello a la tesis de Lutero, opone radicalmente cristianismo y religión. En su opinión, la revelación y la gracia de Dios, suprimen la religión. Más aún, desde el punto de vista del don gratuito de Dios, la religión no es sino incredulidad *(Unglaube)*[5]; la Revelación pone de relieve la distancia cualitativa abismal que separa al hombre y a la religión, que es su obra, de Dios. En cuanto a una religión verdadera, no es reconocible sino separando los ojos del hombre y sus estructuras psíquicas y mentales, para fijarlos sobre Dios y su sola obra. Por dos motivos rehusamos aceptar la condenación que Barth arroja sobre la psicología religiosa. El primero se refiere a nuestra posición psicológica y el segundo a una opción teológica deliberada. En primer lugar, como ya hemos dicho, no queremos asimilar la totalidad de la vida religiosa a la esfera del hombre natural tal como lo estudia la psicología. En segundo lugar, creemos firmemente que lo sobrenatural cristiano no implica la abolición de lo religioso en el hombre, sino que se inserta en ello y desposa las tendencias del hombre a la vez que las purifica y las perfecciona. El objeto de la psicología religiosa no consiste solamente en estudiar los oscuros balbuceos del hombre lanzado a la persecución de lo divino, sino que abarca también todas las formas y maneras a través de las cuales el hombre entra en viva relación con Dios, manifiesto ya sea a través de lo sensible, ya a través de lo ético o a través de su propia palabra. El cristianis-

---

[5] *Kirchliche Dogmatik*, VI, 3.

mo mismo, no escapa a esta constatación: desde el momento en que se reconoce llamado por la Palabra originaria pronunciada en un tiempo histórico, debe enfrentarse con ella con toda su humanidad, y su asentimiento queda necesariamente lastrado por su materialidad humana, sin la cual su acto de fe no sería acto propiamente suyo. El hombre no es el espacio vacío en el que resuena la Palabra y al que desciende la gracia, sino que, por el contrario, en las operaciones subjetivas del hombre, *Dios en sí* se hace *Dios para él*. El pacto fundamental que se establece entre el hombre y la Palabra de Dios, confiere a las ciencias humanas, desde el mismo punto de vista de la fe, un título irrenunciable para estudiar según sus perspectivas propias las actitudes religiosas de los cristianos.

En favor de una psicología dinámica

El debate entre teología y psicología recapitula la problemática de nuestra introducción y determina el plan de este libro. La psicología religiosa es una ciencia de los hechos religiosos, una ciencia del hombre concreto que responde a aquello que él cree ser la manifestación de lo divino, y no pretende jugar el papel de filosofía de la religión ni el de teología. No es una reflexión universal que se adjudique como objetivo y tarea explicar las condiciones de posibilidad del acto religioso, ni tampoco juzga los actos religiosos atendiendo a las palabras que el mismo Dios ha pronunciado sobre la religión, sino que, por el contrario, examina la respuesta religiosa del hombre tal como éste se da en el mundo de la naturaleza y de la cultura; del hombre empírico transido de impulsos y cuya afectividad vibra al contacto de lo sagrado; del hombre que, para abrirse en un acto de fe, se hace de lo divino una idea necesariamente humana; del hombre, en fin, que traduce sus experiencias y sus creencias en su comportamiento y que da su adhesión a instituciones religiosas que le preceden o que él mismo crea. De aquí el plan del presente libro, que corresponde a una concepción dinámica de la psicología y de la religión según la cual el hombre *no es* religioso como *tampoco es* un ser ético o político, sino que *llega a serlo.* Una verdadera psicología de la religión debe de ser necesariamente genética aunque no de acuerdo a un eje temporal, como si el adulto sólo pudiera comprenderse a partir del niño, puesto que el inverso no es menos verdadero en la medida en que el niño es incomprensible desde otra perspectiva que la del adulto; lo genético esencial es más bien de orden estructural. Ser complejo, el hombre *llega a ser* tal, en la medida en que se estructuran los diferentes elementos que le componen: experiencias, impulsos, sentimientos, pensamientos, decisiones, irrupciones de lo real y presencia del otro.

Estudiar la manera en que tiene lugar esta síntesis vivida en que consiste la actitud religiosa, es el proyecto de nuestra primera parte, y por ello la organizamos de acuerdo a la dimensión esencial de la personalidad al constituirse, es decir, de acuerdo a la trayectoria que va de lo involuntario a lo voluntario, de lo inmediato a la convicción asumida. Las etapas que jalonan la primera parte de nuestra investigación, son las del devenir religioso.

Una segunda parte agrupará algunos datos de psicología religiosa genética en el sentido técnico del término; a saber, la historia del devenir religioso o ateo del hombre, según las grandes etapas de su vida: infancia, adolescencia, edad adulta. Este esquema genético, no consistirá en una repetición del primer estudio genético, puesto que el niño es, a su manera, una personalidad total y que, en cada estadio de la vida, todos los factores psicológicos se encuentran en acción. La preponderancia sucesiva de los diversos elementos y su estructuración evolutiva, permitirán, sin embargo, una mejor comprensión del adulto; puesto que la vida religiosa en la edad madura, procede de una historia psicológica, únicamente el esclarecimiento de un estudio genético permitirá llegar a situar la verdad de su comportamiento. De otra parte, la confrontación del adulto con el niño, nos proporcionará los elementos necesarios para responder a la cuestión tan frecuentemente planteada de la religiosidad natural del niño y de su verdad propia.

En fin, en otro volumen presentaremos la tercera parte de toda psicología dinámica, la patología religiosa. Se tratará en ella, no de establecer un cuadro de fenómenos aberrantes o de facilitar un diagnóstico utilizable por los pastores y los educadores, sino, al contrario, de reconocer en las distorsiones del comportamiento religioso los elementos que integran toda estructuración normal. Lo psicológico anormal, es siempre fruto de un devenir detenido en su evolución y desintegrado en razón de una represión no sublimada. Siguiendo los avatares patológicos del devenir religioso, comprenderemos mejor cómo se realiza la estructuración religiosa normal.

PRIMERA PARTE

DE LA EXPERIENCIA A LA ACTITUD RELIGIOSA

Antiguamente la religión se imponía a los hombres y a las culturas con la misma evidencia que el mundo directamente percibido. La filosofía moderna y las ciencias antropológicas, la han hecho problemática. Antes se trataba de una dimensión natural y visible. El espíritu contemporáneo ha supuesto una ruptura, hasta el punto de que las ciencias del hombre se interrogan frecuentemente, no por el problema de Dios, sino por el problema de la religiosidad, como sobre uno de los enigmas más opacos de la existencia humana.

En este contraste entre una fe religiosa natural y una problematización radical, resulta que la religión era antiguamente, en gran medida, una fe anterior a toda decisión sobre ella, una fe vital, una evidencia ingenua, tejida con el hilo que vinculaba el hombre, a su propia vida, a la sociedad y al mundo. El mundo mismo abría espontáneamente un acceso al más allá.

El término de experiencia expresa bien esta inmediatez de una presencia santa. La palabra «religión» significa por otra parte el lazo vital del hombre y de la sociedad con la fuente de todo ser. Entre el lazo vital con el mundo, y la toma de posesión del mundo y de sí mismo por el hombre —polos determinantes de la evolución del hombre y de la cultura— se desarrolla todo el laberinto de cuestiones y de formas religiosas.

La religión es una realidad dinámica y evolutiva, como la persona y la cultura, y una psicología concreta debe considerarla según esta perspectiva histórica. Solamente la confrontación de los datos reunidos por la investigación positiva actual y los testimonios religiosos históricos, nos permiten alcanzar las fuentes vivas de las actitudes religiosas contemporáneas, de las dudas religiosas, y de las actitudes ateas.

Las fuentes psicológicas de la religión son multiples: el miedo, la esperanza en el más allá, el asombro ante el misterio del mundo y de la existencia, el sentido directo de participación en el universo, la culpabilidad... Análoga y correlativamente el contenido de la religión vivida se compone de elementos bien diversos: sentimientos de dependencia y de respeto, de confianza, de búsqueda de sentido de la existencia, sentimiento de protección y miedo ante lo extraño del mundo. Pudiera hacerse un estudio morfológico y clasificar en consecuencia los diferentes tipos de religión.

Los estudios positivos sobre las formas religiosas son desgraciadamente raros en exceso para permitir elaborar semejante tipología, pero, cualquiera que sea su interés, la primera parte de nuestra obra estará dedicada a descubrir las tensiones internas que constituyen la actitud religiosa o atea, puesto que la actitud religiosa es el resultado de todo un devenir.

La perspectiva central de nuestro libro consistirá, pues, en tratar de comprender cómo una actitud religiosa llega a formarse.

Sin embargo, no se trata de identificar el devenir con el desarrollo temporal y por ello en vano se esperaría que en la primera parte de la obra se elaborara un estudio genético de la religión desde la infancia a la madurez e incluso la vejez. El niño es excesivamente polimorfo y distinto, para que pueda colocarse su religiosidad como fundamento de la religión adulta. El devenir del que tratamos es de un orden distinto; a saber, las relaciones dinámicas establecidas entre los diversos componentes de la actitud religiosa. Indudablemente el primer elemento de esta estructura, es la percepción del mundo en tanto que signo de un más allá, a la vez trascendencia y presencia en el mundo percibido. La religión es la emergencia de una creencia enraizada en la percepción del mundo, pero que la supera al dirigirse hacia Lo Otro. El primer momento de la estructura religiosa, lo designaremos, pues, en términos de experiencia; equivale a una apertura al mundo en cuanto cifra de lo divino, o incluso de Dios.

Los acontecimientos de la vida, hacen que el hombre establezca con Dios relaciones diversas y estrechas. Su comercio habitual con las cosas de este mundo, se interrumpe por crisis y alegrías que le hacen tomar conciencia más aguda e interesada de lo que parece como un más allá de su campo de visión inmediata. Angustia, desconsuelo, culpabilidad, inminencia de la muerte, son situaciones límites que intensifican normalmente el movimiento religioso. No se trata aquí de percepción del mundo como signo de Dios, sino del alborear de la oración a partir de la emoción psicológica bien definida y tensa hacia un fin.

El hombre invoca a Dios para que le salve o le sostenga en la existencia. La actitud religiosa está aquí determinada por motivos concretos. A estos acontecimientos religiosos consagraremos nuestro segundo capítulo bajo el título de «Motivos del comportamiento religioso». Ahora bien, dado que estos motivos se invocan frecuentemente al servicio de una explicación psicológica de la religión, habremos de responder en el curso de este capítulo a un problema de principio: ¿Las motivaciones explican verdaderamente el comportamiento religioso?

Si el mundo percibido despierta en el hombre la dimensión religiosa, es en razón de las imágenes parentales que le sirven de mediadoras con la persona divina. Juntamente con el mundo percibido, simbolizan a Dios e intervienen por esta razón en la formación de la estructura religiosa. De otra parte su simbolismo es dinámico. No representan solamente a Dios, sino que en el psiquismo humano introducen los vectores dinámicos que orientan la religión según dos líneas de fuerza. Es a esta evolución de la religión a la que consagraremos nuestro tercer capítulo.

El cuarto capítulo deberá recapitular el devenir religioso, a través de los tres momentos que acabamos de esbozar, y mostrar cómo se efectúa concretamente en el hombre. Si es cierto que, desde el principio de la experiencia religiosa, la religión está ya allí toda entera, no por ello se trata menos de una tarea a realizar y una verdad a descubrir. Es un movimiento que se modifica a sí mismo, y cabe, por tanto, examinar sus momentos dinámicos: conflictos, resistencias, conversión, identificación a los modelos, unificación de la persona en el rito, reinterpretación del mundo a partir de una fe personalmente asumida. Este capítulo será colocado bajo el signo de la «actitud religiosa»; la idea misma de actitud, implica la organización personal diferenciada.

Un último capítulo, en fin, presentará el devenir religioso bajo su faz negativa, al tratar del ateísmo. Entonces consideraremos los elementos de resistencia que despierta la misma llamada religiosa, tratando de explicar los gérmenes de ateísmo que cobija en su seno toda actitud religiosa en busca de sí misma.

CAPITULO I

SOBRE LA EXPERIENCIA RELIGIOSA

Para la mayor parte de los no creyentes, el hombre religioso es aquel que ha hecho una experiencia religiosa y por ello tiene el sentimiento de haber entrado en contacto con lo divino que le dirige un mensaje ininterrumpido. Por su parte, el incrédulo afirma no creer porque no ha hecho esta experiencia de Dios, y, en efecto, existen creyentes a cuyos ojos Dios es una realidad, desde el momento en que han hecho de El una experiencia directa; su presencia se les impone irresistiblemente, ya en un momento de paz interior o en una claridad que, súbitamente, ha realzado la existencia abriéndola hacia Lo Alto, ya incluso, en un episodio sentido como asistencia milagrosa.

La mayor parte de los creyentes, sin embargo, estiman errónea la idea que el incrédulo se hace de la religión, al referirla a una experiencia, que, por su parte, reputan efímera y engañosa, de la que desconfían y frente a la que se defienden, considerando que la fe religiosa no encuentra allí sus verdaderos fundamentos.

Esta divergencia es significativa, y atestigua la ambigüedad de la experiencia religiosa que depende de su doble verdad: de una parte, en ausencia de toda experiencia religiosa, la razón no puede en ningún caso legitimar la religiosidad, y, de otra parte, aquellos que la experimentan la superan en el acto religioso mismo. Ello se debe a que la experiencia religiosa es, a la vez, indispensable e insuficiente, garante de verdad y portadora de ilusiones, posesión y alienación. Encuestas realizadas entre creyentes adultos, nos han revelado, como más adelante veremos, que los mismos que contestan la experiencia religiosa, declaran su impotencia para adherirse a los dados de fe que escapan a su capacidad experimental.

La experiencia religiosa se encuentra preñada de la ambigüedad propia de lo irracional. No se debe al azar el que en el clima cultural contemporáneo la afectividad sea, a la vez, la dimensión humana la más contestada y la más estudiada; no es casual tampoco, el que la teología moderna se encuentre desgarrada entre un pensamiento religioso que pretende fundamentarse sobre la sola potencia reveladora de la experiencia humana, y otro que se apoya sobre la sola revelación de la Palabra divina.

En este capítulo, nuestro principal problema será el hacer luz sobre las ambigüedades de tal experiencia religiosa. Es lícito plantearse el problema de si existe un fondo común en todos los fenómenos reunidos bajo tal expresión. ¿Se trata acaso de la misma cosa? Vano sería buscar una definición *a priori;* comenzaremos, pues, por analizar las diversas formas de la experiencia religiosa, preguntándonos si poseen un punto de convergencia.

Veremos, en primer lugar, cómo se plantea el problema de la experiencia religiosa; cuál es su punto de inserción en la historia del pensamiento. La expresión proviene de ciertos teólogos y de ciertos filósofos, que han marcado los jalones iniciales de la época contemporánea. Al reconocer en ellos a los precursores de nuestra problemática, estamos obligados a inspirarnos en su enseñanza y a extraer la lección de sus fracasos.

En un segundo parágrafo, interrogaremos a la etnología y la fenomenología de la religión sobre la experiencia religiosa de las culturas arcaicas. Dos son los motivos que justifican esta excursión por un dominio limítrofe con la psicología. De una parte, la fenomenología de las religiones nos ha legado un análisis de la experiencia religiosa que, de suyo, ha servido frecuentemente de modelo; pero, de otra, la historia de las religiones ha puesto igualmente de relieve que las experiencias religiosas iniciales, habían tenido lugar en un contexto cultural hoy día desaparecido. Tales datos nos serán útiles en el esfuerzo para circunscribir las experiencias religiosas actuales, porque el hombre contemporáneo se comprende mejor cuando puede perfilarse sobre el horizonte de su pasado.

En un tercer parágrafo, recorreremos algunas investigaciones positivas sobre la experiencia religiosa actual, sin prejuzgar el sentido exacto que confieren a la expresión. A través de una reflexión crítica, nos preguntaremos si las diversas formas de la religiosidad de ayer y de hoy no dependen, pese a todas las diferencias, de una misma intuición fundamental. No se trata de una cuestión de palabras; se trata de reconocer el esquema mental y afectivo que orienta al hombre en el movimiento que le lleva del mundo a Dios.

Antes de abordar nuestra exposición daremos aquí algunas definiciones sumarias que servirán de guía a la investigación.

Experiencia

En español, el término de experiencia tiene, de ordinario, el sentido de ***adquisición hecha por el espíritu en el ejercicio de sus facultades*** (por ejemplo, tener experiencia de una profesión o de un país). Este término implica, por lo tanto, el saber adquirido mediante una relación práctica con las cosas o los hombres, y tal es el sentido fundamental que tiene siempre el término de experiencia incluso en sus utilizaciones más técnicas. Así, en las filosofías del conocimiento, la experiencia, ya sea interna o externa, indica la aportación de conocimientos válidos proporcionados por el mundo percibido en tanto que exterior al espíritu. Una vez más, el concepto expresa el componente empírico de todo conocimiento. En filosofía como en psicología el término de experiencia expresa «el hecho de sentir alguna cosa, en tanto este hecho se considera, no solamente como un fenómeno transitorio, sino como la prolongación y la invasión del pensamiento»[1] Incluso en la definición rigurosa dada por Kant, la experiencia significa el contacto con lo real, ciertamente estructurado por las categorías *a priori* de la razón, pero lleno, en cuanto a su contenido, por la percepción de las cosas presentes. El término alemán de *Erfahrung* como el neerlandés «ervaring» y el francés «experience» concuerda con el español «experiencia» para significar el componente empírico e inmediato del conocimiento. La etimología es por otra parte significativa; originariamente el término *Erfahrung* significa recorrer (un país, por ejemplo), descubrir por el trato directo y mantener el saber adquirido.

En psicología, la experiencia es el modo de conocer por la aprehensión intuitiva y afectiva de las significaciones y de los valores, percibidos a partir de un mundo preñado de signos y de llamadas cualitativamente diferenciadas. Es el movimiento espontáneo involuntario[2], en virtud del cual el hombre se encuentra interpelado por el mundo, por un objeto y por el otro.

1. EL TEMA DE LA EXPERIENCIA EN LA LITERATURA RELIGIOSA RECIENTE

EL DESCUBRIMIENTO DE LO IRRACIONAL

Es, sin duda, algo típico del pensamiento occidental, el concebir la verdad en la transparencia de los conceptos. Este esfuerzo de posesión rigurosa de sí mismo y del mundo, ha tenido su alborear en la filosofía y la ciencia griegas. Alimentada por un irracional, presente bajo mil

---

[1] LALANDE, *Vocabulaire technique et critique de la Philosophie*, París, 1947, pp. 309-310.

[2] Tomamos la palabra en el sentido de aquello que, como las emociones, los impulsos, etc., subyace siempre a lo voluntario. Cf. P. RICOEUR, *Philosophie de la volonté. Le volontaire et l'involontaire*, París, 1949.

formas, la cultura griega ha luchado a partir del siglo VI para conquistar sobre él la luz de la razón [3]. El pensamiento religioso, omnipresente también en la época arcaica, fue visitado por el misterio de lo divino, manifiesto en el tránsito dionisíaco, en el entusiasmo pítico, y en los sueños; pero Platón, racionaliza los ímpetus religiosos y sus encantaciones mágicas y míticas. Este esfuerzo de racionalización, se prosigue en el pensamiento cristiano y en la filosofía occidental, pero los tiempos modernos han retornado a los orígenes irracionales olvidados. Hegel, Nietzsche, la filosofía de la vida, el existencialismo y el psicoanálisis, suponen otras tantas tentativas de explorar este irracional, del cual toda existencia está preñada y transida. Ciertamente, todos los pensadores se han dado por tarea el elucidar e integrar en la razón las oscuras potencias de las que surge la existencia humana; pero, haciendo tal cosa, han dilatado y reelaborado el campo de lo racional en sus relaciones dialécticas con lo irracional mismo.

El interés de los modernos por la experiencia religiosa es parte de la aparición de esta más amplia racionalidad, al ser solidario de todas sus ambigüedades, de todas sus confusiones, pero a la vez de todas sus realizaciones. Toda una tradición filosófica y teológica tomando el relevo de la crítica racionalista que de la religión hiciera Kant, se ha formado subrayando el aspecto receptivo y «pathico» de la religión y subvalorando el papel constituyente de la razón. El criticismo de Kant, en efecto, minaba la base racional de la religión, pero eliminaba a la vez todo sentido de lo sagrado. Según Kant, «la religión en los límites de la razón», se reducía a una ética humana prolongada en una esperanza religiosa de justicia escatológica; tal actitud crítica la encontramos en numerosos intelectuales cristianos. Es en este vacío del pensamiento religioso,

---

[3] Cf. E. R. DODDS, *The Greeks and the irrational*, Los Angeles, 1951 (trad. española: *Los griegos y lo irracional*, Madrid, Revista de Occidente, 1960).

donde los filósofos modernos han realizado el descubrimiento de los sentimientos religiosos. Citemos solamente al que ha inaugurado la tradición de una filosofía de la experiencia religiosa, Schleiermacher. «En su esencia, escribe en 1799, la religión no es ni pensamiento ni acción, sino contemplación intuitiva y sentimiento»[4], de aquí que «la religiosidad considerada en sí misma, no sea ni un saber ni una acción sino una determinación del sentimiento o de la conciencia de sí inmediata»[5]; es «el sentido y el gusto del infinito»[6], el sentimiento de la absoluta dependencia. La religión es verdad: es la conciencia de nuestra unidad con lo Infinito que se refleja en la naturaleza. Esta conciencia equivale a una presencia a sí inmediata, y se realiza en una interioridad que no mediatiza ni la razón ni la voluntad. Análogamente, los dogmas, las representaciones religiosas racionales, no tienen otra entidad que la que les proporcionan los estados anímicos que las expresan. Schleiermacher reconduce la religión al sentimiento, y necesario será que critiquemos este subjetivismo, puesto que, en nuestra opinión, el sentimiento no es la forma normativa de la experiencia. Pero, sin duda, Schleiermacher descubrió, aunque tal vez en términos inadecuados, el medio subjetivo y prerreflexivo en el que germina la religión; asignando con ello a la investigación, un dominio específico, la religión en tanto que no es pensamiento objetivo y universal, sino experiencia vivida y realidad humana, sustancia afectiva y carnal. Ciertamente, esta orientación del pensamiento religioso ha tenido nefastas consecuencias encerrando la primera psicología religiosa en una mera exploración introspectiva de la interioridad y desbrozando el camino a toda una crítica atea que va desde el humanismo de Feuerbach al estudio de las motivaciones de Freud. Pero, por otra parte, ha planteado un problema esencial: el del *Dios para el hombre*. Mer-

[4] *Über die Religion. Reden an die Gebildeten unter ihrer Verächtern,* Ausgewählte Werke, B. IV, Leipzig, 1913, p. 241.

[5] *Der christliche Glaube,* § 3.

[6] *Über die Religion...,* cit., p. 242.

ced a ella, se ha tomado conciencia de que la religión vivida no existe en el nivel de los conceptos ni de la práctica ética, sino en el de una interiorización personal.

FENOMENOLOGIA DE LA RELIGION

Por su parte, la fenomenología de la religión, ya sea de inspiración histórica o filosófica, ha reconocido frecuentemente en la religiosidad una relación irracional con lo divino, un encuentro con lo «numinoso».

Rudolf Otto[7] parte de la filosofía kantiana para considerar que existe una categoría *a priori* de orden irracional, y que es el sentido de lo sagrado. A las ideas, vacías según Kant, de Dios y del Alma proporciona un contenido específico, al ponerlas en relación con los datos sensibles que nacen al contacto de nuestras formas afectivas con el mundo. El hombre percibe el mundo según las formas *a priori* de su afectividad; el sentido de lo sagrado, innato en nosotros, arroja luz sobre las cualidades divinas del mundo percibido y proporciona su contenido a la idea de Dios. Así el hombre percibe intuitiva y afectivamente el misterio de Dios en las formas simbólicas de lo terrestre, de la misma manera que percibe en ellas intuitiva y afectivamente la belleza.

Toda una corriente de pensadores ha descrito y ha profundizado esta experiencia originaria de lo sagrado y de lo numinoso. Citemos, por ejemplo, a Fr. Heiler, Geyser, Durkheim, N. Söderblom, W. Schmidt, M. Scheler, J. Hessen, M. Eliade. Todos ellos, han querido demostrar la especificidad de la religión vivida, que no puede reconducirse ni a una interpretación racional del mundo ni a una voluntad de perfección (la «voluntad santa» según

---

[7] *Das Heilige*, Marburg, 1917 (trad. española: *Lo santo*, Madrid, Revista de Occidente, 1929). (En esta traducción el término "Das Heilige" se ha traducido por "lo sagrado" por su mayor fidelidad tanto al original francés de la presente obra como al sentido con que Otto lo utilizara.—*N. del T.)*

Kant). Para la psicología religiosa, la importancia de estos pensadores ha sido grande, en razón, tanto de su método, consistente en el análisis de testimonios religiosos, como por su determinación de lo que debe considerarse como el dominio propio de la psicología religiosa: la conciencia y el comportamiento religioso. Algunos se dedican al análisis más directamente fenomenológico de ciertos hechos religiosos; otros, a la descripción de testimonios religiosos históricos.

M. Scheler, fenomenólogo formado por E. Husserl, afirma en su obra *Von Ewigen im Menschen*[7a], que la conciencia religiosa tiene su propio poder y evidencia, posee su objeto propio inaccesible a cualquiera otra forma distinta, incluso al conocimiento metafísico. Su objeto no se ofrece sino a los actos religiosos, permaneciendo irreductible a toda otra forma del espíritu humano. En este sentido, toda religión tiene su fuente última en una revelación, no histórica, sino natural, presente en los datos constantes del mundo exterior e interior, y por lo tanto accesible a todos. El acto religioso es el más inmediato y primitivo de la persona[8], precede y funda toda otra actualización del espíritu humano, en el orden psicogenético y en el orden esencial[9]. Como veremos, el análisis fenomenológico de Scheler coincide con los datos experimentales que han aportado los estudios de sociología y de psicología religiosa; esto es, que el hombre es originariamente un ser religioso por la experiencia inmediata que hace, a la vez, de su dependencia y del misterio que le rodea. Pero, la cuestión que se plantea es si la evolución de la cultura no supone una superación de esta conciencia religiosa inmediata. A veces parece que nuestra civilización se realiza conquistando su autonomía frente a la dependencia religiosa originaria. ¿Qué es lo que

---

[7a] Trad. española, *De lo eterno en el hombre*, Madrid, Revista de Occidente.

[8] *Vom Ewigen im Menschen*, Leipzig, 1921, p. 550.

[9] *Ibíd.*, p. 360.

queda en nuestros días de la experiencia religiosa fundamental analizada por Scheler?

Señalemos, para terminar, dos autores que han contribuido de manera relevante a poner en luz la originalidad de la experiencia de lo sagrado por sus estudios sobre los testimonios históricos de las religiones. Mircea Eliade ha estudiado los fenómenos religiosos en sus símbolos, modalidades y estructuras. Aunque atribuye menos importancia al aspecto subjetivo, concibe la toma de conciencia subjetiva de las «hierofanias» como una experiencia original, para referirse a la cual ha utilizado el término, hoy día clásico, de «experiencia religiosa» [10]. En el mismo sentido, G. van der Leeuw sitúa en el origen de toda religión una experiencia original, que interpreta como un asombro ante el poder de «lo otro» y el sentimiento inmediato de estarle religado: «Juntamente con Söderblom, conviene situar el asombro en el comienzo, no solamente de la filosofía, sino también de la religión. Todavía no existe en este estadio problema alguno de lo sobrenatural o lo trascendente; no podría hablarse en él de Dios sino impropiamente; lo que verdaderamente existe es una experiencia vital de referencia a *lo otro* que asombra... contentándose con una constatación empírica: esto no es lo ordinario; aquello proviene de su *poder.*» «Todo dogma, todo acto cultual, no puede comprenderse sino como reflexión sobre una experiencia vital...» [11]. «La experiencia religiosa vital, es aquella cuya significación se refiere al conjunto, al todo... Designa al hombre un término último, un límite. No podría ser así si no fuera a la vez un tér-

---

[10] *Traité d'Histoire des Religions,* París, 1949, pp. 17-18, 343-344 (trad. española: *Tratado de la historia de las religiones,* Madrid, Instituto de Estudios Políticos, 1954).

[11] *La religion dans son essence et ses manifestations. Phénoménologie de la rèligion,* París, 1948, pp. 9-10. (Sobre esta reelaboración francesa de la primera edición alemana, *Phänomenologie der Religion,* Tubinga, 1933, se hizo una segunda edición alemana muy innovada, aparecida en 1956, y de la que existe trarducción española: *Fenomenología de la religión,* México, Fondo de Cultura Económica, 1964.)

mino primario, un comienzo. Su sentido es experimentado, vivido, como «totalmente distinto», su esencia, como una revelación. Subsiste así, un resto, incomprensible en principio, pero en el que la religión encuentra la condición previa a toda comprensión» [12].

TEOLOGIA DE LA EXPERIENCIA

Este descubrimiento de la subjetividad religiosa ha afectado profundamente la teología, especialmente la protestante [13], y ha suscitado toda una corriente, calificable como teología de la experiencia, en la que ésta es a la vez fuente y norma del pensamiento teológico [14]. Así, Harnack gustaba repetir: «Dios y alma, el alma y su Dios, son todo el contenido del Evangelio» [15]. Es en su interioridad intemporal donde el hombre encuentra a Dios, y, de la misma manera que ciertos fenomenólogos de la religión, como Heiler, van der Leeuw o Mensching, ven en los mitos religiosos las creaciones de una conciencia religiosa originaria, hay teólogos liberales que se esfuerzan en referir las verdades religiosas, los dogmas cristianos, a los diferentes estados de alma como constitutivos de su contenido de verdad. Citemos como ejemplo la interpretación psicológica que Vobbermin [16] ha elaborado de la doctrina sobre la Santísima Trinidad. La Paternidad de Dios y los conceptos de Hijo y Espíritu Santo expresarían, respectivamente, nuestro sentimiento de dependencia con referencia al Señor absoluto, nuestro sentimiento de ser apa-

[12] Pp. 452-453.

[13] Sobre la oposición entre el protestantismo liberal y el modernismo católico, véase E. POULAT, *Histoire, dogme et critique dans la crise moderniste*, Tournai, París, 1962, pp. 89-102.

[14] Baste señalar los principales autores: F. Schleiermacher, F. Frank, R. Seeberg, G. Wobbermin.

[15] *Das Wesen des Christentums*, Leipzig, 1900.

[16] "Die Methoden der religionpsychologischen Arbeit", *Handbuch der biologischen Arbeitsmethoden*, Abt. VI, c. I, Berlín-Viena, 1928, pp. 1-44.

centados, protegidos, en un universo gobernado por la potencia divina, y, en fin, nuestra unión personal con Dios. El método de semejante teología, que coincide de hecho con una filosofía religiosa bastante relajada, consiste en la «introspección productiva» *(produktive Einfühlung)*, cuyo último objetivo es llegar a comprender la esencia de la religiosidad, consistente en la percepción inmediata, la impresión primaria del hombre, que se siente receptivo ante Dios. La convicción religiosa es un momento ulterior, al que sigue el nivel de la conceptualización ramificado en imágenes y en conceptos particulares. Las ideas de Vobbermin representan el empirismo y el psicologismo característicos de toda la primera fase de la psicología religiosa, la de James y Starbuck. Este psicologismo continúa siendo un peligro permanente para la psicología religiosa como para toda psicología y cabe resumirlo en el desconocimiento de la estructuración dinámica de la persona. Como ya hemos dicho, nuestra investigación se centra en torno al intercambio entre la persona y su medio, cosas y personas. A través de estas experiencias, deseos, conflictos y transformaciones de sí mismo, el hombre se hace un ser religioso, es decir, no permanece idéntico a sí mismo. Nuestra concepción dinámica del hombre religioso, nos separa igualmente de numerosos psicólogos más recientes, en cuyas posiciones criticamos un punto de vista todavía excesivamente «psicologista» del hombre y de su religión. Baste citar los estudios de C. G. Jung e incluso los de G. Allport [17] y W. H. Clark [18].

EXPERIENCIA RELIGIOSA Y EXPERIENCIA CRISTIANA

Numerosos teólogos católicos, han subrayado la presencia de certidumbres de experiencia en el corazón mismo de la fe ortodoxa. Reticentes ante el problema de las

---

[17] *The Individual and his Religion*, Nueva York, 1953.
[18] *The Psychology of Religion*, Nueva York, 1958.

emociones religiosas subjetivas y arbitrarias, han designado por el contrario, en el uso que hacen del término de experiencia, la disposición profunda en virtud de la cual el creyente capta, inmediatamente, en una relación directa entre el hombre y Dios, el valor religioso superior de las verdades y los misterios cristianos [19]. También ellos tenían la aspiración de salvar la fe del extrinsecismo que vaciaba de sus cualidades religiosas la adhesión a puros conceptos dogmáticos. En el fondo, han elaborado el elemento de *intencionalidad*, presupuesto en la tesis tomista según la cual, la fe no tiene por objeto conceptos, sino a Dios mismo en sus acciones salvíficas.

Ciertos teólogos, que pueden representarse en la figura y la autoridad de Romano Guardini, han distinguido claramente entre la experiencia religiosa específicamente cristiana y otro tipo de experiencia religiosa, aquella que se encuentra en los orígenes de la vida religiosa y que es capaz de desarrollarse hasta convertirse en fe cristiana. Esta experiencia religiosa natural no es necesariamente inicial desde el punto de vista cronológico, pero lo es en una perspectiva estructural. En ella radica la matriz religiosa que la revelación es capaz de fecundar. En efecto, si el hombre no contemplara a Dios en sus obras, ¿cómo podría adherirse a la Palabra viva de Dios, pedagoga de una nueva relación con el mundo humano tal como lo manifiesta la experiencia? ¿Para que el hombre pueda escuchar al Verbo intemporal no es preciso que previamente el mundo temporal sea manifestación de Dios y que su Verbo inmanente, transparente al menos para la luz oscura de la intuición y de la afectividad, contenga una revelación natural? Sin dejar de lado la discontinuidad que separa el orden de la revelación del orden de la religiosidad natural, el teólogo debe reconocer que Dios no puede hablar sino al hombre capaz, por el hecho de serlo, de escu-

---

[19] Cf. AUBERT, *Le problème de l'acte de Foi*, Lovaina, 1945, pp. 703 y ss. (trad. española: *El Acto de Fe*, Barcelona, Herder, 1965).

char y entender esta Palabra. Sólo puede buscarse a Dios en la palabra histórica, cuando ésta se ha presentido ya de alguna manera.

En consecuencia no debe confundirse la experiencia religiosa y la experiencia cristiana [20]. En el estadio mismo de la adhesión a la fe propiamente cristiana, las realidades propuestas a nuestra adhesión tienen su eco en el plano de la afectividad profunda, y, a través de sus conceptos, el creyente se refiere a las realidades mismas. Por estas dos notas, la fe cristiana es también intuitiva.

Una brusca percepción a través de «la aguda punta del alma» puede, de un golpe, hacer presente y real el objeto religioso que el sujeto busca a tientas. Los conversos nos proporcionan el testimonio. Tal es el caso de Claudel [21], incrédulo inquieto, que, oyendo cantar el *Magníficat* en Navidad, recibe bruscamente la revelación. «¡Oh, cómo son de felices los creyentes! ¿Si ello fuera cierto? ¡Pero sí lo es! Dios existe, está ahí, es Alguien, es un ser, tan personal como yo. Me llama y me ama.» Tuvo de repente «el sentimiento desgarrante de la inocencia, de la eterna infancia de Dios, revelación inefable». Tal es también el caso de miss Baker que, al término de una larga búsqueda de Dios, se encuentra iluminada de repente con ocasión de un suceso más bien insignificante, por la significación existencial de este Dios que buscaba. «El sermón, que yo sepa, no me enseñaba nada de nuevo; simplemente estas verdades tan sabidas entraban en mí con una significación nueva y yo comprendía, de una manera hasta entonces desconocida, que el catolicismo no es una teoría de la creación, una simple deducción lógica, un problema a resolver con la sola inteligencia, sino la devoción a una persona y la unión a un Dios vivo» [22].

En estos casos se tiene pleno derecho a hablar de ex-

---

[20] Para la descripción de la experiencia cristiana, cf. J. MOUROUX, *L'expérience chrétienne*, París, 1952, e. a., pp. 47 y ss.

[21] *Pages de Prose, recueillies et présentées par A. Blanchet*, París, 1944, p. 277.

[22] *Vers la maison de lumière* [3], París, 1917, p. 239.

periencia religiosa, porque se trata de una apertura afectiva que llena los conceptos ya conocidos con una densidad existencial. Esta experiencia, sin embargo, realizada a través de signos históricos de un Dios netamente personal es de un orden distinto al de la sensibilidad natural al misterio divino presente en el universo y en la vida.

La percepción intuitiva del Dios personal, no se limita, sin embargo, a la brusca iluminación que pone en movimiento la fe religiosa. Incluso cuando la adhesión interior no tiene siempre conciencia de ser experiencia, puede presuponerse que un momento experimental está subyacente en la actitud de fe más deliberada, que la fundamenta y que la da una especie de seguridad para un compromiso en el que toda garantía intelectual falta por definición. Los filósofos existencialistas cristianos han tematizado este tipo de experiencia religiosa en la cual el hombre accede a Dios a partir del fondo mismo de su existencia, allí donde se anuda la paradoja de la subjetividad. Sabido es que Kierkegaard fue el primero en introducir el término de existencia, en su sentido actual. A sus ojos, el hombre que quiere conocer la verdad en su nivel más profundo, debe dejarse invadir por ella totalmente; su saber debe hacerse interioridad, subjetividad; meta inalcanzable si no es merced al actuar en el que el alma se hace presente[23].

Gabriel Marcel, por su parte, ha analizado en más de una ocasión el carácter experimental de la fe religiosa, en la que el objeto reconocido y la interioridad vivida se corresponden uno a otro. Dios no se deja conocer sino por la fe conjugada con el amor; cuando la fe cesa de ser amor, se congela en una creencia «objetiva», en una potencia concebida en términos más o menos físicos; y, de otra parte, el amor que no es a su vez una fe, y que no re-

---

[23] *Begrebet Angst,* Copenhague, 1844, cap. IV (trad. española: *El concepto de la angustia,* Madrid, Guadarrama, 1965, pp. 205 y siguientes).

conoce la trascendencia del Dios amado no es sino una especie de juego abstracto»[24].

Los estudios consagrados a los místicos, han demostrado que, en su culminación, la fe razonada y deliberada desemboca en una experiencia incluso superior, menos emocional, pero no de menor profundidad afectiva. A este nivel de afectividad purificada se habla de intuición mejor que de experiencia.

El término de experiencia es, por lo tanto, de sentido analógico; sigue la evolución de la vivencia religiosa y significa, en cada momento de esta curva, la presencia ante Dios en lo que ella tiene de intuitivo, de inmediato y de profundamente afectivo. En su sentido originario y directo, sin embargo, dicha experiencia significa la percepción del mundo como signo de lo divino. Cargado por la energía de lo invisible, sustraído a sí mismo, el hombre se orienta oscuramente hacia la realidad otra que ha hecho irrupción en su existencia. Esta es la razón por la cual, en el texto que sigue, no hablamos de experiencia religiosa en el sentido de experiencia religiosa superior, puesto que ésta no tiene el mismo carácter de inmediatez que reconocemos a la experiencia aquí tratada. La fe religiosa supone una transformación de la persona, una escucha intelectual y una adhesión deliberada que transforman la personalidad religiosa. A esta fe reservamos el término de actitud.

Nuestro problema psicológico es, por lo tanto, aquí, el saber si existe alguna experiencia religiosa que forme parte de la existencia humana; si, realmente, es algo universal y permanente; cuál es su contenido; cuáles son sus lazos con el mundo cultural que evoluciona y cómo se relaciona con un acto de fe dogmática.

---

[24] *Journal Métaphysique*, París, 1927, pp. 57-59 (trad. española: *Diario metafísico*, Buenos Aires, Losada, 1957).

II. NATURALEZA Y ESTRUCTURA DE LA EXPERIENCIA RELIGIOSA EN LAS RELIGIONES PRIMITIVAS

Podría parecer que nuestra definición de la experiencia religiosa implica la tesis del hombre naturalmente religioso. Los fenomenólogos de la religión tienden, por su parte, a reducir las separaciones y diferencias que plagan la historia religiosa. ¿Acaso no buscan las fenomenologías eidéticas la liberación de las esencias a través de la analogía de hechos singulares? En realidad, si existe una esencia del acto religioso y del objeto, *noema,* que le corresponde, la experiencia religiosa no puede ser tratada como una esencia estable, puesto que, por naturaleza, es la realización subjetiva de sentido religioso al contacto con el mundo. Es, como toda experiencia primordial, a la vez natural y cultural. Expresa la resonancia interior que el mundo encuentra en un ser afectivo y «pathico», pero también se inserta en una tradición cultural en la medida en que la afectividad se someta a los estilos cambiantes de lenguaje y de relaciones hombre y mundo. En lugar, por lo tanto, de imaginar una experiencia religiosa natural, inherente al hombre, debemos plantearnos la cuestión de su permanencia y su universalidad, cuestión que abre el camino a la confrontación entre los análisis fenomenológicos, fundados en documentos históricos, y las encuestas psicológicas llevadas a cabo en diversos medios contemporáneos.

Los estudios fenomenológicos de la religión, nos han revelado un hombre extraordinariamente religioso. Para el hombre arcaico, el cosmos era, de suyo, una manifestación de lo sagrado, una hierofanía. Mediante los símbolos cósmicos, el hombre entraba en relación con la realidad fundamental de la existencia. El sol y la tierra, el agua, la montaña, la selva y la roca... le manifestaban lo divino. Este hombre se mueve en un mundo abierto a Lo Otro. En los signos del mundo humano, Lo Otro se deja traslucir y, con su presencia, carga objetos que en adelante no son ya simplemente culturales o naturales.

Ha sido Mircea Eliade[25] quien ha subrayado el hecho, a primera vista paradójico, de que la religión suponga siempre la oposición entre lo sagrado y lo profano, y, además, el que cualquier objeto pueda convertirse en sagrado. «Esta contradicción no es sino aparente, puesto que no se conoce ninguna religión o raza que haya acumulado en el curso de su historia todas las hierofanías posibles.» «... una hierofanía supone siempre una *elección*, una clara separación del objeto considerado como hierofánico del *resto* que le sirve de fondo y le rodea.»

El rito religioso, como objeto hierofánico, incorpora también lo sagrado. Repite «un gesto arquetipal, realizado *in illo tempore*, al principio de la historia, por los antepasados fabulosos o por los dioses. El rito, mediante la repetición de su arquetipo en el sentido de tipo originario, *coincide* con él hasta identificársele y, en consecuencia, el tiempo profano se considera abolido. Asistimos, por decirlo así, *al acto mismo* realizado *in illo tempore*, en un momento auroral cosmogónico. Transformando todos los actos fisiológicos en ceremonias, el hombre arcaico se esfuerza en cruzar la frontera y proyectarse más allá del tiempo (del devenir), en la eternidad»[26].

La vida religiosa implica elementos teóricos que también hacen presente lo sagrado. Expresan en símbolos y en conceptos, la presencia sacral, de los orígenes y de las postrimerías. Tal es el caso de los mitos cosmogónicos y genealógicos, los ideogramas, etc. En su virtud, el hombre se integra en Lo Otro que le salva.

Tanto la estructura temporal como la espacial del universo son sacralizables y sacralizadas[27]. En el espacio

---

[25] *Traité...*, cit., pp. 15, 24-25.

[26] *Ibíd.*, p. 40.

[27] Mircea Eliade, *Das Heilige und das Profane*, Hamburgo, 1957. (La referencia se toma de la versión francesa de la obra, hecha por el mismo autor, *Le sacré et le profane*, París, 1965,

terrestre homogéneo, la presencia de lo sagrado introduce un centro de referencia, un punto fijo, del cual está suspendido el espacio; un lugar donde aquél encuentra su fundamento. No se trata en principio de una teoría cósmica. Lo sagrado puede, por otra parte, asentarse en no importa qué lugar; pero el objeto o el lugar en el que se establece, se convierte simbólicamente en el punto en el cual el universo se vincula a Lo Otro. La experiencia religiosa organiza el espacio, no de acuerdo al orden de la razón, sino de acuerdo al orden del sentido y del fundamento.

La variedad de las formas religiosas es infinita, hasta el punto de que ciertos especialistas contemporáneos de las ciencias religiosas, consideran un intento puramente arbitrario toda tentativa de síntesis y definición [28]. Tales exigencias de rigor, honran sin duda a quienes la formulan más que la ingenuidad con la que los primeros teóricos del siglo XIX propusieron sus rápidas síntesis; sin embargo, la fenomenología, tal como la practica Mircea Eliade, consigue establecer una fisonomía de las religiones naturales, cuyo rasgo esencial reside en esta *presencia simbólica de lo sagrado.* Es cierto que las formas de esta presencia contrastan entre sí y que de una religión a otra todos los simbolismos pueden ser diferentes, pero siempre permanece como constante el hecho de que el hombre se encuentre inserto en un medio que es válido y significativo, porque en su centro medular se vincula a lo sagrado, participa en él y se llena de él.

Por otro lado, los salmos bíblicos son, en gran parte, una lectura religiosa del universo, y, sin embargo, los israelitas no son religiosos en el sentido que acabamos de decir. Si el universo les habla de Dios, es porque ellos ven en él el reflejo de la palabra histórica que el Dios de Abraham les ha dirigido. Su simbolismo religioso tiene

---

pp. 21 y ss.) Cf. K. GOLDAMMER, *Die Formenwelt des Religiösen,* Stuttgart, 1960, pp. 190 y ss.

[28] Tal es la posición de K. Goldammer en la citada obra.

una fuente radicalmente distinta, puesto que traduce, en su relación con el universo, la fe en un solo Dios verdadero que se manifiesta a través de signos proféticos.

Después de esta evocación de la religiosidad natural de las civilizaciones arcaicas, conviene, para reforzar nuestra comprensión psicológica del hombre religioso, hacer luz sobre las dos tensiones dialécticas que la atraviesan: la de la experiencia y la racionalización, y la del teísmo y la participación cosmovitalista. Igualmente instructivo es señalar la influencia del medio económico y cultural sobre estas religiones.

En el caso de las religiones primitivas, la experiencia religiosa se caracteriza esencialmente por el hecho de ser una experiencia existencialmente inmediata. Lo sagrado constituye el horizonte omnipresente del mundo humano en el mismo sentido que para los psicólogos de la *Gestalt*, o para los fenomenólogos actuales de la percepción, el mundo es el horizonte sobre el que se destaca toda figura. Esta omnipresencia de lo sagrado puede actualizarse en símbolos, ritos y mitos diversos, pero toda actualización concreta no hace sino concretar una presencia virtual inmediata. Cedamos la palabra a un gran especialista de la historia de las religiones: «Lo que distingue la mentalidad primitiva es que, incluso allí donde hay una concepción del mundo, lo que interesa al primitivo es su ser-en-el-mundo, rehusando concebir el mundo como totalmente separado de su *yo* ni a sí mismo como separado del mundo» [29]. El hombre toma conciencia de su situación en el mundo, y sabe inmediatamente que participa en una forma de existencia que le rebasa infinitamente. Percibe su posición, como solidaria de un destino universal.

El siglo XIX ha presenciado la aparición de múltiples teorías formuladas en torno al origen de la religión. Tylor creía que los primitivos eran animistas y que los dioses

---

[29] J. GOETZ, "Les religions des primitifs", en F. M. BERGOUNIOUX y J. GOETZ, *Les religions des préhistoriques et des primitifs*, París, 1958, p. 113.

habrían sido los sucesores de los espíritus. Marret y Preuss suponían la existencia de un estadio aún más original o de pre-animismo, en el que una potencia impersonal (el *mana)* dominaría la intuición perceptiva del universo. En sus primeras obras, Durkheim hacía derivar la religión del totemismo. Lévy-Brhul lo veía en una mentalidad prelógica. Freud combinaba todos estos elementos en su explicación genética de la religión. Otros, como Lang y Schmidt, afirmaban, apoyándose en sus estudios históricos, el monoteísmo inicial. Posteriormente, investigaciones más profundas han puesto de manifiesto la diversidad que encierra, desde los tiempos más remotos, la tipología religiosa, y demostrado la coexistencia de religiones verdaderamente tales, con creencias animistas y prácticas mágicas. Gracias a estos estudios recientes se ha puesto el acento en la dependencia de las formas religiosas respecto de las situaciones económico-sociales. Toda tentativa de explicación genética a partir de elementos más simples y primitivos, debe ser, por lo tanto, rechazada. Pero, sobre todo, es ya indiscutible que la religión de los primitivos ni es fruto de la evolución de otras creencias, como la creencia en los espíritus, ni puede considerarse como una forma de pensamiento que pese a su deseo de racionalidad fuera incapaz de elevarse hasta el nivel de la razón lógica. La postura religiosa es un hecho originario, una experiencia y una intuición simbólicas inmediatas. La historia de las religiones lo atestigua de manera indubitable.

La evolución de los mitos, en primer lugar, no procede de un pensamiento oscuro que tiende, como última tentativa de racionalización, hacia la afirmación de Dios o de los dioses, sino que la evolución se produce en sentido inverso. Se parte de una participación inmediata en lo divino expresado en símbolos, ritos e historias simbólicas (mitos originarios) y evoluciona hacia tentativas de explicación racional a través de la elaboración gnóstica de los mitos [30]. La religión se racionaliza, los mitos se hacen

[30] GOETZ, *op. cit.*, pp. 94 y ss.

menos religiosos, convirtiéndose en sistemas de explicación cosmológicas o culturales. Sobre una experiencia religiosa originaria, la razón *destaca* los elementos capaces de ser útiles a su empresa intelectual. Al enfrentarse con el enigma de los orígenes religiosos, las ciencias se dejaron arrastrar por la tendencia de dar explicaciones objetivas y causales, por el prejuicio racionalista según el cual la actitud religiosa como vivencia total de la existencia o del mundo por el hombre, debería resultar de elementos parciales que le fueran anteriores como los componentes al todo compuesto: la razón en su estadio prelógico; la técnica en la era precientífica que se califica de magia. Posteriormente nuevas concepciones antropológicas, han permitido interpretar más correctamente los hechos religiosos, por otra parte reintegrados en su originalidad positiva merced al progreso de los conocimientos históricos.

El hecho religioso primitivo que acabamos de describir, está además sometido a otra dialéctica; la tensión entre el *teísmo* y el *cosmo-vitalismo* que obedece tanto a leyes inherentes al dinamismo religioso, como a influencias socio-culturales. Subrayamos esta tensión porque hace luz de manera muy significativa sobre un cierto número de fenómenos análogos que hoy día pueden constatarse entre los creyentes contemporáneos.

Según las investigaciones recientes, el monoteísmo no es tan sólo un fenómeno cultural tardío fruto de la concentración en un solo ser todopoderoso y trascendente de múltiples divinidades representante de funciones y poderes diversos. En los albores de la historia, ya los hombres tenían conciencia de depender de un ser divino y celeste al que se concebía como único señor y propietario de la vida y del mundo; un Dios padre, adorado, invocado y respetado en la ingenuidad de una cultura aún infantil. Es interesante señalar que esta actitud religiosa tan pura y simple se encuentra en los pueblos más desprovistos de medios económicos y más frustrados en el plano de la especulación intelectual, los recolectores y pigmeos [31], y es en relación con la evolución socio-cultural como esta actitud religiosa se hace más compleja, bien mezclándose con elementos menos religiosos, bien transmutándose en deísmo. Las culturas pastoriles desarrollan un simbolismo uraniano que se ramifica en especulaciones mitológicas sobre los orígenes cósmicos, y a la vez que su representación de Dios, enlazada por la simbología uraniana, se aleja, haciéndose más trascendente, más formalmente omnipotente, pero también más distante, cortado el lazo vital que le unía con los hombres. Los pueblos agricultores, por el contrario, se vuelven hacia la tierra y las potencias de la fecundidad y han cultivado el mito y los ritos mistéricos, celebrando la fuerza vital o queriendo participar en su presencia, inmanente a todo lo que vive, mediante actos y palabras. Un modo tal de situar el universo y de integrarse en él, son característicos de lo que se llama el sistema cosmo-vitalista, aunque en el caso descrito se trata todavía de una mentalidad global y no de una teoría sistematizada. Este tipo de universo no excluye al teísmo, y existen textos religiosos que atestiguan la coexistencia de ambas actitudes, pero el centro de gravedad se ha desplazado hacia la adhesión a las fuerzas inmanentes de lo terrestre, que si bien son trascendentes al mismo individuo y al clan, no lo son respecto de la misma naturaleza fecunda. En este tipo de universo espiritual, además, el Dios que todavía se reconoce, se aparta de la relación vital que da lugar al culto religioso y a la oración, hasta el punto de que se le puede llamar un *deus otiosus*, un dios inactivo y ausente. De la ausencia de todo culto, ciertos etnólogos han deducido la existencia de un ateísmo práctico, cuando no explícito; pero se ha demostrado, sin embargo, que en una situación de extrema necesidad, estos pueblos volvían a invocar a este Dios, ordinariamente olvidado, reactualizando, ante la amenaza de una catástrofe, una experiencia teísta origi-

---

31 P. SCHEBESTA, *Les pygmées du Congo Belge, ces inconnus*, Namur, 1957, pp. 173-174.

naria oculta por la red de lazos que vinculan el hombre a la vida.

Estos pocos datos de la historia de las religiones, arrojan luz tanto sobre la naturaleza de la experiencia religiosa, como sobre los dinamismos que pueden actuar en ella.

El hombre, fue religioso en un principio, merced a una intuición inmediata de su situación en el mundo que le hacía sentirse dependiente de un misterio sagrado envolvente, cuya presencia se manifestaba poderosamente activa en los fenómenos de la vida. «... No es lícito reducir la mentalidad primitiva o la religión de los primitivos a uno solo de los temas de la etnología religiosa: animismo, magia o incluso idea de Dios. Todos los casos conocidos presentan estos tres órdenes de tendencias y de experiencias. Lo que únicamente difiere según las peculiaridades de cada medio, es el grado de elaboración de una u otra. Hay, sin embargo, una unidad profunda que estas diferentes actitudes no hacen sino abordar y expresar de diferentes maneras: ¡este centro común de todas las experiencias religiosas, es el misterio de la vida!» [32].

Las especulaciones simbólicas y mitológicas que se injertan en la actitud religiosa, alejan a Dios en la infinitud del mundo estelar; pero también, y ello constituye un fenómeno aún más importante, una escisión se introduce entre la relación al Dios autor de la vida y la integración en las fuerzas cósmicas celebradas y cultivadas por la mentalidad cosmo-vitalista. No puede dejarse de subrayar aquí la diferencia entre la participación y la adoración, entre la inmanencia y la trascendencia. En las culturas antiguas la inmanencia oculta a la trascendencia, aunque sin excluirla; la mentalidad moderna se orientará hacia una conquista deliberada de las fuerzas vitales y dará nacimiento a un ateísmo que no es ya un deísmo práctico, sino un antiteísmo sistemático. Mas en este mismo punto el descubrimiento de nuevas dimensiones cósmicas contiene,

---

[32] GOETZ, *op. cit.*, p. 113.

según veremos, los gérmenes de un nuevo simbolismo religioso en el que el hombre moderno se abre a lo trascendente a partir de la inmanencia reconocida como tal.

LA ESTRUCTURA DE LA EXPERIENCIA RELIGIOSA

Hemos designado la experiencia religiosa como *la captación, en lo que es humano y terrestre, del impacto de lo Totalmente-Otro.* Es este Totalmente-Otro lo que constituye el fundamento de la existencia, el horizonte de la verdadera realidad a la que se refieren los fenómenos efímeros de la vida, el propietario eminente a quien pertenece la existencia humana. Presencia a la vez que ausencia, meta a la que señala la dimensión direccional de las cosas, pero que por ello mismo está lejos de coincidir con ellas, es todo lo que, en fin, se resume en la antítesis de lo sagrado y lo profano única que permite caracterizar la religión.

En diversas lenguas (hebreo, latín, griego) el término mismo de «sagrado» expresa, en su simbolismo espacial, la idea de la separación y de la delimitación cultual. La palabra polinésica *tabú* actualizada por etnólogos y psicólogos expresa también que un objeto, un lugar, una persona, están cargados de cierta energía especialmente intensa, esto es, santificados y por ello mismo separados del resto en razón del peligro que encierra su poder. De otra parte, «profano» significa *Pro-Fanum,* es decir, lo que está delante o en presencia del dominio sacral.

Esta distinción entre lo sagrado y lo profano es fundamentalmente la misma que opone, lo ordinario y lo trascendente, lo natural y lo sobrenatural. Lo sagrado es lo suprapoderoso, la fuerza y la realidad verdaderas [33]. Puede situarse en una persona divina superior o, por el contrario, estar omnipresente de manera difusa, como en el cosmo-vitalismo. Puede ser objeto de veneración o fuer-

---

[33] MIRCEA ELIADE, *Le Sacré...*, cit., pp. 15-17.

za vital a la que se puede celebrar, en la que es posible integrarse ritualmente y que, incluso, puede captarse por procedimientos mágicos, coexistiendo según hemos visto ambas formas en medida distinta.

Es un pseudo-problema la cuestión de asignar a una u otra forma de culto el calificativo de religión. Por el contrario, lo que importa es integrar toda manifestación de lo sagrado, cualquiera que ésta sea, en la totalidad de la dinámica religiosa tal como la acabamos de esbozar.

R. Otto, en una obra célebre y siempre actual, sobre *Lo Santo,* lo «numinoso», ha aislado sus componentes esenciales. Resumimos aquí su estudio porque es una auténtica fenomenología de los sentimientos religiosos y de su estructura.

La intención de Otto es circunscribir los sentimientos que captan el objeto numinoso como tal. Los sentimientos tales como el reconocimiento, la confianza, el amor, la seguridad, la humilde entrega no llegan a agotar la experiencia religiosa específica [34]. El sentimiento de dependencia destacado por Schleiermacher constituye el reflejo subjetivo de una experiencia del objeto sagrado en sí. Fruto temprano de la fenomenología, la obra de Otto pretende delimitar los sentimientos que se refieren intencionalmente al objeto en sí mismo, resumiéndolos en el sentimiento de lo *numinoso,* que define como la experiencia del *misterio* a la vez *tremendum* y *fascinosum,* aterrador y fascinante. Otto se hace con ello eco de la extraordinaria intuición de San Agustín, que confiesa: «¿Quién será capaz de comprender, quién de explicar, qué sea aquello que fulgura mi vista y hiere mi corazón sin lesionarlo? Me siento horrorizado y enardecido; horrorizado por la desemejanza con ella, enardecido por la semejanza con ella» [35].

Lo *tremendum* implica a su vez un grupo de sentimientos que corresponden a otras tantas facetas de lo numi-

---

[34] *Das Heilige.*
[35] *Confesiones,* IX, 11.

noso que espanta por su inaccesibilidad absoluta, por su separación radical. Temor, estremecimiento, terror, pavor incluso, estupor son otros tantos términos que llenan las literaturas religiosas y que reflejan el carácter terrible de lo divino, su cólera, su pasión y sus celos.

El sentido de la majestad y de la gloria divina constituye un segundo momento en la experiencia de lo Totalmente-Otro y el sentimiento del estado de criatura le acompaña como su reflejo subjetivo. Estos elementos implican un tercero, la energía del *numen,* que es fuerza, movimiento, voluntad. Algunos símbolos energéticos de la Biblia, como la visión descrita por Ezequiel de la aparición de Yavé sobre su carro arrastrado por serafines (los «incandescentes»), expresan acertadamente esta superpotencia divina que se revela en todo el esplendor de su gloria. Lo *tremendum,* en fin, es también el misterio, es decir, no lo problemático, sino lo extraño, lo asombroso, lo Totalmente-Distinto ante lo cual el hombre queda suspenso y estupefacto. Lo Sagrado, por otra parte, es también lo *fascinante* que cautiva, atrae y maravilla. El hombre a quien se manifiesta, lo experimenta a través de toda una gama de sentimientos particulares, expresivos todos ellos de su gozo, y que van desde la exaltación dionisíaca hasta la felicidad del bienaventurado. Lo divino aparece como misterio en el que se confía y benevolencia beatífica.

Distante a la vez que próximo, extraño y seductor a un tiempo, lo sagrado es una armonía de contrastes. ¿No se reconoce aquí, tal vez, en esta polaridad de sentimientos, la resonancia interior de la doble calidad de lo divino, su inmanencia y su trascendencia igualmente absolutas? Incluso en aquellos casos en que esta dicotomía se rompe por la irrupción del cosmo-vitalismo, la polaridad propia de lo sagrado se reencuentra en la celebración de las fuerzas vitales. En una palabra, constituye la especificidad de la experiencia religiosa cualquiera que sea la forma en que ésta se presente. La experiencia puede ser suave o violenta, beatífica o demoníaca, pero, en todo caso, consiste en la captación inmediata y simultánea de ambos polos opuestos e inseparables en su irreductible tensión. Esta armonía de contrastes se encuentra también en el plano de los conceptos teológicos más refinados. Sirva de prueba la doble noción bíblica de justicia divina, como aquella que juzga y justifica a la vez[36]: Dios es siempre, tanto en el Nuevo como en el Antiguo Testamento, el Dios del Juicio y el Dios de la Gracia; y a su vez la gracia es benevolencia y ternura que perdona y recrea nuevamente. Análogamente el cielo y el infierno se corresponden entre ellos como las dos realizaciones de los polos divinos. Todo ello debe ser tenido en cuenta a la hora de abordar un análisis psicológico de la religiosidad para no subvalorar el elemento del pavor religioso, como frecuentemente hacen los psicólogos que consideran patológica toda angustia, y todo temor religioso como un sentimiento frustrado e inferior.

LAS AMBIGÜEDADES DE LA EXPERIENCIA RELIGIOSA

Entre los fenómenos diversos que componen la religión hemos reconocido una unidad profunda: la inmanencia de lo sagrado tanto en el teísmo como en el cosmovitalismo o el deísmo. Es decir, que la religión puede mezclarse con elementos que no le son específicos. Surgiendo en el límite de la experiencia existencial que el hombre hace del mundo, de su sentido del tiempo, del espacio y de la naturaleza vital, la experiencia religiosa corre el peligro de permanecer inmersa en aquella experiencia y este sentido hasta perder su trascendencia. Los sentimientos que abren al hombre el dominio de lo divino son sentimientos profundamente humanos y la religión ha sido en más de una ocasión cómplice de sus ambigüedades. Vamos a reseñar brevemente las principales ambigüedades que

---

36 Cf. A. DESCAMPS, *Les justes et la justice dans les Evangiles et le christianisme primitif*, Lovaina, 1950.

frecuentemente han desfigurado las religiones históricas y que revelan algunas de las posibilidades siempre actuales de la experiencia religiosa. Muchos de los ateos contemporáneos ceden a la tentación de asimilar la religión a estas formas mixtas y encuentran en ello un grave motivo para recusarla.

1. MIXTION DE LO SAGRADO Y LO COSMICO

A nivel de la experiencia afectiva lo divino reside en sus signos. Sin duda que en la historia religiosa primitiva se dan experiencias de gran pureza, en las que el hombre se refiere a Dios Padre autor de la vida y propietario del universo. Pero desde que el hombre se dedica a cultivar la tierra ésta adquiere la figura de poder sacral. En virtud de la misma dinámica de la afectividad, el hombre se une a las fuerzas vitales que hinchen el cosmos. Integrársele afectivamente equivale a fusionarse con él. El universo entero se convierte en poder Santo. Cuando todo acto fisiológico se hace participación sacral, lo sagrado y lo cósmico se confunden, y de símbolo de una santidad trascendente lo cósmico se convierte en sustancia santa ella misma. Algunos hablan de panteísmo, término aceptable siempre que se le trasponga al plano de la participación afectiva y se haga abstracción de todo el significado especulativo, que a nuestro juicio le es esencial. En este tipo de universo espiritual, lo sagrado forma parte del cosmos, e incluso, cuando la idea de un Dios se mantiene en el límite de la conciencia religiosa, la práctica es idólatra o mágica. La degradación de los símbolos en ídolos, constituye la amenaza permanente de una religiosidad vivida a nivel de la participación afectiva. La referencia a lo trascendente se abate sobre el plano de lo terrenal. Tal cosa es lo que frecuentemente los cristianos entienden bajo el término de paganismo y contra él los profetas de Israel lanzaron sus anatemas, eco de la cólera y la celosa pasión del Totalmente-Otro.

2. MIXTION DE LO SAGRADO Y LO EROTICO

La sexualidad se manifiesta ante todo como un acceso a las fuerzas vitales y al mundo de lo extraordinario. Une el hombre a las fuerzas fecundantes de la naturaleza, el cosmos entero la refleja y le ofrece símbolos: la tierra, la luna, el árbol, el fuego, la caverna... La tierra entera está preñada de símbolos sexuales. ¿Qué experiencia, pues, podría vincular el hombre a la naturaleza sacralizada mejor que la sexualidad? Por añadidura, la experiencia erótica, contiene virtudes místicas: mucho más allá que un puro placer epidérmico implica el retorno a la unidad primordial, a la indiferenciación beatífica, a la inocencia inmediata. Este último aspecto de plenitud subjetiva, ha sido celebrado por los griegos en obras que todavía inspiran la cultura occidental. En las culturas primitivas, por el contrario, no es tanto la experiencia subjetiva de plenitud y la integridad originaria lo que da sentido a la exaltación erótica, sino la participación activa y «pathica» a la vez en la vida fecunda y en el ciclo cósmico de vivir, morir y renacer. Lo sexual penetra profundamente la sacralidad cosmo-vitalista. Los estudios etnológicos nos han revelado la extraordinaria potencia de esta corriente dionisíaca: ritos de iniciación, estatuillas fálicas, celebraciones mistéricas, cultos de las divinidades de la fecundidad, todo ello pulula en el llamado paganismo. Los profetas de Israel les tenían horror; el hombre moderno se ha hecho más tolerante gracias a un mejor conocimiento del hombre y de su enraizamiento religioso en lo onírico y lo afectivo, reconociendo en la mixtión de lo sagrado y lo erótico, la ambigüedad esencial de toda experiencia religiosa. Vivida a nivel de la afectividad profunda y mediatizada por los signos cósmicos y biológicos, la experiencia religiosa tiende espontáneamente hacia la celebración de una vida absolutamente inmanente. Los modernos, desvinculados de la naturaleza, han desarrollado en una perspectiva distinta la proyección mística de lo erótico, a saber, la del deseo de extensión infinita que busca su satisfacción suprimiendo toda separación. Nos referiremos a ello en el capítulo consagrado a la mística y en la corriente moderna encontraremos la misma ambigüedad: lo erótico puede servir de símbolo a la perfección mística, pero ésta puede también cerrarse en sí misma y cultivar, bajo el manto de imágenes religiosas, su propia inmanencia indefinida.

3. MIXTION DE LO SAGRADO Y LO DEMONIACO

La iconografía religiosa nos ha familiarizado con un mundo de divinidades extrañas de cabezas monstruosas y gestos terroríficos y las mitologías desarrollan ante nosotros repetidas metamorfosis de dioses en demonios. La energía pavorosa que R. Otto destacará entre los elementos integrantes de lo *tremendum*, es el suelo en el que germinan tanto los dioses como los demonios, y sobradamente conocida es la exaltación cuasi mística que son capaces de liberar en el hombre las fuerzas de la destrucción y del odio. Mediante las potencias nocturnas de la muerte, el hombre puede acceder a una cierta experiencia de lo absoluto. La vida misma no es sino una de las caras del misterio bifronte de la vida y de la muerte. Hay, por tanto, una sacralidad demoníaca, capaz de oponerse e incluso de suplantar a la sacralidad divina. En el culto mismo ambos rostros de lo sagrado terrenal, plasman en ritos de vida y en celebraciones funerarias. La guerra es frecuentemente algo santo en razón de la exaltación cuasi mística que provoca. El dominio de lo demoníaco es, según A. Malraux, «todo lo que en el hombre aspira a la autodestrucción y sus temas esenciales son la sangre, el sexo y la muerte»[37].

Nada de asombroso tiene por lo tanto el que a partir de R. Smith, los historiadores de las religiones hayan

---

[37] *La métamorphose des Dieux*, París, 1958.

subrayado el parentesco entre lo divino y lo demoníaco. Durkheim no dejó de formularlo con rigurosidad indudable, si bien el estado actual de los conocimientos históricos, no permite ya la generalización de su tesis: «Toda la vida religiosa, gravita en torno a dos polos contrarios, entre los cuales hay la misma oposición que entre lo puro y lo impuro, lo santo y lo sacrílego, lo divino y lo diabólico...; lo puro y lo impuro no son dos géneros separados, sino dos variedades de un mismo género que abarca todas las cosas sagradas.»

Que la experiencia del mal es fuente de una exaltación cuasi religiosa lo testifica toda una corriente de la literatura occidental, y J. K. Huysmans, E. Yunger, H. Bataille se han hecho célebres por haber intentado regenerar esta experiencia. Por muy extraña que parezca esta mística nocturna, se enraiza en la ambigüedad de la experiencia religiosa. K. Girgensohn [38] nos presenta en su obra un testimonio que da fe de la permanencia de esta mixtión de lo divino y lo diabólico a nivel de la experiencia afectiva. En uno de los sujetos interrogados, la lectura de un himno de Nietzsche a un Dios desconocido provoca la siguiente asociación: «Si hay en algún lado algo de terrorífico, por ejemplo en un libro de estampas, se querría mirar a otra parte y volver las páginas; pero ese algo que aterroriza os cautiva a la vez. Cuando yo era niño experimentaba esto de modo tan intenso, que ante un libro en el que estaban representadas serpientes, a la vez que me espantaba hasta sentir angustia, no conseguía sin embargo volver la página; debía cada vez revivir mi espanto.» ¿No era acaso un fenómeno análogo de mixtión entre lo sagrado y lo diabólico lo que impulsaba a los cristianos de Corinto a gritar, según relata Pablo, «anatema a Jesús»? (I Cor., 12, 3). Una investigación profunda en torno a las representaciones que los cristianos de hoy

[38] *Der seelische Aufbau des religiösen Erlebnis* [2], Gütersloh, 1930, p. 312.

tienen de Dios o del diablo, podría arrojar mucha luz sobre este aspecto tenebroso de su experiencia religiosa.

4. LAS AMBIVALENCIAS DEL TABU

Los objetos, las personas, los lugares, y los gestos a los que se incorpora lo sagrado, se excluyen del dominio de lo profano. Al convertirse en asientos de Lo Otro recae sobre ellos una prohibición. Como todo signo de lo sagrado, se trata de localizaciones simbólicas que pueden endurecerse, convertirse en trozos de una sacralidad inmanente y degradarse por ello al rango de los ídolos. En la misma medida en que esta degradación tiene lugar, los objetos y los gestos tabú se transforman en objetos y gestos supersticiosos. Se considera entonces su manipulación, capaz de producir automáticamente un efecto benéfico o de evitar un peligro de modo inmediato y cierto. Se resbala con ello hacia la magia pura, la que se cosifica en sus técnicas y no tiene de religioso más que los rasgos ya olvidados de una experiencia simbólica. No cabe duda que, según ya hemos visto, magia y teísmo pueden coexistir; pero la magia, que por esencia es una mixtión de religión y de técnica imaginaria, está constantemente en el riesgo de convertirse en pura búsqueda de poder utilitario. Cabe preguntarse si entre los cristianos las prácticas religiosas no degeneran frecuentemente en superstición. ¿Qué es lo que en múltiples gestos angustiosamente ejecutados en exvotos tan numerosos como extraños, queda de relación vital con el Dios de Jesucristo sino un vago vínculo con un dios poderoso? Que se trata de un brote supersticioso nacido de un simbolismo despojado de su referencia sacral, es indudable cuando quienes ejecutan tales gestos son incrédulos en su vida cotidiana y no recurren a los signos cristianos más que en momentos de sumo aprieto; pero los mismos sacramentos cristianos pueden prestarse a la utilización supersticiosa de los tabús en cuanto que signos eficaces por sí mismos. ¿Cuántos fervorosos practicantes ignoran que el *signo* no es eficaz sino en la medida en que se reconoce como tal por la fe teologal, que une el cristiano a la acción salvífica del Cristo Hombre-Dios?

El tabú da lugar frecuentemente en las religiones primitivas a otra ambigüedad: la de transgresión sacral[39]. Por ser simultáneamente presencia y ausencia de lo sagrado, porque ofreciéndose al alcance de la mano está prohibido, los hombres lo utilizan para afirmar su condición humana y superarla a la vez. En la vida cotidiana respetan el tabú, en tanto que constituye una fuerza de «distinto nivel ontológico»[40] y que por ello amenaza la condición propia del hombre; pero con ocasión de las fiestas religiosas que representan los «tiempos fuertes» de la existencia, los hombres acceden al dominio de lo vedado y así pueden asimilarse las potencias superiores elevándose hasta el nivel de lo divino. Las orgías significan la transgresión mística de los tabús y la participación ritual en Lo Otro, que de ordinario está vedado porque su irrupción destruye el orden humano. No es necesario insistir en la a-religiosidad de tales prácticas cuya tendencia naturalista se manifiesta claramente en los modernos, quienes, de la transgresión de los tabús y las leyes, extraen una exaltación vertiginosa que los lleva más allá del bien y del mal y los asimila a los dioses, marcando con ello la hostilidad radical que existe entre su mística de la trascendencia[40a] y la religión de lo Trascendente. Entre los primitivos, por el contrario, la oposición

---

[39] Cf. TH. REIK, *Probleme der Religionspsychologie*, t. I, *Das Ritual*, Viena, 1919, e. a. p. 59 y ss. R. CAILLOIS, *L'homme et le sacré*, París, 1950, pp. 125 y 168. (trad. española: *El hombre y lo sagrado*, México, Fondo de Cultura Económica, 1942).

[40] MIRCEA ELIADE, *Traité...*, cit., p. 29.

[40a] El autor utiliza este término de J. Wahl (cf. *Bulletin de la Société Française de Philosophie*, 1937, núm. 5) en el sentido que le da A. DE WAELHENS, *La Philosophie de Martin Heidegger*, Lovaina, 1942 (trad. española, Madrid, 1952), y que en este caso consistirá en "la tentación continuamente renovada de ver en la tierra el trascendente por excelencia", p. 363. *(N. del T.)*

no adquiría tamaño relieve, en la medida en que esta mística de la transgresión se insertaba en el ritmo de una participación cosmo-vitalista.

Debe señalarse a propósito del tabú una última modalidad de compuesto: la de lo puro y lo impuro. El tabú puede consistir tanto en un objeto consagrado, como un objeto manchado. Un muerto, un criminal, una mujer en estado de menstruación se consideran frecuentemente «tabú» a causa de su impureza. Lo impuro, como lo diabólico, está cargado de un «poder» peligroso y por este motivo se le excluye del comercio de los hombres. Se ha señalado ya la extraña ambigüedad de las palabras *Sacer* y *Hagios*. El primero significa a la vez, en latín, maldito y santo; el segundo, en griego, puro y manchado. Ambos términos unen, por lo tanto, en una referencia ambigua a lo sagrado, todo lo que, ajeno a la esfera de lo propiamente humano, deja entrever un poder peligroso y fascinante. Los psicoanalistas han tratado de comprender los motivos por los que se estima peligroso lo impuro. Sus investigaciones han sacado a luz la atracción ejercida sobre el psiquismo profundo por todo lo inhumano: sangre, cadáver, dolor. El terror no es sino el ulterior movimiento de defensa contra una atracción que amenaza destruir el orden humano. La explicación psicoanalítica permite comprender a nivel del psiquismo humano, la ambivalencia, en el tabú, de lo puro y lo impuro. Pero cualquiera que sea el dinamismo inconsciente que le sirva de base, el tabú de lo impuro por sus características de sugestividad y pavorosidad adquiere un valor sacral, un relieve religioso. Tal superposición explica el porqué de la inserción en la Biblia de preceptos referentes tan sólo a la prohibición de lo impuro. En nuestro futuro estudio de la patología religiosa, nos servirá también para comprender algunos fenómenos obsesivos particularmente frecuentes en los niños y los adolescentes de mixtión de lo divino con lo impuro corporal («pensar en la defecación de Cristo», etc.).

Tal como la hemos delimitado, la experiencia religiosa se encuentra marcada por la ambigüedad y la ingenuidad de lo afectivo y, de acuerdo a los diferentes modos y ritmos de vida, es susceptible de ramificarse en sentidos diversos. En conjunto, evoluciona de una manera compleja y los sentimientos más variados se fusionan en ella. Por todo ello la religión que se basa en la experiencia de la vida y de la existencia adolece de una gran fragilidad y se presta a todas las desviaciones y perversiones: disolución en la participación cosmo-vital, abstracción en especulaciones siderales, tecnificación en supuestos instrumentos de poder, mixtión con los impulsos de destrucción y muerte. En niños y adolescentes se encuentra tal fragilidad y tales imbricaciones, de las cuales es preciso distinguir las formas patológicas de la religión, puesto que, a nivel del despliegue afectivo, todo es posible. Las experiencias perturbadoras y obscenas son los caminos inciertos de una personalidad religiosa que se busca, se critica a sí misma y madura una actividad lúcida y deliberada; la patología por el contrario depende de un nivel más estructurado de la personalidad. Es, como veremos en su momento, el fruto de una represión secundaria que fija gestos e ideas en el olvido, excluyéndolos del dinamismo personal y convirtiéndolos con ello en otros tantos centros de actividad autónoma.

La impureza y la fragilidad de las experiencias religiosas deben, por lo tanto, reintegrarse en la dinámica que las lleva hacia una explicación consciente y una diferenciación razonable.

El momento primordial de la religión, la experiencia religiosa, se enraíza en una mentalidad específica que la racionalización progresiva de la cultura ha hecho quebrar: la llamada mentalidad de participación. Esta mentalidad condiciona la dimensión religiosa de las culturas antiguas y en la cultura moderna su superación favorece el advenimiento del ateísmo o el ocaso de las religiones positivas. El término de participación se debe a Lévy-Bruhl, que lo oponía, en las obras publicadas durante su vida, a la razón lógica. El mismo Lévy-Bruhl reconoció el error del carácter exclusivo de esta antítesis; pero su análisis conserva un valor esencial: con relación al mundo, los primitivos viven en un estado de participación [41]. Sería necesario acudir a todos los recursos de la antropología contemporánea, fenomenología, psicología de la percepción y de la afectividad, etnología y psicoanálisis, para ilustrar esta mentalidad y destacar la potencia de impacto en todos los registros de la existencia. Aquí hemos de contentarnos con una simple evocación.

En su obra póstuma, Lévy-Bruhl no califica ya la mentalidad primitiva con el concepto evolucionista de prelógica, sino que la define como un estado indiferenciado, pre-religioso y pre-mágico a la vez, en la que la participación predomina sobre lo racional. Ella es la matriz de la magia con el mismo título que del animismo o del teísmo. La participación es una «comunidad mística de esencia entre lo seres». «Reconocida como un dado sensible de la vida... que es *sui generis,* la categoría afectiva de lo sobrenatural, es reveladora, aunque sólo de sí misma en la presencia y en la acción, de una fuerza sobrenatural, sin que se pueda hablar de conocimiento. En otras palabras, no se acompaña de un concepto. Cada participación es particular y el elemento general es de orden afectivo» [42].

Elementos contradictorios en una perspectiva racional pueden coexistir porque ninguna ley los tematiza ni estructura. En tanto que el sujeto no se ha individualizado conscientemente, la muerte no es ausencia radical, sino cambio de lugar [43]. Este fondo común de comunicación entre los seres intensamente percibida y la presencia afectiva del hombre en el universo provocan espontáneamente la aparición de una sacralidad susceptible de cristalizar, ya en un Dios, ya en varios dioses, ya en fuerzas que se intenta captar y utilizar. En este intercambio vital entre el hombre y el mundo, la cultura racional introducirá factores disociadores entre el hombre y el universo, el sujeto

---

[41] GOETZ, *op. cit.,* p. 113.
[42] *Les carnets de Lucien Lévy-Bruhl,* París, 1949, p. 76.
[43] M. LEENHARDT, *Do Kamo* [6], París, 1947, p. 50.

y el objeto, el individuo y el grupo. La separación y la individualización son el precio que el espíritu ha de pagar a cambio de la articulación racional del ser y el dominio técnico del mundo. Todo ello afecta profundamente a la religión como ponen de relieve las investigaciones de las que pasamos a ocuparnos.

III. LA EXPERIENCIA RELIGIOSA HOY EN DIA

A continuación presentamos algunos datos recogidos en el curso de varias encuestas relativamente dispares entre sí. ¿Es posible elaborar merced a simples calicatas una síntesis de la experiencia religiosa actual? Sin duda, sería en exceso arbitrario, pretender reducir a unas pocas páginas el inmenso movimiento de la vida y el pensamiento religioso con el cúmulo de sus contradicciones y equívocos de todo género; pero, a pesar de ello, no dejamos de pensar que los testimonios elegidos son ya suficientemente reveladores y los rasgos específicos resultantes, son instructivos sobre el sentido y la orientación de la vida religiosa contemporánea. Limitándonos a la cuestión de la experiencia religiosa en tanto que apertura a lo divino o a Dios, cabe señalar algunos de los hitos principales del camino recorrido por los hombres hoy día.

No hay tampoco demasiado material entre el cual fuera posible una selección, puesto que las investigaciones positivas son todavía más bien escasas. Creemos, sin embargo, que a falta de bases sociológicas más sólidas y de una distribución estadística de la población que pueda considerarse más representativa, las encuestas aquí utilizadas proporcionan puntos de referencia suficientes para caracterizar un clima religioso, tanto mejor cuanto que contrastaran con la religiosidad de épocas anteriores.

A. ESTUDIOS EMPIRICOS SOBRE LA NATURALEZA DE LA EXPERIENCIA RELIGIOSA

En esta primera sección resumiremos las investigaciones realizadas por los psicólogos alemanes en torno a la experiencia religiosa entendida en la acepción que la diera Schleiermacher y las filosofías y teologías de la experiencia.

El problema entonces planteado, la naturaleza específica del acto religioso, si bien hoy día puede considerarse como superado, no deja de ofrecer indudable interés con vistas a una definición empíricamente justificada de la experiencia religiosa. Por otra parte, será útil realizar una breve confrontación de la antigua óptica con las actuales preocupaciones.

Como ejemplo del primer punto de vista atenderemos especialmente a la aportación de un autor, Girgensohn, que ha consagrado veinte años de sus investigaciones al estudio del acto religioso. El título de su obra, *La estructura psíquica de la experiencia religiosa*[44], enuncia todo un programa: la reconstrucción, intentada por el autor, de las estructuras propias de los estados psíquicos, que confieren su verdadera significación a los índices ambiguos aportados por las autobiografías. Fiel a las orientaciones de su maestro Külpe, Girgensohn pretende superar la introspección a través de un método experimental que saca a luz las disposiciones, estados y procesos marginales parcialmente desconocidos por los propios sujetos. Con este fin Girgensohn presenta a 14 sujetos de apreciable nivel cultural una serie de textos religiosos desconocidos y aptos, por lo tanto, para provocar impresiones más claras y duraderas, solicitando a continuación a los sujetos examinados que den libre curso al proceso de sus asociaciones mentales. Una entrevista ulterior permite revelar los últimos fundamentos de la fe y los motivos de la con-

---

[44] *Der seelische Aufbau...*, cit.

fianza religiosa. De esta forma unos breves instantes de la vida, se aíslan y fijan de modo permanente y el aumento, resultante permite al análisis su elucidación. Al fin de un considerable trabajo realizado durante más de dos decenios, Girgensohn creyó poder afirmar, atendiendo a los datos experimentales reunidos, que la religión no consiste ni en un saber, ni en un actuar, sino en un sentimiento, esto es, una manera de ser a-sí-mismo sin representación. Este sentimiento excede al placer y al desagrado, caracterizándose por un vínculo personal muy fuerte (un lazo del *yo)* que se une a la idea de Dios. Sin embargo, el sentimiento religioso no se refiere ni a la voluntad ni a las representaciones, por lo que el autor concluye que se trata de «un estado afectivo indiferenciado»[45], citando el *Fausto* de Goethe: «*Gefühl ist alles; Name: Schall und Rauch*» (El sentimiento lo es todo; el Nombre, solamente ruido y humareda); puede, por lo tanto, a guisa de conclusión, afirmar su acuerdo fundamental con Schleiermacher.

Es cierto que Girgensohn ha planteado el problema psicológico de la religión en el cuadro de una psicología de las facultades heredera de toda una tradición que se remonta al siglo XVII; pero como a Michotte y a Prümm, también discípulos de Külpe, le correspondió el mérito de señalar, sobre una base de análisis experimental, que el centro psicológico del sujeto no reside ni en las ideas, ni en la voluntad de decisión, sino en lo que él denomina, con acierto discutible, el sentimiento: estado afectivo que es al mismo tiempo relación dinámica, puesto que el *yo* se compromete allí fundamentalmente hacia la «idea de Dios».

Baste retener de su estudio, la idea de que, por una parte, la religión tiene su asiento en el «corazón» de la persona, en el mundo vital del *yo* anterior a toda distinción entre las facultades anímicas y que por ello y en ese sentido es sentimiento; pero de otro lado no es un estado

---

[45] *Der seelische Aufbau...*, p. 492.

puramente subjetivo, puesto que constituye el vínculo entre el *yo* y la «idea de Dios».

Hoy día, a la luz de la psicología actual y de la fenomenología podemos comprender mejor lo que Girgensohn quería decir. Efectivamente, el sentimiento es, a la vez, «estado», en tanto que apropiación interiorizada del objeto, y relación, puesto que está vitalmente vinculada a su objeto. La nueva psicología nos permite medir los límites de esta psicología religiosa experimental que si bien pone las bases de una psicología dinámica, sigue esclavizada a su asociacionismo estático. Así, Girgensohn con toda su inmensa documentación no se ha dado cuenta de qué contenidos y motivaciones actúan en la formación del lazo religioso. Concibe la experiencia religiosa como un «estado» cuando de hecho representa la relación dinámica establecida, entre el *yo* (sin duda equilibrio interiorizado, pero también evolutivo y siempre bajo la acción de los contenidos vivenciales como núcleos dinámicos) y el mismo Dios presente por mediación de la «idea». Víctima del representacionismo epistemológico de su época, Girgensohn se refiere aún a la vinculación con la idea de Dios, cuando en realidad, el sujeto religioso atraviesa la idea para alcanzar la mismidad del Otro.

Lo sagrado como armonía de contrastes

Las investigaciones de A. Bolley[46] realizadas según el método de Girgensohn referentes a los *niveles de unión (Versenkung)* y a la experiencia contemplativa de Dios, confirman la permanencia de la polaridad señalada por Otto, allí donde el hombre en el silencio de su recogimiento concentra la atención sobre Dios realmente presente. Los sujetos describen sus sentimientos en términos de *solemne, grave, terrible, confianza bienaventurada;* se

---

[46] *Das Gotteserleben in der Betrachtung,* Münster, 1949 (cf. especialmente II, 83, y XVIII, 5, 6, 20).

sienten enfrentados con la gloria divina, con la estremecedora majestad de Dios; experimentan su propia nada; expresan a Dios como luz y fuego; como terriblemente real; su experiencia se encuentra desgarrada entre los dos polos contrarios: el de la eminencia *(Erhebenheit)* absoluta de Dios y el de la más profunda intimidad. Por lo general su temor reverencial impide a quienes oran ceder a una familiaridad excesivamente humana... En los momentos en que se entregan a la contemplación concentrada, los sujetos sensibilizados a la experiencia religiosa, constatan en el encuentro con el Dios personal de los cristianos, la ambivalencia de lo sagrado, característica de todas las religiones. Es de señalar, sin embargo, que en esta relación interior con el Dios personal, la polaridad de lo sagrado adquiere un mayor relieve ético en la misma medida en que se interioriza y se personaliza. El pavor se transforma en sentido del pecado; la atracción, en abandono confiado en la bondad divina.

B. EL MUNDO Y LA EXISTENCIA COMO HUELLAS DE DIOS

Girgensohn y sus discípulos, intentaron en su día analizar la estructura del acto psicológico, mediante el cual el hombre se dirige a Dios. Para ellos la experiencia significa la manera que tiene el sujeto de relacionarse internamente con Dios. El sentimiento del *yo* en relación con Dios. Actualmente el punto de vista se ha modificado un tanto. Sabemos que la subjetividad desborda la razón y la voluntad entendidas como facultades distintas. Sabemos también que el hombre no es interioridad pura, sino que está constitutivamente abierto al mundo; y es el hombre «situado» el que sirve de objeto a la Psicología. He aquí nuestro problema: ¿Es, todavía hoy, el mundo lugar de experiencia religiosa?

Nuestra problemática no es exactamente la misma que la de la mayoría de los autores contemporáneos. Lo que generalmente preocupa a los psicólogos es el saber *por qué* el hombre es religioso y cuáles son las *motivaciones* de su comportamiento religioso.

El estudio de G. Allport [47] ilustra suficientemente esta problemática, al tratar de captar los movimientos del hombre que le llevan espontáneamente a una relación vivida con un Dios. En esta perspectiva Allport enumera diferentes fuentes de religiosidad: experiencia del poder (como origen de la idea de la omnipotencia divina), necesidad de afecto (que origina el concepto de Dios amor), necesidad de paz (principio de la noción del Dios consolador), necesidad de guía (que explica la creencia en el Espíritu Santo)... El tema de la experiencia religiosa se ha convertido en el de la psicogénesis de la religión y de sus motivaciones. En el capítulo sobre la motivación tendremos ocasión de poner de relieve la ambigüedad congénita que amenaza semejante psicología religiosa, tendente a reducir la religión a no ser sino la expresión subjetiva, en conceptos más o menos imaginarios, de la vida afectiva.

Por nuestra parte, no creemos que la cuestión de la experiencia religiosa se reduzca a la de los motivos del comportamiento religioso. El estudio de las religiones antiguas pone de manifiesto que antes de todo acto explícitamente motivado hay una apertura a lo divino manifiesto en forma de símbolos. La percepción religiosa, pues, precede a los movimientos religiosos motivados por los deseos humanos y por ello es preferible distinguir dos movimientos: la experiencia de la presencia divina y la experiencia de la respuesta divina a las solicitaciones humanas. El primer problema es, por lo tanto, el saber qué percepciones abren al hombre el universo religioso.

La exposición que sigue se fundamenta en una serie de investigaciones, especialmente cuatro estudios realiza-

---

[47] *The Individual and his religion*, Nueva York, 1959, páginas 13-14.

dos en nuestro centro de Psicología religiosa entre poblaciones diferentes y utilizando diversos métodos. El primer estudio, del que haremos una abundante utilización, se basa en entrevistas prolongadas (de dos a tres horas de duración) de trece adultos, siete hombres y seis mujeres, de veinticinco a cuarenta y tres años, todos ellos universitarios diplomados, y católicos practicantes de buena formación [48]. Se elaboró un análisis de contenido con ayuda de un cuadro rigurosamente establecido; aquí nos limitaremos a extraer las informaciones concernientes a nuestra problemática.

Un segundo estudio tuvo como objetivo el establecer una escala capaz de cubrir con sus nueve sub-escalas, nueve categorías concurrentes en la definición de la actitud religiosa. El trabajo había sido preparado mediante entrevistas y pre-encuestas, aplicando seguidamente la escala a 1.800 sujetos de uno y otro sexo, en su mayor parte adolescentes, cuidadosamente seleccionados entre grupos que estadísticamente representaran diferentes me-

---

[48] Estas entrevistas han sido realizadas por G. Vercruysse, que prepara un estudio sobre la fe de los intelectuales. En ellas se intentaba obtener una respuesta a las siguientes cuestiones: 1) ¿Qué significa concretamente para los intelectuales la "fe religiosa"? 2) ¿Cómo viven, si es que lo viven, lo que cabría denominar el compromiso de la fe? 3) ¿Existe una tensión entre fe y autonomía? 4) ¿Cabe integrar una a otra? También se planteó el problema de la experiencia religiosa tal como aquí la entendemos. Estas entrevistas no constituyen sino una preparación para ulteriores investigaciones realizadas de acuerdo a otros métodos, todavía en agraz y por lo tanto inutilizables en este estudio. Sabemos perfectamente que estas entrevistas proporcionan solamente una información muy restringida; sin embargo, a falta de una documentación más rica, utilizamos la ya reunida. A ello nos anima la coincidencia de dicho material con las impresiones personales obtenidas del contacto personal con los creyentes, manifestaciones ambas de una mentalidad que ilustran numerosos testimonios literarios. Tenemos la convicción de que para captar cómo se articulan los diferentes elementos de la experiencia humana y de la religión bastan algunas entrevistas, seriamente realizadas, de tipos representativos del espíritu de los tiempos.

dios intelectuales, profesionales y sociales (humanidades clásicas y modernas y diferentes tipos de técnicas)[49].

También hemos obtenido datos acerca de otros dos estudios: una encuesta sobre la resonancia religiosa de Teilhard de Chardin y una investigación proyectiva en torno a las experiencias religiosas de los adolescentes. Volveremos sobre ello a su debido tiempo.

¿Cuál es el camino por el que el hombre, abierto al mundo, descubre una llamada religiosa? Nos proponemos abordar la cuestión en cuatro perspectivas distintas. Examinaremos en primer lugar lo que en nuestros contemporáneos evoca la expresión de «experiencia religiosa» empleada tan frecuentemente por los especialistas. Después veremos por qué vericuetos el hombre puede abrirse a Dios, esto es, cuáles son, en términos que tal vez le sean ajenos, sus experiencias religiosas. En tercer lugar, el estudio sobre las resonancias íntimas de Teilhard de Chardin, nos dirá si puede o no hablarse de una nueva experiencia de lo sagrado, de una nueva percepción religiosa fruto de la visión científica del universo. En último término un estudio «proyectivo», perfilará y matizará los resultados de las investigaciones precedentes.

La experiencia religiosa: sospechosa y deseada a la vez

Actualmente los cristianos adultos rehúsan generalmente toda «experiencia de Dios». Ello se debe, ante todo, a que identifican experiencia con emoción a la vez que

---

[49] Presentamos aquí extractos de tres tesinas de licenciatura, dos en ciencias pedagógicas (G. BARELLI y J. HERMANS) y una en psicología (G. STICKLER), realizadas bajo mi dirección en la Universidad de Lovaina, durante el año 1963, con el título de *Contribution à l'étude objective de l'attitude envers Dieu. Construction d'un questionnaire et son application à un groupe de jeunes gens d'humanité* [BARELLI], *à un groupe de l'enseignement technique* [HERMANS] *et à trois groupes de jeunes filles (ouvrières, universitaires et élèves de l'enseignement secondaire)* [STICKLER].

rechazan en el campo de lo religioso, todo sentimentalismo. Algunos reconocen que, durante su adolescencia, tuvieron «experiencia de Dios», que en su actual perspectiva les parece vana y sin garantía alguna de veracidad. El término de «místico» encuentra en ellos un éco análogo de intensa relación afectiva de inmediatez evidente al corazón sensible, pero que no goza de mayor crédito. La «experiencia» es para ellos, algo análogo a un estado subjetivo en el que el hombre se encuentra enfrentado a solas consigo mismo, aunque con la falaz y grata impresión de hallarse ante el Otro.

Examinándolo con mayor detenimiento, cuatro son los rasgos característicos de esta típica hostilidad de los adultos hacia la experiencia de lo sacral. En primer lugar, el hombre moderno ha descubierto el sentimiento como tal. Semejante lucidez es fruto de una mentalidad más general, el espíritu reflexivo y autocrítico, cuya amplia difusión es una de las características de nuestra época. En segundo término, en los medios cristianos, Dios es concebido netamente como una persona, incluso cuando los sujetos reconocen la dificultad inmensa con que tropiezan al tratar de integrar esta fe en el misterio personal de Dios en su religiosidad vivida. Ahora bien, un Dios personal aparece difícilmente asequible a la experiencia, puesto que la experiencia humana se refiere a lo sensible. En tercer lugar, los sujetos formados en un espíritu cristiano, atribuyen un valor particular a la «fe». Son numerosos los que oponen la experiencia a la Fe, considerando que la verdadera relación con Dios, la de la Fe, se enraíza en el hombre en un nivel distinto al de la pura afectividad. Por último, para la mayor parte de estos sujetos, el mundo no es ya directamente, *signo* de Dios; ha perdido, como en seguida veremos, su valor de referencia religiosa; Dios se ha alejado del cosmos. Más aún, para algunos, el mundo profano oculta a Dios. No es ya Dios quien se oculta (Is., 45, 15), sino el mundo el que se cierra sobre sí mismo.

Sin embargo, la no aceptación de la experiencia no deja de lamentarse. Todos los sujetos adultos interrogados en la encuesta citada, consideran la dificultad religiosa fundamental, el hiato entre fe y experiencia, entre saber y sentir. En su opinión las verdades cristianas son en gran parte construcciones conceptuales. En su situación personal no las experimentan. Es cierto que conocen las nuevas corrientes teológicas sobre el valor cristiano de las realidades terrenales y en especial del trabajo, pero como no las realizan de manera experimental, estas proposiciones no son para la mayor parte sino ideas carentes de toda integración vital. Ciertos sujetos se reprochan el no reflexionar suficientemente su fe y consideran que la separación entre concepto y existencia, es, sin duda, fruto de su inercia intelectual, pero a la vez expresan su temor de que la reflexión sistemática les extravía en construcciones puramente nocionales.

Una doble desconfianza domina, por lo tanto, su vida religiosa: desconfianza hacia la experiencia de Dios y desconfianza ante las construcciones intelectuales de la teología, incluso de la más ajustada a las «realidades terrenas». En el capítulo consagrado a la actitud religiosa profundizaremos la cuestión de la disonancia entre conocimiento intelectual y experiencia, que introduce la posibilidad de una estructuración dinámica, desconocida en las concepciones psicologistas de la religión.

Misterio en dirección hacia Dios

En los sujetos de la encuesta, el término de «experiencia religiosa» evoca una presencia personal y por lo tanto afectiva, y la rechazan por el hecho de encontrarse sujeta a los espejismos de la afectividad; pero atribuyen una significación mayor al misterio envolvente inherente a la realidad y al mundo. Bástenos citar en este sentido algunos testimonios reveladores. Así, el de una mujer casada: «Cuando se realiza una en la dirección elegida se experimenta que algo nos rebasa. Tratar de vivir rectamente, es, según se siente, el verdadero sentido de la vida.

Se experimenta así algo que nos trasciende a lo que llamamos Dios. Este nombre lo poseíamos ya porque hemos recibido la fe...»

Un hombre da la siguiente respuesta a la cuestión de saber si el cristianismo se agota o no en la entrega al servicio de los demás: «Se siente que no es con la fuerza personal de cada cual con lo que se realiza la tarea, sino en virtud de algo, como un don de lo alto.» Señalemos que este último sujeto afirma que caso de no haber sido creyente su modo de vida no hubiera cambiado. En efecto, la actitud ética es la realidad humana fundamental, pero al mismo tiempo, por el mismo hecho de mantenerse en tal actitud, se le descubre que en último término no le pertenece, sino que viene dada. Al experimentarla como propia y a la vez como ajena en su origen, reconoce en ello un signo de Dios.

Un científico afirma por su parte que, desde un punto de vista retrospectivo, la existencia abarcada en su totalidad, se le aparece como dirigida por alguien. Una visión panorámica revela al hombre que en el desgranarse de los instantes y de los incidentes subyace siempre una única dirección. Es consciente de que la «continuidad» reconocida en su existencia «puede ser fruto de una selección inconsciente que ordena los hechos concordantes. Pero, pese a todo esto, en ciertos momentos se tiene la impresión que en la vida se impone una dirección última...».

La experiencia de una realidad omnipresente en la vida humana y que la orienta a la vez que la rebasa, es por lo tanto un sentimiento fundamental. La fe debe franquear la distancia que separa, el Dios personal, de la experiencia pre-religiosa del misterio de la existencia.

En opinión de uno solo de los sujetos de la citada investigación, el científico al que antes nos hemos referido, Dios es también la respuesta dada al enigma planteado por el Universo. Según él, los científicos conocen su verdadero valor y no se sobreestiman. «Somos fundamentalmente conscientes de que no podemos abarcar la totalidad de la creación; la ciencia nos conduce a esta alternativa: o bien el mundo ha sido 'creado', o bien ha surgido de manera radicalmente incomprensible para nosotros. Si podemos afirmar que ha sido creado para nosotros, para proporcionar a todas las criaturas cierta medida de goce y de felicidad, esto es, que ha sido hecho con amor, es en virtud de la actitud creyente...; ...el científico se limita a contemplar la creciente complejidad de los problemas...; debemos al menos reconocer que la creación supera totalmente nuestra capacidad de comprensión... Incluso un sabio agnóstico no puede dejar de reconocerlo.» En el orden estrictamente racional, por lo tanto, el misterio de la totalidad de las cosas se impone como una cuestión radical y de todo punto insoluble. El sentido de la existencia, por otra parte, nos proporciona la experiencia de que, en último término, las cosas están bien hechas y están llamadas a cumplir una función de felicidad. Las dos experiencias confluyentes forman el vértice en el que se inserta la creencia en Dios. Apuntan hacia Dios, aunque no llegan a ser signos expresos del mismo. Entre estos intelectuales ninguno de ellos habla de una experiencia simbólica y religiosa al entrar en contacto con la naturaleza. ¿Acaso ha perdido ésta su poder de evocación, cantado en tantos textos religiosos? Así lo creemos.

La carencia de estudios positivos no autoriza ningún juicio general y definitivo; pero resulta significativo el que otra encuesta que planteaba expresamente la cuestión y distribuía las respuestas obtenidas según una escala de actitud, nos demuestra la existencia de una experiencia sacral de lo cósmico entre los obreros y su ausencia entre los universitarios. Trece, de los sesenta obreros italianos entrevistados, declararon encontrar en la belleza de la naturaleza el reflejo de la majestad y del poder del Dios Creador. La encuesta realizada con ayuda de una escala de actitud previamente establecida, señala una diferencia extremadamente significativa en cuanto al grado de este tipo de sensibilidad religiosa, entre las obreras belgas y las universitarias, por lo que hace al elemento femenino;

entre los estudiantes varones de origen rural y aquellos cuyo padre ejerce una profesión liberal, entre los estudiantes de disciplinas técnicas (en su mayor parte de extracción rural y obrera) y los de humanidades clásicas. La sensibilidad religiosa al contacto con la naturaleza describe una curva decreciente en el siguiente orden: agricultores, obreros, empleados y comerciantes, profesiones liberales. Un análisis detallado revela entre los obreros belgas medias elevadas en la actitud de admiración y pavor ante las potencias que exceden la medida humana. Por el contrario, dos reflexiones de estudiantes universitarios dejan entrever la desacralización de la naturaleza en un medio cultural más evolucionado: «Solamente por una reflexión *a posteriori* asocio Dios con la naturaleza»; y también: «Por lo general se trata de un sentimiento de admiración por el paisaje que se experimenta sin por ello pensar en Dios.»

Es de señalar que las mismas categorías de sujetos que proporcionan los porcentajes afirmativos más elevados ante el tema «Dios Creador en la naturaleza», los dan inclusos superiores en lo que se refiere a «temor de Dios». El sentido del poder divino manifiesto en sus obras se acompaña de «pavor» religioso. Dos factores determinan en nuestra opinión este tipo de experiencia religiosa: la más espontánea vinculación con la naturaleza en los medios menos impregnados por la cultura intelectual y técnica de tipo moderno y también el estado de dependencia mayor en que vive una población socialmente inferior, situación que a su vez determina el temor. Con ello comprobamos la influencia de las condiciones socio-económicas sobre la Religión, interpretación que queda confirmada si se atiende a la cotación más elevada de reacciones de rebeldía contra Dios en estos mismos ambientes. ¿No estamos aquí en presencia de la dialéctica Dueño y Esclavo desarrollada por la filosofía marxista?

Referencias explícitas a Dios

La única mención explícita de una experiencia de Dios que hemos encontrado entre los sujetos adultos entrevistados es la de la intervención providencial en las dificultades personales. Un hombre dice: «... ¿Es simplemente porque en la situación límite se enfrenta uno con la fragilidad de la existencia humana, por lo que la atención se orienta hacia lo trascendente? En el fondo, no se trata todavía de un encuentro con Dios; sin embargo... fue en aquellos momentos cuando tuve un contacto más íntimo con el Totalmente-Otro... No es la vida cotidiana la que reenvía a Dios.» Análogamente una mujer afirma: «El hecho de que se lleguen a resolver algunas dificultades de manera imprevista se explica refiriéndolo a Dios.» Aunque seguidamente corrige esta expresión en el sentido arriba indicado: «En general las cosas son buenas tal como son.» Otra, por su parte, reconoce la tendencia a la rebeldía ante las dificultades de la vida. No ignora que semejante movimiento afectivo carece de sentido, pero los fracasos y los sufrimientos, la inducen a abandonar toda vida religiosa. Descubrimos con ello el vínculo que más adelante estudiaremos entre dependencia-frustración y rebeldía.

Por su parte, el testimonio masculino ha poco citado aporta un correctivo importante a su afirmación referente a la ausencia de Dios en la vida normal. El ejercicio de la paternidad, con todo lo que implica de paciente esfuerzo en la educación de los hijos y de afán cotidiano por su bienestar, le sugiere a veces que la paternidad de Dios debe ser de este orden. Esta es la única referencia a Dios a partir de los hechos de la vida cotidiana de que da cuenta la encuesta utilizada.

Los adolescentes interrogados en el estudio ya citado, experimentan la realidad de Dios sobre todo en las situaciones de angustia y desazón propias de su edad; pero entre los dieciséis y los diecinueve años tal experiencia pierde progresivamente su importancia.

¿Hacia una nueva manifestación de lo santo?

Existen indicios de que el hombre contemporáneo descubre una nueva manifestación de lo sagrado en el devenir universal. Aunque no lo hemos encontrado en las entrevistas citadas, la literatura nos sugiere que la vida, el espacio y el tiempo, descubiertos en sus dimensiones abisales, son capaces de estimular la sensibilidad religiosa. ¿Se trata de una restauración de la sacralidad cósmica? ¿Participan nuestros contemporáneos de este nuevo aspecto de lo sagrado? En respuesta a estas preguntas acudiremos primeramente a dos documentos literarios y a continuación expondremos los resultados de la encuesta sobre Teilhard de Chardin.

Toda una corriente de la literatura moderna ilustra y profundiza en este nuevo tipo de sensibilidad frente a lo divino; tal es el caso de Jaurès, Bergson, Lecomte de Nouy, Carrel, Teilhard de Chardin. Jaurès es uno de sus representantes más antiguos. La reciente publicación de sus reflexiones íntimas, nos revela un sentido de Dios extraordinariamente recio y actual. Algunos extractos pondrán de manifiesto los nuevos puntos de irrupción de lo Sagrado: «La ciencia parece demostrar cada vez más claramente que el universo es a la vez infinitud y unidad..., y si el universo es una unidad infinita o una infinitud una, ¿cómo no reconocer en ello la expresión de lo que la humanidad llamó desde siempre Dios?» «... si los seres vivientes y conscientes surgen del universo en constante evolución, es que el mismo universo contiene ya los gérmenes de la conciencia y de la vida...; en las combinaciones aparentemente materiales, late un principio de unidad ideal que es la conciencia y la vida... De esta manera, la evolución... es... la demostración experimental de Dios. Por otra parte, desde este punto de vista, Dios deja de ser una abstracción solitaria..., actúa en el tiempo y se manifiesta en la historia...; por lo tanto, la acción contribuye al crecimiento del infinito y la religión deja de ser exclusiva de los claustros...» [50]. A este mismo sentido de Dios, nacido de una contemplación activa del universo en evolución perpetua, corresponde en Jaurès, una oposición a la dogmática cristiana, considerada como extraña a la historicidad del mundo y como alienante del hombre a un absoluto exterior introducido en una historia que debe hacerse a sí misma.

Tanto por su nuevo simbolismo religioso como por su antidogmatismo humanista, el texto de Jaurès anuncia la sensibilidad contemporánea con una admirable lucidez.

El extraordinario éxito editorial obtenido por la obra de Teilhard de Chardin es, por sí solo, elocuente y nos indica uno de los terrenos religiosos que hoy día pueden considerarse como privilegiados. Esquematizamos aquí la inspiración esencial del libro *El Fenómeno humano,* porque en él se pone de manifiesto la concordancia espontánea entre la mentalidad contemporánea y la religión.

Teilhard, pues, no considera «el hombre como centro estático del mundo, según se ha creído durante mucho tiempo, sino como eje y flecha de la evolución», en la que representa «una elevación y una expansión de la conciencia». La civilización continúa y perfecciona el dinamismo vital: «El fenómeno social es una culminación... del fenómeno biológico.» La pluralidad de conciencias y de reflexiones individuales se agrupa y se refuerza en el acto de una sola reflexión unánime. El mundo se unifica a medida que realiza su expansión cultural y social. La evolución debe por lo tanto «culminar hacia adelante en alguna conciencia superior». «Es únicamente hacia una hiper-reflexión, es decir, hacia una hiperpersonalización, la meta hacia la cual puede extrapolarse el pensamiento.» Tal es el famoso punto Omega, que por ser la meta de toda evolución, debe constituir una presencia activa en el principio mismo del ascenso vital y consciente. «Si por su misma naturaleza no pudiera escapar al tiempo y al espacio ya

---

[50] *La question religieuse et le socialisme.* Paris, 1959, páginas 45-46.

no sería Omega. Autonomía, actualidad, irreversibilidad y finalmente trascendencia: he aquí los cuatro atributos de Omega.»

El Medio Divino, segundo gran éxito editorial de Teilhard, no es ya un ensayo de síntesis científica sino un análisis de la intercomunicación vital entre el hombre ser corporal y consciente y lo divino inmanente y trascendente a la vez al mundo material. Teilhard se propone demostrar allí cómo se divinizan las actividades humanas y de qué manera el hombre, sin dejar de ser-en-el-mundo, puede acceder hasta lo divino. Dios nos espera en las cosas del mundo y sale en ellas a nuestro encuentro. La divinización de las actividades humanas es incontestablemente posible y si se entabla el combate, no es ya entre Dios y el Mundo, sino más bien entre Dios y el desprecio del mundo: «En virtud de la interligazón Materia-Alma-Cristo, hagamos lo que hiciéramos, llevamos a Dios una partícula del ser que El desea.» Ser pasivo a la vez que activo, el hombre adora los poderes que actúan sobre él al mismo tiempo que se esfuerza en conquistarlos. Esperanza religiosa y esperanza humana son en gran parte coincidentes. «La espera, la espera ansiosa, colectiva y operante de un Fin del Mundo, es decir, de una salida para el mundo, es la función cristiana por excelencia y, tal vez, el rasgo más distintivo de nuestra religión.» La espera del cielo se encarna en una esperanza totalmente humana[50a].

El lector no habrá dejado de darse cuenta de que un mismo espíritu late en las ideas de Jaurès y en las de Teilhard. En ambos autores se expresa un rasgo de la mentalidad moderna, fruto por una parte de las nuevas

---

[50a] Los textos citados de *El Fenómeno Humano* corresponden en la edición francesa (París, du Seuil, 1955) a las pp. 30, 248, 279, 287, 301, y en la 4.ª edición española (Madrid, Taurus, 1967), a las pp. 49, 272, 304, 312-327. Los textos de *El Medio Divino* corresponden en la edición francesa (París, du Seuil, 1957) a las pp. 50, 196-197, y en la 6.ª edición española (Madrid, Taurus, 1967), a las pp. 50 y 170.

ciencias biológicas, sociales y humanas, y por otra, de la toma de conciencia provocada por las filosofías contemporáneas.

No es ésta la ocasión adecuada para discutir la reciedumbre teológica de la visión teilhardiana y suficientemente conocidas son las objeciones graves que sobre ella han hecho ciertos teólogos: desconocimiento de lo sobre natural y olvido de la condición pecadora del hombre. Tampoco nos corresponde aquí, tratar de las críticas formuladas por numerosos científicos: la confusión de métodos y el optimismo ingenuo en cuanto a la síntesis de la evolución histórica. Más bien nos limitamos a tomar la obra de Teilhard de Chardin por lo que esencialmente es: una visión del mundo y del cristianismo, que, como los antiguos mitos, suprime las divisiones interdisciplinarias que obnubilan a tantos científicos; obra que tematiza la filosofía implícita en la práctica de diferentes ciencias y que la prolonga en un simbolismo religioso. El éxito de las obras de Teilhard no se explica por ninguna consideración literaria o científica, sino por el mensaje religioso que aporta a una humanidad intelectualmente formada por las ciencias modernas, proporcionando con ello una clave que permite leer la presencia de Dios cifrada en sus obras sensibles y temporales. ¿No es significativo que otra obra inspirada en la misma vena fundamental, aunque escrita desde un punto de vista propiamente pastoral, la del obispo anglicano Robinson [51], haya provocado un eco análogo propiamente religioso? Sus flaquezas teológicas han sido enunciadas repetidamente; pero el público contemporáneo a la búsqueda de los más diversos signos se ha revelado profundamente sensible ante este cristianismo terrestre en el que Dios se concibe, más que en una dimensión trascendente, en una perspectiva de profundidad.

Una encuesta realizada entre los intelectuales de una

---

[51] *Honest to God*, Londres, 1963.

ciudad mediana de la Bélgica actual (La Louvière)[52], ha confirmado plenamente la emergencia de un nuevo valor sacral en un mundo en el que las ciencias han acabado con el prestigio de lo en otro tiempo considerado como manifestación de lo sagrado. La encuesta versaba sobre la resonancia religiosa de Teilhard de Chardin y tenía como objetivo descubrir con auxilio de una escala Lickert, el tipo de mentalidad religiosa que ha permitido a un público inmenso recibir entusiásticamente la obra de Teilhard.

Del 62 % de los sujetos que han respondido a la primera invitación, un 46 % se interesaba en la obra de Teilhard. A la cabeza figuran los eclesiásticos, seguidamente los educadores y los médicos, después los magistrados, los abogados y los notarios. En fin, farmacéuticos, comerciantes e industriales se sitúan en un nivel análogo de interés menor. Debe señalarse la diferencia de interés manifestado por hombres y mujeres en la enseñanza media, respectivamente el 42 % y el 12,5 %. Desde el punto de vista ideológico la media se distribuía de la siguiente manera: 72 % de católicos, 6 % de cristianos no católicos, 6 % de agnósticos, 6 % de espiritualistas de diverso grado, 2 % sin convicción alguna, 8 % sin indicación. Las lecturas de las obras de Teilhard se distribuyen principalmente entre *El Fenómeno Humano* (en su totalidad 46 %, en parte 26 %), *El Medio Divino* (32 % y 16 %), *La aparición del hombre* (20 % y 20 %), *La visión del pasado* (20 % y 6 %). La mayoría de los lectores se interesan en las dos categoría descritas, científicas y religiosas. Las mujeres y los solteros han leído más frecuentemente *El Medio Divino* que *El Fenómeno Humano*. Los no creyentes leen exclusivamente las obras científicas. Las proposiciones de la categoría síntesis intelectual (visión unitaria del mundo con integración de la fe y las ciencias)

---

[52] MICHEL SIMONIS, *Teilhard de Chardin et son public*, tesina de licenciatura en psicología realizada en la Universidad de Lovaina bajo mi dirección en 1964.

reúnen el mayor número de respuestas afirmativas; pero dos preguntas suscitan un notable volumen de reticencias: «¿Teilhard espiritualiza la técnica?», y «¿Teilhard responde a una cierta necesidad que experimentan los científicos de abrirse a perspectivas menos materialistas?». Viene en segundo lugar la categoría: unidad existencial (vivida) de lo humano, del mundo y de lo divino. Las proposiciones de cariz apologético («prueba de la existencia de Dios de nuevo estilo») alcanzan cotas muy bajas. Conviene resaltar aquí un fenómeno importante que se encuentra a través de toda la encuesta: se rechaza toda idea de un desembocar de la ciencia en la fe, toda tendencia a encontrar a Dios a partir de los datos científicos, toda voluntad de espiritualizar la técnica. Por el contrario, la proposición «Teilhard me impresiona por su sentido de la vida psíquica (interior) del cosmos, en el que la materia inanimada posee ya un cierto grado de espontaneidad (que en el hombre llegará al nivel de lo consciente)», recibe el máximo de respuestas afirmativas, «absolutamente de acuerdo». En correlación muy clara con ello se encuentra la proposición que afirma la influencia de toda acción humana sobre el futuro y la que reconoce en Teilhard una superación de la soledad humana con relación al universo, un sentimiento de solidaridad y de responsabilidad ante la evolución del cosmos y también una liberación frente a una religión espiritualmente empobrecida.

La unidad restaurada entre el hombre y el universo es el tema teilhardiano al que los lectores interrogados se declaran más sensibles. Pero nótese que no se trata ya de la antigua participación afectiva, matriz de la sacralidad arcaica, sino de una visión a la vez científica y existencial. El que ésta se enraíce en las capas profundas de la afectividad, siempre latentes en el hombre moderno, lo prueban el favor que Teilhard encuentra en el pensamiento africano [53] y en algunos círculos esotéricos. Es pre-

---

[53] Cf. LEOPOLD SÉDAR SENGHOR, "Pierre Teilhard de Chardin et la politique africaine", *Cahiers P. T. de Chardin*, París, 1962, 3, pp. 19 y 40.

cisamente este deseo intenso de vinculación universal lo que hace aceptar fervorosamente las perspectivas teilhardianas de síntesis que, para más de un filósofo, adolecen de miticidad. Sin embargo, es conveniente distinguir la *antigua naturaleza,* fuerza primordial de vida, y el universo de Teilhard, animado también por el impulso vital, pero que excede a la vida misma en cuanto que ésta es superada en el surgir de la conciencia y en la empresa histórica de perfeccionar el universo acometida por los esfuerzos científicos y morales del hombre.

Las reticencias ante las proposiciones referentes a la espiritualización de la materia o de la técnica o ante las que evocan una nueva prueba de la existencia de Dios, se explican por la misma afección al misterio inmanente del universo. Los lectores consideran todo reconocimiento de insuficiencia en el universo como una ruptura del verdadero vínculo o como una tentación de apartarse de él para dirigirse a un Dios que es extranjero entre los hombres porque les es radicalmente Otro.

La influencia de la formación literaria sobre la sensibilidad ante lo sagrado

Otra investigación [54] nos proporciona informaciones útiles para aclarar nuestra problemática. Se trata de una encuesta realizada con imágenes proyectivas evocadoras ya de la naturaleza (montaña, mar, tormenta), ya de temas existenciales (nacimiento, amor humano, muerte) y que nos proporciona índices complementarios referentes a la sensibilidad religiosa. Los sujetos, de una edad media de dieciocho años, se distribuyen en dos grupos: humanidades clásicas y escuelas técnicas. Los héroes imaginados son, para el primer grupo, más sensibles a su pequeñez ante los elementos de la naturaleza, expresan más sentimientos

[54] P. DE NEUTER, *Images-situations d'aperception thématique,* tesina de licenciatura en psicología, Universidad de Lovaina, 1964.

de participación y con mayor frecuencia imaginan los elementos de la naturaleza en la tensión bipolar fascinación-pavor característica de lo sagrado. El predominio es particularmente pronunciado en el caso de la imagen que representa a un hombre solo en lo alto de una colina bajo la tempestad. Sin embargo, solamente se aprecian ligeras diferencias entre ambos grupos en cuanto al conjunto de las asociaciones religiosas a estas planchas proyectivas. Una sola excepción es que los alumnos de humanidades clásicas dan una mayor proporción de respuestas religiosas, a propósito de la plancha que representa un moribundo; y, por otra parte, la comparación entre el grupo de respuestas con asociaciones religiosas más elevadas y el otro grupo extremo, demuestra una vinculación entre la sensibilidad a los símbolos y la frecuencia de las asociaciones religiosas. Se obtiene igualmente un ligero predominio de las asociaciones religiosas en el grupo que demuestra mayor sensibilidad religiosa ante la naturaleza (pequeñez, participación, pavor, fascinación). ¿Los resultados de esta encuesta no parecen contradecir los datos positivos anteriormente obtenidos? ¿No demuestran la permanencia del vínculo entre el sentido de la naturaleza y el de Dios? ¿Y no es precisamente en el medio más cultivado donde con mayor intensidad se encuentra este vínculo?

Para resolver el enigma no contamos con datos firmemente establecidos. Las diferencias muy ligeras que pueden apreciarse entre uno y otro grupo no bastan para desechar las conclusiones anteriores. Tampoco dejan, sin embargo, de poner de manifiesto un vínculo entre las asociaciones religiosas y una sensibilidad a la naturaleza que es de orden sacral. Es significativo que los sujetos más propensos a las asociaciones simbólicas y también a las respuestas religiosas, atribuyen al héroe de sus relatos mayor número de conductas centradas sobre el *yo* («repliegue sobre sí mismo», «reflexiones sobre su pasado, su futuro y su vida»). Frecuentemente también sus héroes permanecen silenciosos, en comunión con la naturaleza que les rodea. Numerosas respuestas a otras planchas revelan igualmente una sensibilidad particular que podríamos resumir en los términos de sentimientos pasivos y narcisistas. Los sujetos de este tipo son propensos a la impresión y al pavor sacral. Desean la intimidad afectuosa y la unión contemplativa con la naturaleza y mantienen dolorosamente en ellos la nostalgia de la intimidad familiar. Sus asociaciones entre la naturaleza y lo sagrado o entre la naturaleza y Dios dependen por lo tanto del dolor de la separación y de la nostalgia de la unidad.

Parece que los adolescentes educados en el sentido de la interioridad, son más sensibles a las significaciones poéticas de la naturaleza que les induce al recogimiento y despierta en ellos los sentimientos característicos de lo sagrado. Frente a ella se encuentra en una actitud receptiva y provoca en ellos una nostalgia que los sensibiliza a una cierta sacralidad polarizada por el pavor y la unión fusional. El género de situación evocada a la vista de otras planchas, manifiesta análoga sensibilidad hacia los valores de intimidad correlativos de los sentimientos de abandono y separación. He aquí, pues, un fenómeno análogo al que puede encontrarse en las religiones mistéricas: el desarrollo de un sentido de la participación que presdispone a la experiencia religiosa. La diferencia estriba en que entre los adolescentes objeto de nuestro estudio, la participación es menos directa, más interior y por ello mismo está más marcada por el signo negativo de la separación. En nuestra opinión se trata de un fenómeno restringido característico de los adolescentes formados en un tipo bien determinado de cultura simbólica. Nada permite concluir que en la edad adulta conserven el mismo tipo de sensibilidad.

Existen ciertamente más tipos de experiencia religiosa, alguna de las cuales, como es el caso de la experiencia pastoral, podrían completar valiosamente el presente estudio. Sin duda hay también hombres convencidos de haber hecho en situaciones particulares y positivas la experiencia inmediata y casi tangible de la presencia de Dios o al menos de un cierto mundo divino. Baste citar un solo ejemplo que conocemos directamente: un hombre que en su infancia había recibido una educación cristiana había llegado, tras varios años de incredulidad racionalista, a un estado de vaga religiosidad; enamorado de una muchacha, se encontraba, con ocasión de una de sus primeras entrevistas, sentado junto a ella en una estación inmediatamente antes de su partida; en breves momentos de intensa lucidez tuvo por dos veces el sentimiento indefinible de que la vida no puede pasar definitivamente, sino que ha de perdurar porque participa en una realidad imperecedera y trascendente. ¿No se trata aquí de que la experiencia del amor humano aparece transida, casi en términos metafísicos, de experiencia religiosa? En su célebre libro sobre la materia, James cita numerosos ejemplos análogos [55].

¿Son frecuentes estas experiencias? ¿Dejan un rastro activo y perdurable? De acuerdo a nuestra información, sin duda limitada, cabe decir que si bien son relativamente frecuentes y que abren una dimensión de profundidad en la que la religión adquiere densidad verdaderamente existencial, no tienen efectos durables, a menos que otro tipo de experiencia más objetiva no la venga a confirmar. Los estudios positivos sobre la cuestión nos hacen pensar que, por lo general, los hombres, una vez que su vida se ha orientado en el sentido de un compromiso social y profesional, dejan de referirse conscientemente a tales experiencias. Por lo tanto, no las tomaremos en cuenta en nuestras conclusiones. La fe religiosa ha podido sin duda despertarse merced a estas experiencias, pero no se funda sobre ellas. Una vez más, la historia es olvido de su pasado.

---

[55] *The varieties of Religious Experience,* cit., Lect. III.

CONCLUSIONES Y REFLEXIONES

Las investigaciones anteriores nos permiten poner de relieve, tanto la continuidad que une la experiencia religiosa arcaica a la contemporánea, como el hiato que las separa de manera inequívoca. Por muchas que sean las lagunas de que adolecen los estudios positivos sobre la experiencia religiosa a los que hemos recurrido, nos permiten, sin embargo, formular algunos de los rasgos fundamentales a partir de los cuales se esboza un perfil religioso coherente en correspondencia a lo que la sociología y la filosofía nos enseñan sobre la situación cultural del hombre contemporáneo.

1. Lo sagrado arcaico

En otros tiempos lo sagrado se presentaba de una forma a la vez sensible y difusa. Lo divino aparecía inmediatamente vinculado al misterio de la vida que celebraban las religiones antiguas. En su *Sociología de la Religión*[56], Wach observa que en la antigüedad «lo sagrado representa menos un cuarto valor que se añadirá a la trilogía de Bueno, Verdadero y Bello, que la matriz misma de donde esos valores nacían como de un troquel primordial común. Para emplear una imagen, digamos que la religión no es una rama, sino el tronco mismo del árbol».

De la frondosa arborescencia de lo sagrado nacían múltiples formas religiosas, que, frecuentemente, van a oscurecer la experiencia teísta originaria. Las antiguas religiones revelan una dialéctica entre lo sagrado y el sentido de Dios. Mientras la humanidad permanece en una situación de infantilismo cultural, considera el mundo como el dominio de un Dios concebido como Padre benevolente y Autor de la vida. Tal religión puede llamarse

---

[56] *Sociologie de la Religion*, París, 1955, p. 19.

teísta. Expresa la intuición directa de la existencia y del mundo como algo que por ser propiedad del Otro, éste ha puesto a disposición del hombre. Pero a partir de semejante vínculo vital del hombre con el mundo pronto se desarrolla una mentalidad de participación. El mundo se llena de signos extraños y fascinantes en los cuales lo Sagrado toma cuerpo. La afectividad despliega sus poderes mitizantes e hinche el universo. Al percibir en los objetos significaciones simbólicas del drama de la vida y de la muerte, del sexo y de la fuerza, el hombre hace que lo sagrado haga de ellos su morada. Lo divino se mezcla en el misterio de la vida, se compromete y, frecuentemente, tiende a disolverse en él. Es a través de un duro esfuerzo de espiritualización como el hombre puede reconquistar la idea de Dios sobre la sacralidad cósmica. El monoteísmo es un redescubrimiento consciente y deliberado de Dios, que la conciencia ingenua habrá conocido con anterioridad a toda especulación y a toda floración de la afectividad participativa. Pero la precariedad, es lo propio de esta religión siempre amenazada de absorción por las fuerzas bio-cósmicas.

La experiencia religiosa sigue siendo polimorfa, aunque las diferentes fenomenologías de lo sagrado lo olviden con harta frecuencia. Para hablar rigurosamente de las antiguas religiones es preciso distinguir al menos dos formas distintas. Una experiencia originaria (vivida como una percepción inmediata anterior a toda interrogación intelectual y libre aun de la inmersión afectiva en lo cosmovital) consistente en la intuición directa del mundo y de la existencia como propiedad y don de un Padre en el que se reconoce al «antepasado» de la humanidad. Por el contrario, la experiencia de lo sagrado depende de una psicología más evolucionada como también las especulaciones de las religiones deístas. La coexistencia de diversas formas religiosas atestigua que ni la fascinación que ejerce el misterio de la vida ni la visión mágica del mundo bastan siempre para sofocar la intuición perceptiva del Dios-Padre.

La religión de lo sagrado puede darse en ambientes culturales sumamente distintos e incluso aliarse con un monoteísmo estricto. Depende de una mentalidad simbólica y de una cultura en la que el hombre se siente en relación simbiótica con la vida y con el mundo. ¿No es acaso el cristianismo constantiniano, que ha dominado la cultura occidental a lo largo de la Edad Media, una nueva forma de integración de todo lo profano en el ámbito de lo religioso? Todos los valores terrestres, la vida, la salud, la sexualidad, la autoridad, la justicia, la paz, quedaron de nuevo enraizados en lo sacral.

II. Vestigios de lo sagrado

Nuestras investigaciones nos han revelado la permanencia de una sensibilidad hacia el aspecto sacral de la naturaleza muy próxima de la mentalidad de participación y hemos observado que la naturaleza cargada de valores santos puede considerarse como un signo directo de Dios. El poder, la majestad, el misterio inquietante de Dios se perfilan en la montaña, en la bóveda estrellada, en la tempestad o en la puesta de sol. Semejante percepción poética de los símbolos naturales de Dios la hemos constatado en grupos claramente determinados: obreros y adolescentes formados en una cultura literaria. Su sensibilidad al simbolismo cósmico no es, sin embargo, la misma. Los adolescentes reflejan una afectividad más interiorizada y mantienen viva la nostalgia de una fusión unitiva.

Sin duda, una encuesta realizada entre los artistas podría poner de relieve un particular tipo de sensibilidad frente a ciertos valores sacrales. ¿Cuántos no buscan en el arte una experiencia religiosa que no pueden vivir en una religión institucionalizada en la que frecuentemente los símbolos se han degradado en devociones postizas? En estos medios la tensión entre lo sagrado y la religión acentúa la dialéctica que late en la médula de toda religiosidad, oponiendo conscientemente ambos términos y buscando el infinito en la misma estética. La tensión humanista se ha intensificado en virtud de la separación entre lo humano y lo divino propia del mundo moderno.

III. Ruptura y desacralización

En otro tiempo permeable, la frontera entre lo sagrado y lo profano se ha endurecido en nuestra época. El progreso de la cultura científica y la afirmación del Dios trascendente de la revelación cristiana han sido causas de desafección respecto de «lo sagrado» y del dios de la naturaleza y de la vida. El mundo se ha hecho a-religioso o a-teo, en el sentido privativo del término. No está ya preñado de omnipresencia divina y ha encontrado su propia consistencia en la plena aceptación de su relatividad y su realidad como dominio propio del hombre. Tomando la expresión en su riguroso sentido etimológico, puede decirse que el mundo se ha «humanizado» al dejar de ser percibido directamente *sub specie aeternitatis*. Más que objeto de contemplación y celebración religiosa, el mundo se ofrece hoy día al hombre como tarea a realizar.

La desacralización del mundo y la historificación del universo constituyen fenómenos culturales que han afectado profundamente a lo religioso, a la vez que se explican, al menos parcialmente, en función del cambio religioso, puesto que ha sido la trascendencia radical del Dios cristiano lo que ha marcado indeleblemente la civilización occidental proponiéndole el mundo como el dominio propio del hombre. Diversos son los elementos que se integran en esta nueva situación: reflexión crítica, era científica, distinción de lo temporal y lo religioso. De su dialéctica, resulta una autonomía del sujeto que, de una parte liberal al *yo* de su inherencia a los principios cosmovitales, y de otra elimina lo sagrado del universo. Romano Guardini ha insistido repetidamente en la ruptura de la unidad primordial que la cultura moderna ha pagado como precio de sus conquistas y realizaciones. Desde la Edad Media el hombre ha llegado a ser más libre, más autónomo, más capaz de interioridad, pero su interioridad es una interioridad separada. El hombre mismo se desintegra: «De un lado poseemos una razón que trabaja en abstracto manipulando conceptos; del otro, un aparato fisiológico de sensaciones que capta las impresiones. Entre ambos, extrañamente separado de toda raíz, un sentimiento puramente emocional.» En opinión de Guardini, el hombre moderno no sabe ver ya a Dios en la naturaleza y en la historia: «La capacidad de simbolismo se degrada» [57].

No corresponde al psicólogo el juzgar la evolución cultural y, por lo tanto, no compartimos la nostalgia de Guardini por un mundo unificado a nivel de los símbolos ni su pesimismo en cuanto a la desintegración de la capacidad afectiva y simbólica. Cierto que, como se ha señalado frecuentemente, el exceso de racionalismo científico puede secar la capacidad afectiva del hombre y extirpar sus posibilidades de percepción simbólica. Pero la extraordinaria floración contemporánea del pensamiento simbólico e incluso mítico demuestra que el hombre moderno no se reduce a sus facultades intelectuales únicamente. La solución de continuidad que hoy existe entre el hombre, el mundo y lo sagrado no condena al hombre a una vida individual degradada; por el contrario, ha liberado las facultades imaginaria y simbólica y hoy día presenciamos cómo lo irracional se alza contra el exclusivismo de la razón, al buscar nuevas fórmulas que integran todos los vectores de la existencia. La verdadera ruptura no se sitúa entre afectividad y razón, sino entre el mundo y lo sagrado. La cultura simbólica actual está también desacralizada y de apertura directa hacia lo Sagrado, el simbolismo se ha convertido en instrumento exploratorio de lo humano entendido en sentido más amplio. El sentido

---

[57] *Die Sinne und die religiöse Erkenntnis,* Würzburg, 1950, p. 52; *Die Bekehrung des Aurelius Augustinus,* Munich, 1950, p. 72.

renovado de la profundidad existencial puede abrir al hombre hacia el misterio de lo divino. ¿Acaso no consistió la primera conversión de Claudel en la experiencia que hizo de lo «sobrenatural» debida a que la lectura de Rimbaud derribó los muros entre los que el racionalismo le mantenía emparedado? Sin embargo, aún le fue preciso descubrir a Dios para que el simbolismo humano revelara su significado religioso.

Todo indica, pues, que el hombre, una vez conquistada su autonomía y la del mundo, se halla en una encrucijada, ya pretenda buscar un absoluto en la intensidad misma de sus experiencias y actividades humanas, ya siga las huellas que señalan en dirección a un Dios que es el Totalmente-Otro.

No se trata de devaluar la experiencia de lo sagrado porque sea poética y participativa, sino de respetar la originalidad de las diferentes mentalidades. Nuestra tarea es extraer de tales equívocos el tema de la experiencia religiosa y disipar las confusiones que puede crear la nostalgia de un diálogo fecundo entre cristianismo y religiones paganas.

Tampoco prejuzgamos nada sobre la evolución cultural y religiosa de las civilizaciones no occidentales. Nadie puede prever las formas por nacer del crisol en el que van a fundirse las técnicas occidentales y las tradiciones ancestrales, las religiones paganas y la misión cristiana. Resulta, sin embargo, indudable que al introducir la economía de producción y la ciencia moderna, la civilización occidental esparce en el resto del mundo los fermentos destructivos de los mismos fundamentos de las civilizaciones y las religiones tradicionales.

IV. Experiencias pre-religiosas y fe en Dios

Sin dejar de rechazar la experiencia estrictamente religiosa, los intelectuales entrevistados no han dejado de dar testimonios de experiencias personales calificables de pre-religiosas que, al no tener a Dios ni siquiera a lo divino o a lo Santo como objeto inmediato, no pueden llamarse «experiencia de lo sagrado» o «experiencia religiosa» sin correr el riesgo de extender hasta el equívoco el sentido de los términos.

Estas experiencias pre-religiosas se refieren al mundo como totalidad y a la existencia, en tanto que preñada por algo que a la vez no deja de trascenderla.

La razón científica es consciente de sus límites naturales, y ni es capaz ni pretende explicar el universo en sí mismo. Pero la interrogación racional no deja de plantear el problema límite del porqué de las cosas y su existencia. El mundo se perfila, pues, sobre el horizonte de una realidad de distinto orden, que para la razón científica es un misterio encerrado en silencio e impenetrabilidad. Instruido por la razón religiosa el hombre le reconoce un sentido: se trata del misterio mismo de un Dios Creador. Sin dejar de ser el dominio propio del hombre, el mundo apunta hacia una plenitud que salva toda la obra humana de la caída en el absurdo y la nada, puesto que las actividades humanas se perfilan a sí mismas en el horizonte de un Algo-Distinto, en el horizonte escatológico del más allá del tiempo histórico. Pero ese Algo-Distinto no descubre su verdadero sentido sino descifrado por la religión que revela en él, al Dios Totalmente-Otro.

La existencia misma se manifiesta como carente del principio de su propia consistencia, que se experimenta como dada. Cabe explicitar esta percepción como la percepción de una dimensión de profundidad. La existencia se destaca en el horizonte de Algo-Distinto que la fundamenta y que la tradición religiosa nos enseña a llamar Dios.

La existencia aparece como fundamentalmente buena, y en sus vicisitudes, sus variedades y sus contradicciones, el hombre descubre el hilo de una continuidad significante. Por lo que es, la existencia aparece como un don del amor. Citemos los datos positivos recogidos. Algunos los tacharán de ingenuos y les opondrán la impresión de carencia de sentido que otros experimentan ante la existencia y ante el mundo. Los sujetos cuyos testimonios se recogen no desconocen la experiencia del absurdo, pero en ellos triunfa el sentimiento positivo; análogamente los sujetos que han respondido a la encuesta sobre Teilhard, se declaran poco convencidos por la temática existencialista del absurdo.

El hombre siente su empresa ética a la vez como la más personal de sus tareas y como la obra de una presencia que trasciende. En el quehacer moral el don de la existencia adquiere una especial claridad.

Esta toma de conciencia la designamos con el término de experiencia porque es captación inmediata de la consistencia del mundo y de su fundamentación en lo Otro. Sin embargo, no rebasa el estado pre-religioso, puesto que lo Otro no se significa sino indirectamente más allá de lo visible, como su origen, su fundamento y su plenitud. Para ser capaz de descubrir en ello a Dios, afirman los sujetos investigados, es preciso que el hombre haya aprendido previamente a reconocerlo y este reconocimiento implica un salto más allá de la intuición inmediata.

La naturaleza se ha desacralizado; pero el universo como totalidad y la existencia en tanto que tal se han convertido en índices de un Algo-Distinto que no es pura negatividad, puesto que, en tanto que Otro, es fundamento, donante, plenitud e inspiración moral.

Estos diferentes momentos de la experiencia pre-religiosa pueden revestir una intensidad creciente. En la persona amada el hombre puede intuir el don de algo tan único y maravilloso que la referencia a lo Otro se haga más intensa. Igualmente puede ahondarse la distancia entre el quehacer moral y la inspiración que le da vida. ¿Cuántos hombres no descubren en algún momento la urgente necesidad de que su humanidad sea salvada por un poder que les dé un suplemento de alma? Estas experiencias particulares y naturalmente intensas, modulan la experiencia pre-religiosa. Constantes, aunque pasajeras, contribuyen normalmente a hacer más significantes las experiencias pre-religiosas comunes.

El eco que el mensaje de Teilhard de Chardin y otros testimonios análogos encuentran entre nuestros contemporáneos nos revela en ellos el deseo de ver inscribirse en las realidades humanas las verdades religiosas, según las dimensiones cósmicas, históricas y humanitarias que definen sus visión del mundo.

Tres son los rasgos esenciales que parecen determinar la mentalidad común a los intelectuales de nuestra época. En primer término, el hombre renuncia al individualismo de la conciencia interior. Entiende reobjetivarla porque conoce la medida en que participa de las fuerzas naturales que actúan en él. Este cambio de eje, desde sí mismo hacia el mundo, puede, sin duda, conducirle al naturalismo que niega lo específico de la conciencia reduciéndola al determinismo de las leyes de la materia. Pero puede, igualmente, inducirle a mostrarse conscientemente en un universo en devenir cuyas profundidades abismales en el espacio y en el tiempo nos ha revelado la ciencia. Otra dimensión de este cambio de eje está representado por la participación en la tarea colectiva de la humanidad. Un segundo rayo de la mentalidad contemporánea, ilustrado por el caso de Teilhard, radica en la apreciación positiva de las fuerzas creadoras del mundo y la humanidad. Es una paradoja en la que los diversos «espiritualismos» tropiezan frecuentemente: aun renunciando a su individualismo y aceptando no ser su propio centro, el hombre contemporáneo reivindica su total autonomía conquistadora, ejercida a la escala de la humanidad. Un tercer rasgo, ligado a los dos anteriores, consiste en la negativa a aceptar una sacralidad extraña al mundo, separada de él y en conflicto con él; una sacralidad venida de fuera y que suprimirá la historia humana en beneficio de una dimensión puramente vertical.

La visión sintética y cuasi mítica del mundo que Teilhard presenta es una lectura religiosa del universo, que asume en el discurso religioso las experiencia humanas pre-religiosas. Bien entendido que son numerosos los que muestran grandes reservas frente a ella, tanto entre los creyentes, como entre los no creyentes, pero los que la aceptan encuentran en ella significaciones que les permiten vincular lo humano y lo religioso. El concepto de Dios adquiere una densidad existencial a la vez que la realidad divina recoge los misterios que apuntan hacia ella. La trascendencia queda suprimida en gran parte. Tal es la razón por la cual semejante visión irrita y aterra a la vez que fascina. Para unos es de temer en ella una reabsorción de lo humano por lo divino; para otros, lo que está en juego es la degradación de lo divino al nivel de los ídolos y de los mitos.

V. *Nota en torno a la experiencia religiosa como experiencia interior de lo divino*

En las conclusiones anteriores, hemos tomado el término de «experiencia religiosa» en el sentido de una percepción intuitiva de los signos de Dios; pero, para muchos de nuestros contemporáneos, el término de experiencia religiosa evoca el contacto inmediato y afectivo con lo divino. En su acepción vigente conserva, por lo tanto, el sentido fuerte que le confirió la filosofía religiosa irracional heredera de Schleiermacher. Por esta razón el término de experiencia religiosa es objeto de muy lúcidas críticas que subrayan tales ambigüedades. En primer lugar, se señala que Dios no es perceptible en el plano de lo visible. En un mundo despojado de la sacralidad arcaica, Dios ha dejado de estar manifiesto de modo inmediato. Es, por lo tanto, imposible el hacer una experiencia objetiva de Dios.

Queda el refugio de la interioridad. Entrando en sí mismo, el hombre puede cultivar en su interior, a la manera de Schleiermacher, el sentido y el gusto de lo infinito, reflejándolo después sobre todo cuanto le rodea. Pero ¿la experiencia afectiva puede justificarse? La Psicología pone de manifiesto a la vez lo que en ella hay de verdad y de ilusión.

Para comprender y juzgar psicológicamente la experiencia religiosa en sentido fuerte, debemos plantearnos previamente la cuestión de lo que significa la afectividad. El sentimiento vincula la unidad de la existencia al universo como totalidad [58]. Tanto en la fe, como en la angustia, universo y existencia se presentan como el don de la felicidad o como la sima de la nada, y el sentimiento es una manera de comprender a ambos. En la alegría no me represento el mundo como la circunstancia a la cual me sería posible ajustar mis proyectos, sino que, a través de mi cuerpo, el mundo se me aparece como ajustado a todos mis proyectos. Análogamente, la experiencia erótica habita inmediatamente el cuerpo ajeno como el nudo que reúne en sí los valores del universo. Cada experiencia totaliza el universo y parece agotar sus significados. Y la alternancia de las experiencias de alegría y de tristeza, de emociones eróticas y de pasión política basta para que se sospeche de tales intuiciones de carácter absoluto. ¿Se trata de una revelación y posesión de valores o simplemente de engaño? Este mismo carácter absoluto nos hace comprender que todo valor humano, ya sea político, científico, erótico o estético, puede presentarse como un valor «religioso». En efecto, el hombre se entrega plenamente a ellos con un fervor y una exaltación en los que algunos ven residuos de una religiosidad olvidada. Más tarde trataremos el problema de si cabe o no hablar aquí de religión desconocida o reprimida; baste, por el momento, re-

---

[58] ARNOLD *(Emotion and Personality,* Nueva York, 1960, volumen I, pp. 142 y 171) insiste sobre la naturaleza intencional de la emoción, que es siempre apreciación de un objeto. M. HEIDEGGER ha desarrollado la idea de que la disposición afectiva *(Stimmung)* nos une al conjunto de los seres. (Cf. *Vom Wessen der Wahrheit,* Frankfurt, 1943, pp. 18 y 31 (trad. española: *De la Esencia de la Verdad,* Buenos Aires, *Cuadernos de Filosofía,* núm. 1, 1948).

tener que la naturaleza misma de la emoción comporta este carácter absoluto.

Al mismo tiempo que plantea la posibilidad de un posible error, la adecuación entre afectividad, absoluto y religión, manifiesta el punto de emergencia posible de la religión en la experiencia emotiva que siempre evoca un valor envolvente. Es decir, la afectividad abre ante el hombre el universo de lo religioso. ¿Tal vez lo suscite ella misma como el espejismo destinado a llenar la nada humana? En todo caso los avatares de la afectividad determinarán en gran parte el devenir de la religión.

En segundo lugar, la experiencia afectiva es un acceso directo al mundo. Se presenta como una manera de ser-en-el-mundo, de habitarlo a la vez que de henchirse de él y dejarse invadir por él. Las teorías que cantonan la experiencia en la interioridad cerrada del sujeto no son sino abstracciones que no explican el fenómeno mismo en cuestión. Es a justo título, pues, que, mediante al retorno a las cosas mismas, los fenomenólogos han demostrado el carácter intencional de la afectividad [59]. En realidad, ésta nos revela las cualidades del mundo, que en la alegría se manifiesta en armonía con mis deseos, y en la angustia hace aparecer la nada sobre la que se asienta. La experiencia religiosa es una lectura de la totalidad como valor último para la existencia entera. Ciertamente que no queda resuelta la cuestión del posible engaño; puesto que, si estoy seguro, en la experiencia religiosa, de enraizarme en el fundamento de la existencia, desde que me lo planteo como cuestión, desaparece toda certidumbre, pues ¿acaso no soy yo en último término la fuente subjetiva de esta apariencia de salvación? ¿No es, tal vez, simple «proyección»? Si la ilusión afectiva es posible, ¿dónde puede encontrarse la garantía de la propia experiencia religiosa? ¿No es la magia una prueba de que

---

59 SARTRE (cf. *Esquisse d'une théorie des émotions* [2], París, 1948) ha insistido tanto en la tesis de la intencionalidad de las emociones como en la de su fraudulencia mágica.

cabe una falaz interpretación del mundo? Es decir, la experiencia no basta, lo cual no impide que sea necesario reconocer su naturaleza intencional que me abre a las cualidades del mundo y me revela sus valores.

La tercera característica consiste en que la experiencia es un choque que pone en movimiento la existencia toda. Su naturaleza «pathica» constituye al mismo tiempo el potencial energético del hombre. Las teorías psicológicas difieren en cuanto a fijar el vínculo existente entre el sentimiento y la acción, y por nuestra parte mantenemos que la emoción sentida por la intuición afectiva de un valor (lo odioso, lo amable, lo peligroso, lo santo...) es al mismo tiempo incentivo de una determinada conducta. Es una tensión del ser conmovido por sus impulsos, sus necesidades, sus deseos [60]. La emoción es el vínculo funcional entre las cosas y sus tendencias. Los análisis de Girgensohn, han puesto de relieve esta profunda unidad de la experiencia religiosa que excede toda distinción de las facultades anímicas. En los capítulos sobre la motivación profundizaremos en este aspecto dinámico de la afectividad.

Al final de esta revisión de la psicología de la afectividad nos es lícito afirmar que es la tierra de elección de la experiencia religiosa en el sentido fuerte del término. La afectividad religiosa conduce al hombre hacia un infinito indiferenciado, que puede ser también un infinito terrestre, cosmo vitalista e incluso demoníaco, y por lo tanto no debe extrañar que en nuestra cultura a-tea, tal afectividad se despliega más frecuentemente en mística terrestre en vez de servir de fundamento a una fe verdaderamente religiosa. En el epígrafe consagrado a las tendencias místicas tendremos ocasión de insistir sobre ello.

La desconfianza hacia la experiencia religiosa no excluye la adhesión a una experiencia pre-religiosa en la que

[60] Tal es la tesis de A. MICHOTTE y K. LEWIN. Cf. ARNOLD, *op. cit.*, pp. 164 y 178.

lo divino no es el objeto de la experiencia misma. En un mundo desacralizado, pero preñado de signos de Lo Otro, Dios se hace *silencio,* que, como señalaba Bernanos, es una cualidad de Dios. En efecto, la ruptura entre el hombre, lo sagrado y Dios, deja espacio para otra presencia, la de la Palabra del Totalmente-Otro. El discurso religioso, cualquiera que sea, permite al hombre reconocer en el Otro un Dios personal. No habría fe si el discurso no fuera respuesta a una previa actitud de espera, a una disposición a escuchar. La Palabra sólo unge lo que ya es signo del Otro.

En esta relación personal al Totalmente-Otro las ambivalencias propias de lo sagrado se manifiestan de manera distinta: lo *tremendum* y lo *fascinosum* se personalizan respectivamente en forma de temor reverencial y de reconocimiento hacia un Dios de gracia. Pero todos estos temas nos invitan a franquear el dintel de una nueva etapa de nuestra investigación, la que tiene por objeto el símbolo de la paternidad divina.

Bajo las rupturas que jalonan la historia de la religiosidad se descubre una cierta continuidad. Las experiencias pre-religiosas actuales y las experiencias teístas originarias responden a un mismo esquema mental: la percepción de la existencia como don y como gracia y la conciencia de que el universo existe fundamentado por la realidad de Lo Otro. Pero la conciencia moderna de la historicidad y la reflexión sobre el esfuerzo ético introducen elementos nuevos más dinámicos. A través de los conflictos, las reflexiones críticas y las experiencias de todos los órdenes, el hombre ha conseguido purificar su intuición originaria y apropiársela conscientemente.

CAPITULO II

LA RELIGION DESDE LA PERSPECTIVA DE LA PSICOLOGIA DE LAS MOTIVACIONES: ¿COMPORTAMIENTO ORIGINAL O FUNCIONAL?

El hombre religioso se interroga a sí mismo: ¿El nombre dado al misterio y al don de la existencia, el nombre «Dios», recubre una realidad personal? ¿No estará el cielo vacío? El creyente más todavía que el incrédulo experimenta toda la distancia que separa su intención, del Totalmente-Otro a quien se refiere. En rigor no existe de todo ello la menor garantía; pero ¿cómo podría ocurrir de otra forma? La certidumbre es el estado subjetivo que responde a la evidencia del objeto, pero «la fe se refiere a lo que no se ve». El riesgo de la ilusión está en el corazón mismo de la Fe, no porque la Fe sea incierta, sino porque es una perpetua problematización y renovación del asentimiento en la oscuridad de lo invisible. Para comprender debidamente el estatuto de la Fe, se haría precisa una epistemología de la fe religiosa que analizara minuciosamente las diversas formas de duda y de certidumbre, y que se apoyara sobre una epistemología de la relación a otro, tal como se realiza a través de la palabra y del amor. ¡Los filósofos y los psicólogos saben de sobra lo arduo de esta tarea!

Nuestro propósito es más reducido, limitándose a la cuestión de por qué el hombre es religioso. Si el hombre religioso no percibe en las cosas los planes de la Providencia con la certidumbre propia de la evidencia, ¿por qué motivos va más allá de los signos harto confusos que ofrece el mundo? ¿Cuál es el movimiento psicológico que le incita a dejar tras de sí la evidencia mundanal en busca de su perfección y su fundamentación en Dios? ¿Acaso será esta fe el efecto de una empresa intelectual?

La cuestión del *porqué,* la planteamos en calidad de psicólogos, puesto que la interrogación sobre la Fe es doble. El creyente se da motivos de razón y en ellos se apoya la Fe; pero si ésta va más allá, es porque estos motivos razonables no son puramente teóricos, sino que se refieren a deseos, aspiraciones y dados del orden de los «valores». Si no fuera así, Dios sería simplemente la abstracción especulativa suprema. De hecho, el Dios de la religión, es, indisociablemente, el mismo Dios que el hombre afirma con su razón y que da sentido a su existencia; pero ¿qué significa la expresión «sentido para la existencia»? Tal es la cuestión que la psicología de la motivación pretende aclarar.

El problema científico que se plantea al psicólogo en cuanto a la motivación de la religión, confluye con la antedicha interrogación, propia de todo hombre religioso. Sin embargo, ambas cuestiones no coinciden en cuanto a la forma en la medida en que la del creyente se plantea en el seno del mismo acto de Fe, inscribiéndose en la intención consciente de su batallar religioso, que arrastrado en la búsqueda activa de la verdad, nunca es neutro aunque pretenda siempre mantenerse lúcido. Por el contrario, el psicólogo pone entre paréntesis el problema de la verdad religiosa, y su mirada, al esforzarse en ser objetiva, rebasa los límites que la cuestión tenía para el creyente, escrutando las dependencias y las influencias ignoradas por éste, en su intencionalidad vivida. El psicólogo, sin embargo, erraría gravemente si no tuviese en cuenta, los motivos que el creyente se da a sí mismo, porque pertenecen intrínsecamente a la vivencia religiosa. El punto de vista psicológico no será más objetivo si permanece enteramente extraño a la actitud religiosa y a los motivos que ésta se da a sí misma.

Estas antinomias de lo exterior y lo interior, de lo objetivo y lo subjetivo, de lo extra-consciente y lo consciente, constituyen la extrema complejidad del término psicológico de motivación. Se trata de superar tanto el conductismo como el introspeccionismo. Así, antes de abordar nuestra problemática en sí misma, creemos indispensable elucidar un poco la noción psicológica de motivación, justificando nuestra concepción y los límites que deberemos oponer a la tentativa de explicar enteramente la religión merced a un estudio motivacional.

1. TEORIAS PSICOLOGICAS DE LA MOTIVACION[1]

La psicología pretende no sólo observar los fenómenos psíquicos en sus manifestaciones, sino también comprenderlos, esto es, conocer el *porqué,* el motivo, el origen y el fin. El *motivo* se define sumariamente como *fuerza específica que es impulso y atracción orientadas*[2]. Toda actividad humana se justifica en función de motivos, porque desde su nacimiento el hombre es proyecto. La tripartición de las facultades humanas en el conocer, el sentir y el querer, cuyas primeras formulaciones se remontan a Wolff y a Tetens, cosifica en distinciones lógicas la unidad dinámica del ser humano. En tanto que elemento «pathico», en efecto, el sentimiento no es más que una de las vertientes del intercambio entre el sujeto y los excitantes del medio interior y exterior. Consiste en el eco interior, la apropiación íntima, de los estímulos que actúan sobre el sujeto, y ante los cuales él responde con un movimiento también activo. Los excitantes provocan el sen-

---

[1] Para esta exposición teórica preliminar me inspiro en el excelente artículo de HANS THOMAE "Einführung", en *Die Motivation menschlichen Handelns, herausgegeben von H. Thomae,* Colonia-Berlín, 1965, pp. 13-31.

[2] Cf. NUTTIN, "Origine et développement des motifs", en *La Motivation,* París, 1959, pp. 95-96.

timiento y despiertan un comportamiento correspondiente y la voluntad desborda el movimiento consciente y deliberado. Los actos de decisión voluntaria son otros tantos puntos luminosos rodeados por la tiniebla de los movimientos espontáneos hacia el otro y hacia el mundo. Ningún acto deliberado podría surgir si no se apoyase en los proyectos que le preceden y le nutren. La complejidad de la motivación proviene juntamente de la relación dinámica que se establece entre los movimientos espontáneos, el *yo,* y el mundo. En mí toda acción me precede haciéndose a sí misma, pero como se elabora en mi *yo,* participo en ella. Al realizarla, la hago mía, incluso si en un principio y en gran parte, la sufro. De otra parte, mi acción se orienta hacia el mundo, tiendo a él y realizo en él mis proyectos; pero a la vez, los recibo de él, en la medida en que, por sus excitantes, me despierta a mis proyectos y a mí mismo.

El término de motivo es tan antiguo como las consideraciones morales; se refiere a la intención explícita que desencadena y orienta el comportamiento y recientemente la psicología anglosajona le ha conferido un estatuto científico. El concepto de *motivación* ha llegado a ser un término objetivo que expresa no solamente los procesos conscientes, sino también todos aquellos que preceden, condicionan o determinan las intenciones conscientes. Como ocurre siempre en la ciencia, con un concepto operatorio, en el presente caso, el de motivación, recibe acepciones múltiples según los sistemas teóricos en los que se inserta y según el método que se adopta.

EL ESPEJISMO DE LA «NECESIDAD RELIGIOSA»

La psicología científica de la motivación nace de una doble reacción, contra el método de la introspección y contra la reducción del motivo al solo proyecto consciente. Su propósito es observar e interpretar metódicamente los componentes como hechos objetivos. En esta perspectiva los motivos deben deducirse del comportamiento exterior y de las condiciones de excitantes observables.

Bajo la influencia del conductismo, la psicología objetiva de la motivación tiene la tendencia a excluir radicalmente de su campo todo lo que no es estrictamente observable; tales son los procesos psíquicos que la psicología de inspiración clínica, sobre todo alemana, analizara con una gran finura; impulso, disposición afectiva *(Stimmung)*, deseo, aspiración, proyecto, decisión... Combinados con la influencia predominante de las concepciones hormísticas de McDougall, la psicología objetiva de la motivación se esfuerza en trazar el cuadro combinatorio de las disposiciones psíquicas que ponen en movimiento al sujeto y lo orientan hacia sus diversos objetos. Tal es el caso de las necesidades o aspiraciones específicas, como el hambre, la sed, la sexualidad, la afirmación de sí mismo, la sociabilidad, la paternidad, el deseo de reposo, etc. El estudio de la motivación se convierte así, en el de los motivos, sus formas y variedades, sus condiciones de desencadenamiento y su intensidad objetivamente verificable.

Puesto que la mayor parte de los adultos son religiosos y el comportamiento religioso resulta ser extremadamente original, observable, mesurable en tanto que exteriormente expresado, es forzoso en el cuadro de esta psicología el invocar la existencia de una necesidad o aspiración religiosa. La necesidad religiosa figura entre las quince, dieciséis o diecisiete necesidades fundamentales que componen el aparato psíquico del hombre adulto normal.

Nada más lejos de nuestro intento que menospreciar los análisis rigurosos a través de los cuales se trata de inventariar los rasgos espectrales de los comportamientos humanos, medir su intensidad y buscar las correlaciones que los rigen. Pero es de temer que en esta perspectiva, la nueva psicología de los motivos tome el relevo de la antigua psicología estática de las facultades, contentándose con innovaciones verbales. El recurso a los fenómenos observables solamente es fuente legítima de conocimientos psicológicos a condición de no fosilizar los dinamismos humanos en «necesidades», aspiraciones o facultades, concebidas como pequeños autómatas escondidos en nosotros. Apelar, por ejemplo, a la necesidad religiosa como a explicación psicológica definitiva, ¿no es acaso exponerse a los sarcasmos que inspiraba a Molière la *virtus dormitiva?*

Ciertamente que la psicología de los motivos no desconoce los intercambios que se operan entre el sujeto, llevado por sus necesidades y el medio que las condiciona; pero, marcada indeleblemente por el conductismo, tiende a reducir tales intercambios al nivel del aprendizaje. De ello da fe, el espejismo elemental al cual termina por confinarse. Se nos habla de la canalización de las necesidades a través de los conductos trazados por el aprendizaje, reconociendo, por lo tanto, a las necesidades una cierta indeterminación originaria que la educación, como una conducción hidráulica, está llamada a orientar en las direcciones que nos permite conocer la observación.

Pero esta psicología debe liberarse de los dogmas inconscientes que ha heredado de una mitología genética arcaica. El hecho comprobable del comportamiento religioso, no basta para legitimar el postulado de la *necesidad religiosa natural,* que o bien es una simple etiqueta que designa un cierto tipo de reacciones comunes observables, o bien el dado fenomenal y enigmático cuya emergencia y tenor exacto se trata de comprender. Porque conferirle el estatuto de *motivo en sí,* sobre la base de los comportamientos actuales, observados como hechos exteriores, es imaginar gratuitamente la existencia de una entidad psíquica original y por el mismo hecho cerrarse la ruta que la psicología de la motivación había querido abrir.

¿Los sujetos religiosos viven tal vez su comportamiento como emanación de una necesidad específica? Ninguna investigación ha demostrado tal cosa, sino más bien lo contrario. Ciertamente, puede señalarse que una psicología científica no tiene por qué ocuparse de las intenciones conscientes porque precisamente estos motivos desbordan las experiencias vividas introspectivamente, si bien, por otra parte, no dejaría de ser paradójico que las categorías psicológicas no recubrieran en manera alguna el comportamiento vivido. Hablar de necesidad de alimento, de reposo, etc., no ofrece ningún inconveniente, porque en estos casos la psicología se apoya directamente sobre la experiencia inmediata en los comportamientos; pero ¿no es ello la mejor prueba de que los hipotéticos motivos como necesidades irreductibles son concebidos sobre el modelo de las necesidades instintivas, simples en su emergencia, limitadas en su dirección y ofrecidas a la observación directa tanto en su contenido vivido como en lo que se refiere a sus excitantes? Por el contrario, los motivos más específicamente humanos, como la pretendida necesidad religiosa, no poseen esta evidencia del instinto. Integrados como están en la totalidad de la persona en trance de hacerse a sí misma no son elementos permanentes que puedan vincularse unos a otros para componer el aparato psíquico. Por lo demás, que el hombre nazca con una necesidad religiosa específica parece tanto más contestable cuanto que, el hombre religioso, ha de hacerse tal, pudiendo permanecer a-religioso, o pasar de la religión al ateísmo sin por ello forzar su aparato psíquico.

EL ESCOLLO DE LA PSICOLOGIA MONISTA

A la psicología de los motivos operacionales, puede oponerse otra que considere la persona como unidad dinámica. Menos científica en sus conceptos operatorios, menos sujeta a las exigencias de un ideal ilusorio de objetividad pura, pretende, sin embargo, permanecer fiel a la objetividad propiamente psicológica, a saber, dar cuenta de los comportamientos por el estudio de las tendencias fundamentales que emanan del centro del sujeto, sin identificar por ello necesariamente al hombre y su conciencia explícita. Baste evocar, para eliminar cualquier mal entendido en este punto, el ejemplo de la psicología de Freud.

La psicología de la persona puede recurrir a una ya larga tradición amparada por los nombres de Nietzsche, Freud y Adler, que, por sí solos, bastan a indicar la amenaza a la que nos expone: el peligro del monismo. Cabría considerarla como una psicología arborescente, dada su tendencia a recurrir (como función que explica todos los comportamientos) a un único dinamismo fundamental, ya sea la voluntad de poder, el deseo de hacerse valer... Freud mismo no escapó al reproche, todo lo injustificado que se quiera, del pansexualismo. Y, por su parte, no faltan pensadores religiosos, inclinados también a concebir toda actividad humana como la manifestación, oculta o desviada de un solo deseo de Dios. Encontramos aquí, traducida en términos positivos de psicología, una interpretación metafísica del hombre con la que nos ha familiarizado la tradición platónica. Incluso existen hoy día ciertos psicólogos que pretenden encontrar la raíz de las enfermedades psíquicas a un factor religioso, activo por defecto. Dios sería, con ello, el verdadero inconsciente cuyo reconocimiento se exige al sujeto, bajo pena de manifestar a través de perturbaciones psíquicas la insuficiencia religiosa. El vínculo entre salud mental y religión sería justificado por una radicalización teológica del inconsciente. Para estar sano, sería preciso ser santo... El tema de la necesidad religiosa adquiere de esta suerte una extensión mítica cuya nebulosidad tiene para algunos resonancia de psicología profunda. A nivel de la ciencia psicológica tal interpretación monista depende de la mitología pre-científica.

Se trata, por lo tanto, de buscar un camino que evite, de una parte, el positivismo de los motivos entendidos como entidades, y de otra, la tendencia monotemática a explicar el hombre en virtud de una sola fuerza. G. W. Allport [3] denuncia brillantemente lo arbitrario y vano de las

---

[3] *Pattern and Growth in Personality*, Londres-Nueva York, 1964, p. 201 (trad. española: *La personalidad, su configuración y desarrollo*, Barcelona, Herder, 1966).

diversas listas de instintos que se ha tratado de componer, citando como ejemplo típico el de un psicólogo, C. C. Bernard, que ya en 1924 había inventariado 14.000 instintos diferentes en la literatura psicológica de la época. Allport no les concede sino una utilidad pragmática y, por su parte, siguiendo las concepciones de Goldstein y Maslow, considera que para dar cuenta del devenir de la personalidad, es preciso recurrir a otro principio subyacente a la acción de toda motivación particular: el principio de actualización de sí mismo, solidario de la autonomía del *yo*. Solamente él, hace posible un crecimiento psicológico liberado de todo conflicto y permite comprender la autonomía funcional que las diversas tendencias activas conservan con relación a su punto de partida [4]. Los psicólogos se hacen aquí eco de los antropólogos cuando sacan a luz la indeterminación específica de lo humano y la apertura al mundo; en el reino biológico el hombre es el ser menos especializado [5]. Partiendo de posiciones radicalmente diferentes, los filósofos existenciales, por su parte, mantienen que la naturaleza del hombre consiste en la ausencia de toda naturaleza predeterminada [6].

No entra en nuestros proyectos resolver esta antinomia que constituye el centro de gravedad de la psicología contemporánea de la personalidad; pero en psicología religiosa el problema se presenta con tal agudeza que estamos obligados a optar por muy aleatoria que esta elección sea. ¿Cómo fundamentar lo religioso? Nada se obtiene postulando una hipotética «necesidad religiosa». Por el contrario, si lo religioso no es sino una de las expresiones posibles de una tendencia subyacente a la multiplicidad, tampoco hemos avanzado un paso, puesto que ello privaría a la religión de su especificidad.

La psicología de C. Rogers nos proporciona una prue-

---

[4] *Ibid.*, pp. 206-218.

[5] Cf. A. GEHLEN, *Der Mensch. Seine Natur und seine Stellung in der Welt*, Frankfurt a. M., 1962, pp. 338 y ss.

[6] Cf. A. DE WAELHENS, "Nature humaine et compréhension de l'être", *Revue Philosophique de Louvain*, 1961, pp. 672-682.

ba elocuente de las ambigüedades implicadas por todo recurso a una fuerza psíquica fundamental definida por su sola capacidad de crecimiento. Rogers adelanta la hipótesis de una corriente de experiencias *(experienzing)* que arrastra al paciente[7]. Superar el miedo y progresar en la experiencia directa y la expresión del *experienzing*, tal es, en su opinión, la clave de la terapéutica. Para permitir a la experiencia expresarse totalmente y de pleno derecho, el terapeuta debe referirse constantemente a ella. Por sí mismo el sujeto es capaz de desarrollarse de manera constructiva si las circunstancias favorecen el diálogo terapéutico que, en la concepción de Rogers, se reduce a un monólogo. Aun sin poner en duda las virtudes de la *client-centered therapy*, cabe preguntarse lo que explica semejante psicología holística. ¿Qué es lo que se obtiene de positivo invocando una fuerza vaga, indefinida y que se presta a todo? Este centrarlo todo en su principio inmanente de crecimiento y de expansión general no es extraño al agnoticismo religioso de C. Rogers, que ha sido consecuente con sus propias concepciones de base y abandonó la religión de sus padres al descubrir que hombres honestos pueden comprometer su fe en direcciones diferentes[8]. El descubrimiento no tiene nada de extraordinario, pero la conclusión es bien significativa: puesto que solamente cuenta la honestidad interior, ¿qué importancia pueden conservar las convicciones y las estructuras del comportamiento? Si solamente cuenta la expresión del *experienzing*, ¿por qué enfrentarse con lo real y sus estructuras?

Al menos en sus aplicaciones a la religión, la psicología monista concuerda con la psicología de los motivos, concluyendo ambas que la religión es una emanación del sujeto mismo, la sacralización espontánea de un poder psíquico operante en él. He ahí la esencia del psicologis-

---

[7] C. R. Rogers, *On becoming a Person*, Boston, 1961. Cf. J. J. Dijkhuis, *De procestheorie van C. R. Rogers*, Hilversum-Amberes, 1964, pp. 60-71.

[8] Cf. Dijkhuis, *op. cit.*, pp. 25-26.

mo: una especie de idealismo psicológico, hermano menor del idealismo epistemológico.

EN FAVOR DE UNA PSICOLOGIA GENETICA

Ni el recurso a una función autónoma (la necesidad religiosa), ni el recurso a un proceso único (el *yo* que se actualiza, la experiencia interior que se expresa) explican satisfactoriamente la religiosidad a nivel de las motivaciones. Para salvar este desnivel entre lo demasiado general y lo excesivamente particular, ciertos psicólogos han recurrido ya al concepto de situación, ya al de impulso. Tal es la solución que nos indica la psicología de Lewin y el psicoanálisis. Podríamos citar algunas otras teorías psicológicas, pero nos contentamos aquí con orientar nuestra investigación y su óptica.

Lewin [9] quiere reintroducir en psicología los conceptos de fin y de actividad teleológica y vincularlos a la idea de *situación,* definida como «el conjunto de rasgos del mundo exterior capaces de provocar una respuesta de la parte del organismo». La situación no es tampoco una variable autónoma, sino que en sí misma es el resultado del intercambio de las experiencias interiores de un organismo con los datos exteriores. Si, por lo tanto, la acción orientada del sujeto es solidaria de su situación concreta, la psicología científica debe evitar elaborar conceptos generales que se limitan a tomar el relevo de las esencias aristotélicas, y atender, por el contrario, a los hechos individuales, concretos, y construir conceptos condicionales genéticos que puedan calificar los campos homogéneos de hechos psicológicos. Renunciando, por lo tanto, a postular una «necesidad religiosa» que ningún planteamiento científico justifica, interroguemos las situaciones y los hechos concretos de las actividades religiosas; tratemos de des-

---

[9] Cf. K. LEWIN, *A dynamic theory of Personality,* Nueva York, 1935.

cubrir los fines que persiguen; y elaboremos los conceptos capaces de expresar los campos homogéneos observados.

La situación entra en la definición de los vectores dinámicos religiosos y también resulta de las experiencias interiores y de las estructuras que el sujeto actúa en ella. Aclaremos estos conceptos por un ejemplo tomado del anterior capítulo sobre la experiencia religiosa. Los recolectores, que corresponde al más primitivo grado de civilización conocido, adoran a un Dios Creador y Padre benevolente. Pero al cambiar la situación económica, y convertirse la horda en un clan de pastores, la religión se modifica profundamente, adaptándose a ella el sentido religioso. Inversamente, la situación suscita un nuevo sentido religioso. En una nueva situación los sujetos actuarían estructuras distintas.

Sólo hay, por lo tanto, una manera de llevar a cabo el estudio de la motivación: estudiar el lazo que se establece entre las actividades religiosas orientadas (sus intenciones) y las situaciones que las condicionan.

Concebimos la motivación de manera que pueda incluirse en ella la historia del sujeto, lo cual implica el estudio genético de los motivos, porque los fines perseguidos son momentos de un devenir. En este estudio genético se puede ir muy lejos en la búsqueda de los motivos humanos y su dinámica. Nadie ha avanzado tanto como Freud, quien, conducido por su experiencia clínica, descendió hasta el punto de separación de lo normal y lo patológico, elaborando una auténtica psicología de la antropogénesis, en torno al problema de cuáles son los dinamismos y las estrucutras en cuya virtud y a cuyo través, el hombre, ser de impulsos, se hace un ser humano. Hablar aquí de pansexualismo es, cuando menos, arriesgarse a una limitación chocante. Porque Freud reconoce la multiplicidad de los motivos y de los intereses humanos; pero, al tratar de comprenderlos en sus interferencias y vicisitudes, desemboca en sus dinamismos fundamentales: los dos o tres impulsos elementales (libido, conservación de sí, impulso de muerte) que subyacen a todos estos motivos, y que, modificándose según las leyes de los conflictos y de los cambios con las situaciones a través de las cuales se desarrollan, producen los sentimientos, los deseos, las tendencias múltiples del hombre normal o enfermo. El devenir humano normal se realiza en una estructuración dinámica, a través de cuyos conflictos, identificaciones y sublimaciones, una personalidad ve la luz y el *yo* en acto emerge de las fuerzas impersonales: «Donde era *Ello* ha de ser *Yo.*»

Que la religión se relaciona con los impulsos y con su historia, nadie que piense por un momento en los temas esenciales desarrollados por la tradición religiosa (felicidad, culpabilidad, angustia, prohibición del homicidio, deseo de inmortalidad y, sobre todo, el símbolo del padre, nudo de toda la estructuración dinámica del hombre) lo pone en duda. Pero esto no implica en manera alguna que un estudio de psicología profunda deba darnos la respuesta última a la cuestión del porqué de los fenómenos religiosos.

En nuestro estudio de la motivación procederemos en dos etapas. En primer término pasaremos revista a algunos estudios consagrados a las motivaciones aparentes observables. En un capítulo siguiente plantearemos la cuestión más radical de la explicación genética profunda.

El hombre religioso se dirige a Dios por lo que espera de El: protección, inmortalidad, felicidad... Cierto que, si se dirige a Dios, es porque su presencia se le impone de modo irrecusable. Respeto y petición, culto y deseo son las dos vertientes de la actitud religiosa. Las dos se mezclan y dan lugar a los múltiples fenómenos a partir de los cuales cabe establecer una morfología. Pero ¿cuál es el movimiento predominante y dónde está el dinamismo originario? Los albores de este siglo vieron aparecer múltiples tesis explicativas de la religión y, sin querer ser una teoría exhaustiva, la de la motivación pretende contribuir a explicar la religión. En efecto, por tratarse de un acto psíquico la religión no tiene sólo ante sí un objeto (en el sentido psicológico del término), una unidad objetiva que orienta el comportamiento, sino que, además, procede de las tendencias que brotan del sujeto mismo. El objeto al que intencionalmente se tiende corresponde a la intencionalidad del sujeto; pero, la gran cuestión, es si las intenciones activas determinan el objeto, o es a la inversa o incluso, puesto que el hombre religioso vive su relación a Dios como un encuentro, ambas perspectivas responden a la realidad, suscitando Dios las intenciones activas en el hombre al mismo tiempo que las peticiones y los deseos del hombre actualizan una cierta presencia de Dios.

La cuestión de la motivación desemboca, por lo tanto, en el problema de la ilusión o la objetividad de la religión, entenebrecido en más de una ocasión por la aplicación poco científica de conceptos psicológicos mal articulados o de límites nebulosos como los de proyección y arquetipo. Un ensayo de solución deberá, para comenzar, delimitar los conceptos operatorios y precisar en qué medida dan cuenta de los fenómenos religiosos. Este principio metodológico rige el análisis que sigue. Sucesivamente examinaremos los diferentes vectores que determinan la dinámica religiosa y que se articula en conceptos teóricos. La cuestión de la ilusión, destacará por sí misma al agrupar las líneas de fuerza que constituyen el campo religioso.

La motivación observable hemos dicho que se define por la relación concreta establecida entre el objeto buscado y la situación dada. Un comportamiento religioso es una actividad que se orienta transcendentalmente en respuesta a una situación humana definida. ¿Hay un vector dinámico común a las diversas orientaciones, especificadas por sus situaciones respectivas? Tal vez, pero no comencemos por reducir los hechos más complejos a un esquema que peque de excesivamente simple. Nuestra concepción de la motivación determina nuestro método. La palabra de los sujetos nos es indispensable. Es ella la que debe revelar las orientaciones escogidas. Sin embargo, ello no equivale a volver a una psicología introspeccionista, puesto que los testimonios verbales se colocan en el contacto concreto de sus situaciones. Dicho de otra manera, el sujeto no es explícitamente más consciente de los motivos por los que se dirige a Dios que el niño lo es de las razones por las que ama a sus padres. ¡Pero la psicología no debe limitarse a recoger testimonios, registrarlos y clasificarlos en categorías! Es ciencia de la interpretación que, relacionando la situación vivida con la calidad del objeto, intencionalmente experimentado en esta situación específica, saca a luz los motivos inconscientes que subyacían al comportamiento.

II. DIFERENTES MOTIVACIONES DEL COMPORTAMIENTO RELIGIOSO

A. LA RELIGION, RESPUESTA A LAS FRUSTRACIONES

Los antiguos estoicos sabían ya que la insatisfacción de los deseos es el dolor fundamental de la existencia humana, bien se trate de deseos de posesión, de amor duradero o de reconocimiento personal. Con lúcida conciencia de la insaciabilidad humana ofrecían el remedio en una libertad o desasimiento interior afirmada mediante la renuncia. Desde un punto de vista próximo a la vez que sumamente lejano los apologistas religiosos pensaban tener la verdadera solución: en Dios el hombre puede encontrar sobreeminentemente todo lo que desea. Como en realidad son pocos los hombres que desean verdaderamente a Dios, se les responde que deben aprender a desearlo, puesto que Dios es el objeto latente de todas sus aspiraciones, convirtiendo sus deseos excesivamente humanos en deseos religiosos.

A ojos del psicólogo que no piensa la realidad humana según principios metafísicos, los deseos humanos conservan todo su peso y constata que el hombre puede hacerse religioso para encontrar una respuesta satisfactoria a deseos que en un principio son enteramente humanos. Tendentes hacia un objeto terrestre no se orientan a Dios directamente sino con la sola esperanza de encontrar una satisfacción humana. La actitud religiosa nacería, por lo tanto, de una insatisfacción humana; pero, en este caso, en virtud de la unión existente entre las intenciones primeras y su objeto, ¿la religión no se agota en esta aspiración humana *desorientada?* La conversión de las aspiraciones humanas en religiosas, ¿no engendra una religión meramente funcional desprovista de consistencia y de valores autónomos? Ciertos psicólogos se complacen en afirmar que tal explicación deja todavía lugar para una justificación metafísica[10]; pero en todo caso, nacida de una frustración, la religión aparece marcada con el sello de la inautenticidad. De su teoría, Freud y Marx han retenido esta conclusión brutal como algo definitivamente establecido.

La frustración se define como ausencia de respuesta a una necesidad o a un deseo humano. En su connotación propia el término español, francés o inglés, evoca un agente activo que frustra, esto es, que priva de algo al sujeto. El término «frustración» fue introducido en el vocabulario técnico de la psicología por los traductores de Freud. Trata de expresar la *Versagung* de Freud. *Versagung*, antítesis de *Befriedigung*, expresa la negativa que lo real, una situación o una persona, oponen a la satisfacción de un impulso. La insatisfacción no es ocasional, sino coextensiva al impulso, esencialmente abierto y por ello inconmensurable por cualquier objeto. Sin por ello ser arbitrario, puesto que se encuentra orientado, el impulso carece de un objeto adecuado capaz de satisfacerle plenamente, de modo que, por su misma naturaleza, el impulso introduce en el hombre una dinámica esencial, que, orientada, no está jamás polarizada por un objeto adecuado.

Por lo tanto, no es de extrañar que la insatisfacción

---

[10] E. JONES, "Religionspsychologie", en *Zur Psychoanalyse der christlichen Religion,* Leipzig-Viena, 1928, pp. 7-13; J. C. FLUGEL, *Man, Moral and Society. A Psycho-analytic Study,* Londres, 1945, caps. 13 y 17.

fundamental del hombre sea la oquedad en la que se ha acomodado la religión; nadie lo ha expresado mejor que San Agustín: «No descansa mi corazón hasta que repose en Ti.» Para San Agustín, sin embargo, este vacío esencial es operativo en el sentido de que Dios mismo lo abre en el hombre por su presencia latente: «No me buscarías si no me hubieses ya encontrado»; pero antes de abordar el tema de la insatisfacción esencial debemos estudiar las manifestaciones particulares más relevantes y que determinan más abiertamente el comportamiento religioso.

Nuestra aclaración del tema de la frustración evitará que cedamos ante la tentación siempre amenazadora del anecdotismo. No es un accidente ocasional lo que frustra, sino que, incluso en el dominio particularizado de los deseos bien delimitados, lo que hace mella es la frustración fundamental. Multiforme como el impulso mismo la frustración toma mil figuras que nos desconciertan a la manera de las máscaras de James Ensor.

La angustia y el Dios Providencia

Introduzcamos el tema con un argumento de Freud que expresa adecuada y claramente, el movimiento religioso que procede de un sentimiento de frustración experimentado en las grandes angustias de la vida: «Es comprensible que el primitivo necesite un dios creador del mundo, jefe de su tribu y protector de su persona... El hombre de épocas posteriores, el de nuestro tiempo por ejemplo, se comporta de la misma manera. También él sigue siendo infantil e incluso llegado a la edad adulta necesita protección y no puede prescindir del apoyo de su dios» [11].

---

[11] *Gessammelte Werke,* Londres, 1940-1952, XVI, pp. 236-237. (Trad. española: *Moisés y la religión monoteísta, Obras Completas de S. Freud,* Madrid, Biblioteca Nueva, 1948-1968 t. III.)

Dos son los tipos de frustraciones que, según Freud mortifican los deseos humanos: la sociedad inhibe los impulsos y la naturaleza les opone la inexorable ley del destino. Es el hombre el que constituye la sociedad y encuentra en ella el cauce a través del cual se humaniza; pero en el fondo de sí mismo nunca deja de abrigar una rebeldía frente a aquélla. Contrariamente a Marx, Freud no cree en la posibilidad de una reconciliación final entre el hombre y la sociedad. Siempre el hombre se sentirá frenado en sus deseos y en su libertad [12]. ¿El tema tan frecuente en la literatura, del hombre que se siente al margen de la sociedad, no avala la opinión de Freud? Este, por su parte, no deja de justificar su concepción, reconstruyendo la génesis del individuo desde la ruptura del lazo que le une a las fuentes de la vida y su plenitud. Para compensar el dolor del conflicto y de la privación que resulta, la sociedad no encuentra mejor solución que fomentar las promesas religiosas, según las cuales las recompensas del más allá compensarán al céntuplo al individuo por sus decepciones de acá abajo. De otro lado, la religión presenta el único recurso posible contra la impotencia en que el hombre se encuentra frente a la naturaleza. La enfermedad y los fracasos de todo tipo incitan al hombre a conjurar su destino. Lo hará, atribuyéndole el rostro tierno y tranquilizador de un Ser Todopoderoso. A fin de poderla rogar, conjurar, pedirla protección y satisfacción, atribuye a la naturaleza una conciencia y unas intenciones. No faltan procesos psíquicos que hagan posibles semejantes actitudes. En los aprietos, en efecto, el hombre se siente niño y las tendencias arcaicas renacen en él, animando la naturaleza de intenciones humanas que se hacen objeto de conjuros y oraciones mágicas. Vuelto así al estado afectivo de los niños y de ciertos primitivos, el hombre religioso, tiene fe en que su necesidad de protección y de recompensa será satisfecha por la interven-

---

[12] *El Porvenir de una Ilusión,* G. W., XIV (trad. española, *O. C.,* t. I, pp. 1.277-1.303).

ción de un Padre Todopoderoso. Al transferir a su Dios sus propias inclinaciones mágicas, Este realizará aquello de que el hombre se sabe personalmente incapaz.

Freud es consciente de que se inscribe en la tradición de una crítica secular; pero su aportación remoza las críticas del racionalismo clásico al fundarlas en los datos del análisis psicológico.

No hay duda de que muchas formas religiosas no corresponden a este análisis; pero lo que importa es medir tanto la verdad como la limitación inherente a semejante explicación motivacional. Los estudios positivos sobre las actitudes religiosas correspondientes a los momentos de tribulación pueden ayudarnos a ello.

Stouffer[13] ha constatado que durante la Segunda Guerra Mundial, en lo más encarnizado de los combates, el 75 % de los soldados americanos encontraban consuelo en la oración. El recurso a lo religioso, predominaba sobre todos los demás pensamientos, como el odio al enemigo, riesgo de la batalla, etc. Análogamente, los que estaban más expuestos a las penalidades de la guerra, los soldados de infantería o los que en las avanzadas, sufrían el fuego de sus propias baterías o, incluso, aquellos que se encontraban afectados a una nueva unidad eran quienes más rezaban. Hecho significativo, los porcentajes permanecen constantes por encima de las diferencias de educación, que no afectan la intensidad de esta oración propia de las situaciones de aprieto.

Tales datos estadísticos no asombran a nadie y se limitan a confirmar la experiencia común. La oración es frecuentemente el grito del hombre amenazado. Y, como la misma encuesta lo muestra, la intensidad religiosa sigue la curva del peligro, aunque solamente en parte. A la cuestión de saber si la guerra los había tornado más religiosos, los ex militares respondían del modo siguiente. Más religiosos: 29 %; menos: 30 %; sin efec-

---

[13] S. A. STOUFFER, *The American Soldier,* vol. II, *Combat and its Aftermatch,* Princeton, 1949.

to: 41%. Las respuesta de los militares sin experiencia de combate son, respectivamente, 23 %, 35 % y 4 %. De otra parte, si se trata de la Fe en Dios entre los militares comprometidos en los combates, se constata que ha aumentado para un 79 %, disminuido para un 17 % y sin efecto para un 2 %. Entre los militares sin experiencia de combate obtenemos respectivamente las proporciones de 54 %, 17 % y 29 %.

Nótese aquí la ambivalencia de las experiencias de angustia. En conjunto, los grupos de quienes han aumentado su religiosidad y quienes la han disminuido se equilibran, pero, en cambio, la fe en Dios ha aumentado notablemente.

Se comprende bien tal discordancia si se entiende por «más religioso», más activamente religioso, una mayor asiduidad en la oración y la asistencia al culto. Otra encuesta realizada por Allport[14], puede aclararnos sobre la ambivalencia de los efectos resultantes de una experiencia de angustia. Los militares cuya religiosidad ha disminuido reconocen que la muerte de creyentes practicantes y los horrores de la guerra los han hecho escépticos; por el contrario, los otros tienen la sensación de que la oración los ha ayudado. Allport concluye de ello que la experiencia de la guerra debilita la religión tradicional de las Iglesias, a la vez que intensifica la preocupación religiosa fundamental.

Avanzamos la siguiente hipótesis: de un número igual de sujetos que hacen la experiencia de la eficacia o la ineficacia de la oración, la eficacia de las oraciones corresponde, ya a la impresión de haber sido efectivamente protegido contra los peligros exteriores, ya a la experiencia de la calma reencontrada. Ambos puntos de vista aparecen más o menos ligados entre sí. En cuanto a la experiencia de la ineficacia no existe problema alguno. Se re-

---

[14] *The Individual and his religion*, pp. 46-51; G. W. ALLPORT, J. M. GILLESPIE, J. YOUNG, "The Religion of the Post-War College Student", *Journal of Psychology*, 1948, pp. 3-33.

fiere a la no intervención de la Providencia, puesto que lo que los sujetos esperan es una intervención efectiva de la Providencia (normalmente en sentido positivo). Frustrados en sus esperanzas, se alejan de las prácticas religiosas; sin embargo, su fe en Dios se encuentra frecuentemente reafirmada. ¿Qué significa esto sino que su convicción religiosa fundamental no sólo no ha sido afectada por la experiencia negativa, sino que en cierta manera ha resultado purificada? De ello podría deducirse que las prácticas religiosas corresponden a una representación cuasi milagrosa de la Providencia Divina. ¿Podrían acaso unirse ambos fenómenos? Esto es, el paulatino esfumarse de la idea mágica de una providencia en la tribulación y la mayor profundidad alcanzada por la fe en Dios. En caso afirmativo asistiremos a una purificación de la experiencia religiosa y por ello no hay nada de extraño en que las prácticas religiosas disminuyan al alcanzar una mayor rigurosidad la fe personal en Dios; la orientación religiosa predomina sobre las prácticas destinadas sobre todo a compensar y a superar un sentimiento de frustración.

Por lo tanto, es preciso concluir que la fe en Dios ha de tener fuentes distintas a la mera creencia mágica en la Providencia incluso cuando en un primer momento esta creencia debía dar lugar a una concreción de la idea de Dios.

Un segundo tipo de estudio verifica la teoría que convierte la religión en una mera respuesta a la frustración humana. Las encuestas realizadas mediante escalas de actitud en las que las proporciones expresan diferentes situaciones existenciales y diversos grados de intensidad religiosa, vivida por el sujeto en situaciones también diversas. Ya hemos mencionado el cuestionario elaborado y utilizado con ayuda de nuestros colaboradores[15]. Extraigamos los datos que actualmente nos interesan.

El cuestionario comprende una escala titulada *Dios*

---

[15] Cf. *supra*, cap. I, nota 49.

como fuente da ayuda material. La pre-encuesta hizo luz sobre esta cuestión. Las entrevistas mantenidas con 84 obreros italianos daban como resultados las frecuencias siguientes: de un total de 84 evocaciones espontáneas de Dios, 40 se referían a Dios como fuente de ayuda material y protección en la miseria. Los términos de *Providencia* y *Padre* aparecían respectivamente 9 y 3 veces; 13 evocaciones espontáneas se referían al auxilio moral de Dios y 13 a la majestad y al poder de Dios creador. A la cuestión planteada a 180 alumnos de humanidades clásicas de once a dieciocho años de edad, los sujetos se distribuían en la proporción de 15 % dificultades materiales; 41 % las morales; el 4 % circunstancias felices; el 7 % momentos de alegría; el 7 % la belleza de la naturaleza. Notemos que las circunstancias felices son evocadas al mismo tiempo que las penosas dentro de una misma frase, pero en segundo lugar. Se tiene así la impresión que incluso allí, es la desazón la que desencadena el movimiento religioso espontáneo y que, una vez reconocido éste, el sujeto reacciona añadiendo la asociación alegría-Dios para confirmarse a la actitud religiosa más noble de entre las que le han enseñado.

La encuesta en sí misma no saca a luz el predominio de la categoría Dios-ayuda material que no prevalece en ningún grupo. Una escala de actitud invertiría, sin duda, la jerarquía de los porcentajes, puesto que no deduce los comportamientos religiosos espontáneos, sino más bien una disposición más constante. En el interior de la categoría ayuda material los resultados diferenciales no son menos significativos. En la población femenina belga los porcentajes se escalonan en orden decreciente desde las obreras hasta las universitarias, a través de las alumnas de humanidades modernas y humanidades clásicas. Los obreros belgas que sufren menores aprietos materiales en comparación con los italianos ponen menos el acento sobre la ayuda material que puede obtenerse de Dios. Entre los muchachos, los alumnos técnicos, subrayan este aspecto más que los alumnos de humanidades, lo que demuestra, atendiendo a la extracción social de unos y otros, que las condiciones materiales de vida, determinan por tanto la importancia que los sujetos conceden a la intervención providencial de Dios en los aprietos materiales y son estas situaciones las que provocan más espontáneamente el sentimiento religioso.

Para poner a prueba la teoría de la frustración hemos utilizado además con ayuda de nuestros colaboradores una técnica semi-introspectiva inspirada en un trabajo de Welford[16]. Los sujetos son invitados a reaccionar imaginariamente ante 10 situaciones dadas: 4 agradables, 4 frustrantes, 2 ambivalentes. Para cada situación, deben acusar diversos impactos psicológicos: intensidad de la emoción, primera reacción, referencia a otro, la intensidad de la tendencia a la oración. En el grupo belga, tanto entre los hombres como entre las mujeres, la diferencia de las medias entre intensidad de la tendencia a la oración en las situaciones agradables y desagradables es mínima. Por el contrario, el grupo latino-americano manifiesta una tendencia clara a orar en las situaciones frustrantes. Entre los hombres, la media combinada de esta tendencia es de 2,34 en las situaciones agradables, 3,17 en las frustrantes. Entre las mujeres se obtienen, respectivamente, las cifras de 3,70 y 4,28. En el grupo belga, los hombres dan el 3,13 y 3,18 y las mujeres 3,30 y 3,40; pero todos los sujetos colocan estas tres situaciones frustrantes a la cabeza de la clasificación y por este orden regresivo: 1) náufrago en mar, 2) mujer que espera ante la mina hundida donde trabaja su marido, 3) padre ante el lecho de su hija enferma y desahuciada. Es también la situación de naufragio aquella en la que el mayor número de sujetos piensan en Dios (8 sobre 37 en el

---

[16] "Is religious behavior dependent upon Affect or Frustration?", en *Journal of Abnormal Psychology,* julio de 1947, pp. 310-319. El trabajo de investigación utilizado aquí fue realizado por HUGO BUSTAMANTE y presentado como tesina de licenciatura en psicología en 1965 en la Universidad de Lovaina con el título *L'attitude religieuse dans les états de frustration et d'émotion.*

grupo belga, 15 sobre 71 en el grupo latino-americano). Ante el lecho de la desahuciada solamente 7 entre 87 latino-americanos y ningún belga.

Entre todos los sujetos, la más fuerte tendencia a orar se manifiesta en las situaciones de extrema angustia, al enfrentarse con la muerte, especialmente la propia. Pero la oración no se substituye en este caso a la acción humana. Entre los sujetos que manifiestan una mayor tendencia a la oración, 54 % expresan una reacción activa (v. gr., lucha), 29 % una reacción subjetiva (espera, resignación), 17 % una reacción pasiva (desesperación). Entre las respuestas de tendencia débil o nula a la oración encontramos un 33,5 % de reacciones activas, ninguna subjetiva y 66,5 % de reacciones pasivas. La oración es, por lo tanto, más un grito de socorro lanzado por el hombre que lucha que un procedimiento (mágico) para modificar subjetivamente la situación mediante una aceptación resignada.

En conclusión, cabe por tanto decir que la situación frustrante no es la única que suscita una respuesta religiosa. En todos los sujetos el peligro personal de muerte es lo que provoca una mayor tendencia a la oración, esto es, a invocar el auxilio de lo sobrenatural capaz de suplir las fuerzas humanas que se muestran insuficientes. Considerando el conjunto de las situaciones agradables y desagradables, el impacto religioso de todas ellas se diferencia según las nacionalidades; esto es, la actitud religiosa queda parcialmente determinada por la educación y el clima cultural.

Todas las investigaciones confirman la experiencia de cada cual. Una situación límite de peligro mortal y, más generalmente, la impotencia humana ante la miseria material o ante la enfermedad, son los resortes más poderosos del comportamiento religioso espontáneo. La religión cumple, entre otras, la función de compensación con relación a las experiencias de frustración. La oración es en gran parte un grito de socorro. En la medida en que el hombre se siente amenazado en su deseo de vivir, conjura al destino apelando al Padre Omnipotente. Incluso los escépticos, en situaciones de extrema angustia, sienten tentación de rezar.

Semejante comportamiento no puede ser simplemente despreciado, pero tampoco cabe atribuirle una importancia religiosa estimable. Es tan natural como el deseo de vivir Sacudido por sus sentimientos más elementales el hombre se precipita hacia lo sobrenatural desde que se ve en una situación desesperada desde el punto de vista natural. Freud lo comprendió correctamente al considerar que la tribulación despierta en el hombre la creencia mágica en un Padre omnipotente que suple la impotencia humana. El hombre angustiado encuentra por procuración la deseada omnipotencia. ¿Acaso con ello la religión se degrada? Digamos más bien que se trata del resorte más elemental de la religiosidad intacta en sí misma mientras que el hombre no se deja coger en su propio lazo. El peligro no es simplemente imaginario. El concepto de Dios-Providencia evoca en muchos hombres religiosos la figura del Padre que salva en las situaciones límites. ¿Cuántos cristianos han repensado la Providencia divina según la perspectiva propiamente evangélica de Cristo? Las situaciones extremas pueden despertar en el hombre el sentido abismal de la existencia plenamente suspendida de Dios, y allí donde el abismo se abre ante el deseo y la satisfacción, el hombre puede descubrir su finitud. Cuando su existencia se derrumba, la experimenta como carente de propio fundamento, pero se trata de una experiencia afectiva e impulsiva cuya reacción primera es igualmente una experiencia meramente afectiva. Si cesa la angustia la conjuración mágica corre el riesgo de desvanecerse. Por ser inmediatamente impulsivos tales comportamientos no conducen por sí solos a un reconocimiento de Dios personalmente asumido. Entre el grito hacia Dios y una religión personal media toda la distancia existente entre la primera fascinación amorosa y el lazo estable contraído mediante el compromiso.

La referencia a los impulsos de semejantes estados de

oración se revela igualmente en la reacción de sublevación o indiferencia que puede provocar una eventual decepción. Más atrás hemos ya señalado el escepticismo que desde un punto de vista religioso se ha podido comprobar entre los antiguos soldados americanos.

Nuestra propia encuesta [17] ha comprobado este análisis. Constatamos una disminución de la religiosidad entre los dieciséis y diecinueve años; para seis de las nuevas categorías o subescalas, la media entre dieciséis y diecinueve años difiere en un 1%, permaneciendo estables el porcentaje del temor, de la rebelión y de la fe en Dios creador. Para las proposiciones que expresan el recurso a la Providencia divina en las dificultades resulta que los sujetos de más edad admiten con mayor dificultad la intervención de Dios. La ambivalencia de sus sentimientos, se manifiesta claramente en el hecho de que, siendo muchos los que admiten en principio la posibilidad de una oración impetratoria, reconocen que no la practican. Dudan entre el deseo de independencia y la necesidad de ser ayudados. Recordemos aquí que los adultos interrogados denuncian formalmente tales comportamientos religiosos.

Los resultados obtenidos bajo el título «rebelión contra Dios» son igualmente elocuentes. En el sector femenino se revela una diferencia altamente significativa entre los dos grupos más claramente distinguibles con relación a la categoría Dios-ayuda material: las obreras y las universitarias. Las primeras se adhieren francamente a las proposiciones que traducen la decepción y el resentimiento hacia Dios con ocasión de una experiencia de dolor. La rebelión expresa negativamente la exigencia de que Dios intervenga, puesto que se pretende bueno y omnipotente. Cautivado por una emoción religiosa elemental el sujeto puede volverse contra Dios o hacia El. En realidad, la verdadera religión no puede proceder sino de una reflexión purificadora.

---

[17] Cf. *supra,* cap. I, nota 49.

La alienación social y la fe en el otro mundo

Freud denuncia el *Malestar en la cultura* (1930). Jamás la sociedad consigue conciliarse al hombre pese a ser creación de éste. Por su psicología de los impulsos Freud radicaliza la crítica marxista. En su opinión el reconocimiento mutuo de los hombres no eliminará de la cultura su malestar esencial, puesto que su fuente se encuentra en la dialéctica de los impulsos. Tal es el motivo por el que, en la perspectiva freudiana, la instauración de una sociedad perfecta no suprimirá las condiciones de alienación en el que las religiones nacen y se desarrollan. Según Freud, una discordancia secreta y profunda entre el individuo y la sociedad no cesará de aumentar el vacío del que siempre emerge la religiosidad en tanto que el hombre no haya aceptado estoicamente la necesidad de la frustración de sus impulsos. La religión proviene, en efecto, de la inadecuación esencial de los impulsos primordiales respecto de sus objetos. En su deseo de vivir y gozar el hombre choca ineluctablemente con la resistencia de la naturaleza y la presión de la sociedad.

Si Marx y Freud están de acuerdo en reconocer en la religión una solución consistente en la evasión y la sustitución, se enfrentan, sin embargo, en la manera como explican su formación y su significación real. Freud reconoce en la religión una función doblemente pacificante. Mediante la formación de la moral se reconcilia, al menos parcialmente, al hombre con la sociedad y se le consuela mediante la creencia en el cielo. En este parágrafo reduciremos este examen a esta segunda función. En cuanto a Marx, considera que la vida de la religión es, en sí misma, la realización imaginaria del cielo en este mundo, esto es, la realización fantasmal de la esencia humana. Separadc de la comunicación efectiva de los hombres, el creyente reemplaza el reconocimiento real por una comunicación ideal, es decir, imaginaria. La religión desaparecerá por sí misma en el momento en que el hombre destruya las estructuras alienantes de la sociedad para establecer en la realidad relaciones humanas verdaderas. La sociedad marxista será, por lo tanto, la realización de las aspiraciones cuya expresión imaginaria es la religión.

Las dos teorías conciben, por lo tanto, el proceso de su sustitución según modalidades muy diferentes. Para Freud el hombre que aspira a la satisfacción de impulsos y a la libertad radical no tiende únicamente al reconocimiento y al establecimiento de relaciones pacíficas, puesto que en el fondo mismo de su ser guarda memoria de su rebelión, y transpone en consecuencia, el deseo de una armonía que colme todas sus contradictorias aspiraciones, a un mundo radicalmente distinto. Para Freud el cielo aparece como la compensación imaginada de todas las frustraciones, mientras que para Marx el cielo no tiene mayor importancia, sino que la religión es, por sí misma, anticipación ideológica de la sola aspiración fundamental en el hombre, la pacificación en la comunicación social.

Henos aquí en presencia de dos teorías sumamente diferentes, para las que la religión es un fenómeno de sustitución procedente de la frustración social. La experiencia cotidiana no ha dejado, sin embargo, de avalar lo bien fundado de la tesis de Freud, puesto que parece, en efecto, que los hombres encuentran más fácil aportar su vida terrenal contra la bienaventuranza del más allá que afrontar la realidad inmediata cuando ésta aparece en condiciones de vida precarias en un medio humano adverso, expuesto a las epidemias y sin cesar amenazado por la guerra. No deja por ello de reconocerse incluso en tales frustraciones una ambivalencia congénita, puesto que si es sin duda posible que se metamorfoseen en esperanza del cielo, también pueden levantar al hombre contra Dios. El análisis de Freud no se detiene, sin embargo, en ello y en la experiencia religiosa ve siempre la esperanza de una recuperación trascendente de los bienes, a los cuales es preciso renunciar de inmediato, gracias a la mediación de un Dios juez y remunerador. En defecto de estudios pertinentes en torno a este componente de la actitud religiosa, bástenos verla ya criticada en la más primitiva tradición cristiana que denunca, por ejemplo, en la parábola evangélica de los viñadores de la hora undécima esta forma de hipocresía religiosa. Después de Nietzsche constituye un tópico, el denunciar el espíritu mercantil de los devotos que pretenden comprar el cielo mediante la práctica religiosa; pero cabe plantearse el problema de hasta dónde puede llevarse semejante pretensión instintiva de obtener de Dios la recompensa ganada a costa de múltiples frustraciones impuestas y aceptadas por las exigencias morales de la vida en sociedad. No olvidemos que el resentimiento es una de las fuerzas más violentas y más difícilmente desenraizables. Bástenos como prueba el registrar las reacciones espontáneas a una reflexión teológica sobre el sentido de la parábola en cuestión: «¿De qué sirve entonces la religión? ¿Vale la pena aceptar los sacrificios que impone? ¿Para qué elevarse por encima de los bienes de este mundo si Dios parece indiferente al bien y al mal?» Esta exigencia de la justicia divina representa sin duda uno de los más poderosos resortes de la pseudo-religión y no cabe negar que en sus primeros desarrollos, la frustración y la esperanza de comprensión juegan un papel funcional importante.

Las bases sociológicas del comportamiento religioso son demasiado complejas para que de las simples estadísticas se puedan obtener argumentos en favor o en contra de las tesis de Marx o de Freud. Si el marxismo hubiera sido capaz de establecer una sociedad atea sin recurrir a la persecución violenta, tal vez la historia hubiera avalado de manera irrefutable el sentido profundo de la tesis marxista; pero desgraciadamente los dirigentes comunistas no han dado crédito a las tesis de Marx sobre la religión... Los estudios diferenciales sobre la práctica religiosa, nos proporcionan interesantes contribuciones, pero de todas maneras nos fuerzan a abandonar el simplismo del esquema marxista. Señalemos tan sólo dos hechos incontestables. Son las clases medias en USA y las clases superiores en Inglaterra, las que constituyen los sectores de población religiosamente más activos [18]. Sin duda, estos datos sociológicos no excluyen la posibilidad de que las tesis de Marx guarden un cierto valor por lo que se refiere a la religión de las clases inferiores; aunque, en todo caso, para dar cuenta de los fenómenos religiosos, se debe recurrir a factores distintos de la mera frustración social, como es el caso de las tradiciones históricas y culturales, la educación y, sin duda, también, como veremos un poco más adelante, motivos psicológicos unidos al mantenimiento del orden social.

La tesis de Marx es, por lo tanto, difícilmente utilizable en psicología, porque presenta una interpretación metafísica de la religión, en cuanto que la considera como figuración de una conciencia que todavía no ha llegado a la verdad de sus instituciones. Si el establecimiento de una sociedad perfecta extirpara las mismas raíces de la religión, se podría, sin duda, ver en ello una verificación de la tesis marxista e incluso entonces sería preciso situar este hecho, siguiendo al mismo Marx, en un cuadro de referencias de tipo hegeliano.

Considerado desde un punto de vista parcial, la tesis de Freud sobre la religión en tanto que frustración social se presta más directamente a una verificación objetiva. No implica una referencia al inconsciente en sentido fuerte y no ofrece ninguna interpretación simbólica al nivel metafísico. Para verificarla, basta con medir rigurosamente el peso que confiere a la actitud religiosa tomada en su conjunto, la creencia en un Dios remunerador, punto sobre el que lamentamos no contar con ningún estudio positivo. Las dudas que atormentan a numerosos sujetos cuando ante ellos se aborda francamente la cuestión y la consiguiente tentación a abandonar su práctica religiosa, nos induce a atribuir a esta motivación elemental de la religión una considerable importancia. El hombre acepta sin esfuerzo una relación contractual con Dios, basada en criterios de estricta justicia, pero, en la

---

18 M. ARGYLE, *Religious Behaviour* [3], Londres, 1965, p. 131

teología cristiana, la noción de la justicia de Dios, resulta extremadamente compleja y no se presta en último término a ninguna síntesis, meramente lógica, de los datos de la Revelación [19].

Cierto tipo de sectas religiosas, nos proporcionan un interesante campo de pruebas, en cuanto combinan la frustración social, la creencia absolutamente centrada en el más allá, y la instauración de una nueva fraternidad. No entra en nuestros planes actuales dar una explicación unívoca de la secta religiosa cuya tipología y múltiples vinculaciones han señalado ya numerosos estudios. La secta se presenta siempre, como una minoría religiosa, disidente y carismática, pero los factores responsables de su formación pueden ser numerosos. Milton Yinger [20] los clasifica de la manera siguiente: 1) Factores de orden personal; 2) Variaciones en los intereses económicos y políticos en el seno del grupo; 3) Diferencias que resultan del desarrollo del mismo sistema religioso (conflictos doctrinales, litúrgicos, etc.); 4) Presencia del jefe en las decisiones cruciales. Según los análisis sociológicos diferenciados, las teorías de Weber, Troeltsch, y Van del Leeuw, que ven en las sectas agrupaciones de minorías religiosas selectas, no pasan de ser meras lucubraciones. El carácter carismático y ainstitucional de la secta, es algo que no ofrece duda ninguna, pero, en todo caso, es preciso aclarar lo que busca y exige el espíritu carismático. Algunas sectas, por ejemplo, ordenan a los negros el continuar simplemente al margen de la sociedad su antiguo culto de tipo más emocional y espontáneo, puesto que su sensibilidad y sus reminiscencias ancestrales, les separan de las grandes Iglesias, cuyo ritualismo e institucionalización un tanto obsesivas no permiten a las emociones y tradiciones religiosas crear libremente sus formas. Pero existen igualmente sectas en las que los elementos psico-

---

19 Cf. A. Descamps, *Les justes et la justice dans les Évangiles et le Christianisme primitif*, Lovaina, 1950.

20 *Religion, Society and the Individual: an Introduction to the Sociology of Religion*, Nueva York, 1957, pp. 133-142.

sociales garantizan al espíritu carismático su función característica. En los Estados Unidos, las sectas han proliferado, por efecto de la mezcla de razas y de Iglesias, por las guerras y las crisis económicas [21]. Análogas situaciones provocan hoy día el mismo fenómeno en América Latina. Diversos autores, han podido señalar [22] que la secta aporta un socorro inmediato en una situación de dificultades sociales, pero en la mayor parte de las ocasiones, al aislar a sus adeptos desvía su atención de los verdaderos problemas sociales. Sírvanos de ejemplo el caso de los portorriqueños que al llegar a Nueva York, se adhieren en masa a los pentecostistas [23]. Desarraigados e inadaptados, encuentran en la secta una comunidad que les salva del anonimato tan profundamente angustioso, puesto que, al menos en ella, pertenecen a una sociedad. Ritos simples, un idioma común, una solidaridad que se descubre en la experiencia de una misma miseria les proporcionan el medio elemental en el que encuentran la posiblilidad de identificarse. Por otra parte, al organizarse al margen de las sociedades oficiales o de sus grandes Iglesias reciben una doctrina religiosa que tematiza y justifica su forzada separación en un mundo considerado como podrido y abocado a la perdición. En otra secta, la del predicador Krishna, «hijo de Dios», Catton [24] distingue dos grupos de oyentes, los curiosos y «los que buscan la verdad», los cuales leen frecuentemente la Biblia y piensan en el más allá. Se trata, en este caso, de perso-

---

[21] Cf. J. GILLIN, "A Contribution to the Sociology of Sects", *American Journal of Sociology,* 1910, pp. 236-252; J. WACH, "Sociologie religieuse", en *La sociologie du XXe siècle,* vol. I, publicado por G. GURVITCH, París, 1947, pp. 417-447.

[22] YINGER, *op. cit.,* pp. 171-173; A. T. BOISEN, *Religion in Crisis and Custom: a Sociological and Psychological Study,* Nueva York, 1955, pp. 71 y ss.

[23] R. POBLETE, *Puerto Rican Sectarianism and the Quest for Community,* Nueva York, 1959. (Tesis no publicada de la Fordham University.)

[24] W. R. CATTON, "What Kind of People does a religious cult attract?", *American Sociolog. Review,* 22 (1957), pp. 561-566.

nas que han sufrido profundamente con ocasión de la guerra o de las crisis económicas, socialmente aislados, trastornados afectivamente por fracasos personales y familiares. Estudios más profundos sobre la personalidad «sectaria» han sacado a la luz los resortes afectivos de este tipo de creencias. Cohn[25] habla de una «fijación de la adolescencia», manifiesta en los excesos, la inestabilidad y la inseguridad propia de este tipo de personalidades. En cuanto a la *rigidez* que les caracteriza, Delay[26] afirma haber constatado en un grupo de «testigos de Cristo» una rigidez extremada hacia sí mismo, un alto grado de defensa contra sus propias deficiencias de orden patológico. Estos rasgos añaden al aislamiento social una dimensión psicológica más o menos mórbida.

La correspondencia entre la situación social y este tipo de creencia es demasiado evidente y parece indudable la verificabilidad en las sectas de las tesis de Marx y de Freud sobre las relaciones entre frustración social y religión. La secta ofrece precisamente la cordialidad que sus adherentes no encuentran en su medio natural y compensa mediante la esperanza en el más allá la frustración terrenal. En verdad ninguna de estas dos teorías se aplica enteramente al tipo de la secta, escogido en razón de su mayor conformidad con las situaciones a que se referían los análisis de Marx y Freud, pero consistente en una forma de religión incompatible con las grandes Iglesias y definible en oposición antitética a ellas. El adepto de las sectas realiza una opción contra las Iglesias confiriendo a su religión el significado de una oposición al mundo del que carece en otros casos. Rechazado de la sociedad, privado de sus bienes económicos, socialmente desconocido, el sectario constituye un modelo de religiosidad al que se aplica el esquema marxista y que actua-

[25] W. C. COHN, "Jehovah's Witnesses as a Proletarian Mouvement", *The American Scholar,* 1955, pp. 288-298.

[26] J. DELAY, P. PICHOT, J. F. BUISSON, R. SADOUL, "Étude d'un groupe d'adeptes d'une secte religieuse", *Encéphale,* 1955, pp. 138-154, 254-265.

liza el proceso descrito por Freud, según el cual la esperanza del cielo sirve de compensación a la hostilidad social de la tierra. Sin embargo, es necesario señalar que los sectarios buscan dicha compensación en una vinculación humana tanto o más que en un desplazamiento hacia el «cielo» de la satisfacción de sus deseos.

Las frustraciones sociales juegan por lo tanto un papel indudable en la génesis de ciertos fenómenos religiosos particulares, e incluso estamos de acuerdo con Freud en pensar que la esperanza secreta de ser compensado en el más allá de todas las restricciones que el hombre se impone con el fin de mantener la viabilidad de la sociedad, representa un poderoso factor de creencia y de comportamiento religioso; pero su impacto varía de acuerdo a las diversas situaciones históricas y al nivel de la educación religiosa y el espíritu crítico, e incluso, actualmente, son numerosos los cristianos que rechazan como degradante la idea de un Dios remunerador del bien y vengador del mal.

Para juzgar el significado psicológico de la tesis marxista, sería útil disponer de un estudio comparativo entre las sectas y las Iglesias que efectivamente se oponen recíprocamente en lo referente a sus relaciones con el mundo y con la sociedad. Las Iglesias pretenden ser universales e integrarse en las estructuras sociales y nacionales[27]; valorizan el mundo y por lo tanto ofrecen, desde la perspectiva de las sectas, la odiosa figura de un compromiso En todo caso la incompatibilidad de estas dos actitudes destruye los aparentes vínculos de causalidad entre fracaso social y religión denunciados por el marxismo, e igualmente nos permite juzgar el concepto de alienación e ilusión religiosa. Si la relación establecida entre las Iglesias y el mundo no es simple concesión de debilidad, sino verdad militante, es evidente que la fe de las Iglesias no pretende servir de sustituto a la realidad mundana y

---

[27] Cf. H. Carrier, *Psycho-sociologie de l'appartenance religieuse*, Roma, 1960, pp. 85-87.

social, sino que se inserta en ella, la reconoce y la promueve, a la vez que trata de circunscribirla en los lindes de su temporalidad. El tema de la huida del mundo, predominante en el cristianismo antiguo y medieval, no depende tanto de la frustración social, como del movimiento, mucho más fundamental, del deseo religioso al que consagraremos un capítulo ulterior.

La miseria moral y el Dios consolador

En la serie de escritos que Freud consagrara a la religión, *El Porvenir de una Ilusión* representa una interludio de tipo más bien racionalista en el que Freud continúa la línea de los *Dialogues concerning Human Religion,* de Hume, iniciador de la crítica del siglo de las luces. En sus otros estudios, Freud prosigue una línea de investigación más propiamente psicoanalítica, de acuerdo a la cual la religión se presenta como el medio más adecuado de que el hombre ha gozado hasta los tiempos modernos para asumir su culpabilidad [28]. Remitimos al próximo capítulo nuestras consideraciones sobre la génesis de la culpabilidad y sobre la emergencia del símbolo paternal que con ella se relaciona. En este apartado nos basta, partiendo de la culpabilidad que reina en el mundo humano, plantear la cuestión en qué medida exige ésta un remedio de orden religioso. Las relaciones entre religión y culpabilidad son de carácter dialéctico; para Freud, la culpabilidad es coextensiva a la humanidad. Siendo connatural al hombre en su trabajo de humanización, gravita sobre toda su existencia y precede estructuralmente a la religión, de la que es uno de los fundamentos genéticos. Una vez que ha hecho germinar la religión, ésta aparece como liberadora de la culpabilidad de manera que, siendo

[28] Freud ha desarrollado extensamente este tema en *Das Unbehagen in der Kultur* (1930), G. W., XIV, especialmente en las pp. 482-506 (trad. española: *Malestar en la cultura, O. C.,* t. III).

simbólica centinela de una culpabilidad connatural al hombre, la religión puede, sin duda, aplastar a sus adeptos bajo el peso de su legalismo represivo, pero estos posibles excesos no deben impedir reconocer el poderoso instrumento de salvación que ofrece al hombre.

A nivel de la conciencia religiosa constituida, la teoría freudiana presenta, por lo tanto, una explicación de la religión refiriéndola a la culpabilidad vivida. Haciendo por el momento abstracción de la génesis profunda bástenos retener la idea de que la culpabilidad es una de las motivaciones psicológicas del comportamiento religioso. Los educadores, pastores y psicólogos clínicos no dudarán de la verdad que esta tesis encierra y numerosos estudios positivos han permitido medir la incidencia de la culpabilidad psicológica sobre la vida religiosa.

Las investigaciones de Gilen[29] sobre la psicología de los adolescentes ponen en relieve con gran finura los sentimientos constitutivos de la experiencia de culpabilidad y que, por orden de importancia, son el de soportar un peso que priva al sujeto de su libertad, la inquietud opresiva que empuja al sujeto a exprimirse y liberarse, los remordimientos de conciencia, el miedo y la angustia, referidos esencialmente a la amenaza de ser descubierto y que provocan una tendencia a huir y a ocultarse, la depresión compañera frecuente de la soledad. La referencia a Dios es claramente menos frecuente que la referencia al propio *yo* del sujeto y a la sociedad. Ello no es asombroso, puesto que la culpabilidad vivida por la mayoría de las gentes es, esencialmente, una culpabilidad psicológica y moral en la que el sujeto entra en conflicto con las normas sociales determinante del ideal del *yo*. La culpabilidad aparece en principio como un estado de desgarramiento interno y una desarmonía interior[30]. En razón de sus faltas, el sujeto se siente condenado por su

---

29 L. Gilen, *Das Gewissen bei Jugendlichen*, Göttingen, 1956.

30 Cf. A. Snoeck, *De psychologie van het Schuldbewustzijn*, Amberes-Utrecht, 1948.

propia instancia moral y por la de la sociedad; citado ante este doble tribunal, experimenta la inquietud y se siente obligado a reconocer su miseria, a repararla o bien a huir a una soledad depresiva[31]. Entre los sujetos creyentes, el orden religioso encarna por excelencia la autoridad moral de la sociedad, puesto que ésta se fundamenta en última instancia en la Ley de Dios. Por lo tanto, Dios está indirectamente presente, pero sería abusivo hablar de una culpabilidad propiamente religiosa, en tanto que el hombre no tenga conciencia explícita de que el mal se comete ante Dios; de manera que el pecado, como falta religiosa, se juzga según los criterios de la santidad divina, exigente y misericordiosa a la vez, purificante y siempre inclinada a perdonar y a renovar la alianza de amor. No nos hagamos ilusiones: la culpabilidad propiamente religiosa es el fruto de un largo caminar espiritual a través del que se desprende de la pesadumbre afectiva que sobre un plano puramente humano paraliza y aísla. Un análisis clínico y fenomenológico pondría de manifiesto el abismo que separa el pecado de la herida narcisista infligida por la culpabilidad psicológica.

De la encuesta realizada por Gilen, resulta que es la evocación de la confesión como medio de reparación lo que arroja los niveles más altos de referencias religiosas. Los textos citados no permiten discernir si en estos casos la idea de Dios, juez eterno, se integra ya en el sentimiento de culpabilidad; ello es muy probable, pero lo que aparece más claramente es la idea de una liberación y de una reparación por el reconocimiento en confesión. La religión se presenta, por lo tanto, como el fundamento de leyes morales y el instrumento de perdón y de rehabilitación. La psicología positiva no podrá nunca verificar la tesis freudiana según la cual la culpabilidad es fuente de creencia religiosa, pero confirma su idea sobre la ex-

---

31 He desarrollado estas ideas en "L'accès à Dieu par la conscience morale", en *Foi et réflexion philosophique. Mélanges Franz Grégoire*, Lovaina, 1961, pp. 481-502.

periencia de la culpabilidad en tanto que poderoso factor de práctica religiosa.

Para completar nuestra exposición nos referiremos una vez más a la encuesta realizada en Bélgica entre varios centenares de adolescentes. Esta encuesta ilumina otro aspecto de la relación establecida entre la miseria moral y la religión: el recurso a la ayuda de Dios. La encuesta no permite comparar los testimonios de la creencia en la Providencia divina con las manifestaciones de tránsito desde la culpabilidad religiosa a los remedios religiosos; pero, al menos, es preciso reconocer la reciedumbre del factor Dios-ayuda moral en el conjunto de la actitud religiosa.

La preencuesta había indicado ya su importancia. A la pregunta «¿Piensas en Dios cuando nadie te habla de El?», planteada a 180 alumnos de humanidades clásicas de ambos sexos, el 31 % de los sujetos respondió que en las dificultades morales, el 15 % en dificultades materiales, y el 11 % en circunstancias felices; por el contrario, entre 100 muchachos de enseñanzas técnicas sometidos a la preencuesta, solamente el 8,5 % afirmó que en el caso de dificultades morales; entre los obreros italianos entrevistados el sentimiento de culpabilidad desaparece por completo. La encuesta misma, realizada entre 1.800 sujetos, confirma la diferencia ya señalada entre los alumnos técnicos y los alumnos de humanidades clásicas (con medias respectivas de 45,7 y de 41,7; diferencias significativas a nivel de 1 %). Las diferencias se atenúan con la edad (de dieciséis a diecinueve años). En los dos sectores de la enseñanza representativos de medios culturales diferentes, el factor ayuda moral prevalece sobre todos los demás (ayuda material, temor, Dios creador). Un análisis detallado de las respuestas permite también un comparación entre muchachos y niñas. Los primeros, más comprometidos en la lucha por el bien y en la evitación del mal, desean más intensamente la ayuda de Dios y se encuentran más inclinados hacia un sentimiento de gratitud por el socorro eficaz, recibido en la tentación; pero también se decepcionan más rápidamente y sienten menos eficazmente la ayuda de Dios. Las muchachas, por el contrario, sufren un mayor sentimiento de soledad, en la cual buscan ante todo el consuelo de un Dios que comprende y reconforta, y la presencia de Dios es para ellas más tangible.

Es imposible no reconocer aquí los resultados elementales de la psicología diferencial. El muchacho, al padecer más intensamente los impulsos eróticos y agresivos, está más preocupado por la lucha moral. La niña, vive sobre todo la presencia personal del otro o la nostalgia de su ausencia. Reconocemos no comprender a Argyle[32] cuando considera evidente el que las mujeres adultas sufren más que los hombres el sentimiento de culpabilidad, atendiendo a que en los medios católicos la mujer se confiesa más frecuentemente que el hombre. Por nuestra parte, vemos en ello el efecto de tres motivos característicos de la psicología masculina. En primer lugar, los hombres manifiestan más difícilmente en público sus sentimientos íntimos. De otra parte, en general son menos activos en las prácticas religiosas, porque sienten la religión más intensamente que las mujeres como una dependencia humillante, siendo la confesión el acto religioso en que esta dependencia se expresa más netamente. Un tercer motivo, al que normalmente se atiende menos, reside en el hecho de que el hombre, a la edad adulta, ha hecho la experiencia de su incapacidad para evitar las faltas morales y se resigna a ellas. Con el descenso de la culpabilidad psicológica el sentido del pecado se embota frecuentemente y la confesión pierde urgencia. Nuestra encuesta ha manifestado una evolución concordante con la edad que va en este sentido. Los sujetos de diecinueve años recurren menos frecuentemente a la ayuda de Dios, cuya ineficacia han experimentado suficientemente, renunciando al apoyo sobrenatural que, como la experiencia les demuestra, no cambia la condición humana.

---

32 *Religious Behaviour*, p. 79.

En todos los ejemplos que hemos citado la funcionalidad de la religión es innegable. Agobiados bajo el peso de la falta y padeciendo el consiguiente aislamiento moral, los jóvenes estudiados por Gilen esperan de la Iglesia el perdón y la rehabilitación en el seno de la sociedad moral. Los adolescentes que hemos interrogado, se dirigen a Dios principalmente con vistas a obtener de El una ayuda en su esfuerzo moral o una consolación en su soledad afectiva. Más confiados en ellos mismos, más realistas en cuanto a sus posibilidades morales, y sin duda más liberados de sus angustias eróticas, los mayores recurren menos a Dios. Pero, se nos replicará, es posible que otros factores hayan reprimido en ellos la fe viva, y por ello se comprometan con menor confianza en la lucha moral. El examen de las respuestas nos hace creer que el proceso es más bien inverso. Es el deseo de realizar su ideal moral personal, entendido, sin duda, con referencia a la ley divina, por lo que, los más jóvenes, alimentan una ardiente esperanza en la ayuda de Dios; pero la creencia en la ayuda moral de Dios decrece a medida que aumenta su seguridad personal y su realismo. Encontramos en ello la confirmación en una experiencia que consterna a numerosos educadores religiosos, pero de las que muy poco extraen realísticamente las consecuencias evidentes; esto es, que en muchos jóvenes, la práctica religiosa puesta esencialmente al servicio de los esfuerzos morales, sigue una curva inversa a su estabilidad emotiva. Los educadores que explotan la situación moral de los jóvenes deberían reflexionar sobre las consecuencias que preparan. Sin duda que una religión funcional no carece de todo valor religioso, pero no se dejarán de ver en el vínculo que se establece entre las miserias morales y la práctica religiosa los efectos de una creencia cuasi mágica en la omnipotencia divina, análoga a la descubierta en el recurso a la ayuda divina en el seno de las tribulaciones materiales o vitales.

Muerte e inmortalidad

La muerte es la herida narcisista más dolorosa que la naturaleza inflinge al hombre. Durante el siglo XIX los científicos podían hacerse aún la ilusión de que llegaría un día en el que la muerte sería vencida. Esperanzas efímeras: todo hombre sabe que tiene cita con la muerte. La existencia del hombre obtiene su densidad sexual y parental y se inserta en el ciclo vital merced a su enraizamiento en el fondo biológico de lo humano. Pero el ser personal, consciente, «para sí», que es el hombre, se niega a reconocer que su propio fin está en la nada, pretendiendo forzar la barrera de la muerte merced a la energía alimentada por el impulso vital de la autoconservación cuya fuerza corre pareja a su ceguedad.

¿Es la esperanza vital relacionada con la vida eterna, uno de los resortes de la creencia religiosa? ¿Es la religión el grito que en un movimiento de confianza pasional e irracional, el hombre dirige al Padre omnipotente para que le salve de su nada? Freud estaba convencido de ello. En su impotencia radical ante la muerte, el hombre reencuentra los gestos y las creencias quiméricas del niño o de los primitivos, prestando al destino una intención benevolente y pidiéndole protección y felicidad eterna. El antropólogo Malinowski [33] atribuía también a la religión la función de ajustar el hombre a su condición mortal.

Es un hecho el que una vez franqueada la mitad de su vida adulta —*in medio vitae*—, los hombres descubren con inquietud que se acercan al abismo, y que llega el día en que, fatigados de una marcha excesivamente larga, acabarán por derrumbarse precipitándose en el vacío. Diversas encuestas atestiguan, a partir de la de Starbuck [34], que desde este momento, normalmente se hacen más religiosos. Entre los motivos alegados por los

[33] *Science, Religion and Reality*, Nueva York, 1925.
[34] *The Psychology of Religion*, Londres, 1899.

mismos sujetos, el estudio de Kingsburg[35] menciona la «garantía de la inmortalidad», que adquiere un mayor peso en relación directa con la edad, e incluso los sujetos hostiles a la religión, también afirman progresivamente su certidumbre en un cierto tipo de inmortalidad según avanzan en edad, hasta llegar a un 100 % entre los sujetos que exceden los noventa años[36]. Por otra parte, la experiencia convenció a C. G. Jung de que a la edad adulta el hombre puede enfermar por motivos distintos a los de los jóvenes, puesto que lo que perturba no son ya conflictos del orden de los impulsos, sino el sentido mismo de su existencia y la cuestión de la muerte. El hombre irreligioso se encuentra sin respuesta, y la terapia jungiana tiende a restituirle una cierta sensibilidad religiosa (en el sentido que esto tiene para Jung), único remedio a la angustia de la muerte.

En todas partes, sin embargo, la creencia de la inmortalidad aparece como inferior a la creencia en Dios[37]. La diferencia puede elevarse hasta el 35 % en Gran Bretaña, el 39 % en Australia, el 31 % en Suecia, siendo muy inferior en Francia (8 %), donde la creencia en Dios es la más débil (66 %).

La historia de las religiones nos ofrece una suma considerable de testimonios en este sentido. La creencia en la inmortalidad, toma múltiples aspectos, en los que, sin embargo, pueden subrayarse dos tendencias de mayor relieve. De una parte, las religiones mistéricas en las que el iniciado encuentra garantizada la inmortalidad, conocieron una rápida difusión a través del mundo helenista y greco-romano. De otro lado, el vínculo entre la religión y el orden ético, tiende a hacerse cada vez más estrecho, de manera que, como es el caso de la creencia en la reencarnación o en la metempsicosis (India y Grecia) y en

[35] "Why do People go to Church", *Religious Education,* 1937, pp. 50-54.

[36] R. S. CAVAN, *Personal Adjustement in Old Age, Science Research Associates,* Chicago, 1949.

[37] Cf. *Sondages,* París, 1959, núm. 3, p. 21.

la resurrección (judeo-cristianismo), la suerte a correr en el más allá depende de la fidelidad a las leyes morales. Es preciso notar que en la religión de Israel la fe en la resurrección no aparece sino muy tardíamente merced a la concurrencia de dos elementos. De un lado, las circunstancias políticas y culturales han favorecido una toma de conciencia más aguda de la existencia individual, de modo que la integración en la comunidad no basta a satisfacer la mayor insistencia del deseo de felicidad personal. Al mismo tiempo, la fe en un Dios personal y leal a sus promesas, descubre el carácter definitivo del pacto que Dios ha celebrado con sus fieles; la fe en la Providencia precede en este caso la creencia en la inmortalidad, proporcionándola sus fundamentos teológicos. La metáfora de la resurrección de Israel después del exilio *(Ezequiel,* 37) ha servido como idea-puente hacia la doctrina nueva sobre la resurrección individual de los justos.

Sin embargo, en conjunto, la angustia de la muerte y el deseo de inmortalidad, son motivaciones del comportamiento religioso en medida menor de lo que creía Freud. ¿Puede haber más diferencia entre la llamada de socorro lanzada a Dios por un adolescente y por un anciano? Sin embargo, no deja de existir un fondo común indiscutible, en que la Providencia divina tome la figura que corresponde mejor a la desazón vivida en cada momento. A medida que el hombre toma conciencia de su ser para la muerte, en la historia de la civilización o en el curso de la vida individual el deseo de inmortalidad se hace más apremiante y confiere a la fe en Dios un fundamento y un contenido nuevo. Basta considerar las cuestiones planteadas por los no creyentes en cuya opinión, renunciar a Dios significa, frecuentemente, asumir lúcidamente la perspectiva angustiosa de la nada como meta del camino [38]. Su resignación, fruto del estoicismo o de la rebeldía, nos proporciona la contraprueba del vínculo motiva-

---

[38] Sirvan de ejemplo los testimonios de A. Camus y S. de Beauvoir.

cional que liga la angustia de la muerte y la fe religiosa.

Basta lo dicho para formular un juicio sobre el valor de una religión que extrae su fuerza de un deseo humano de inmortalidad, pero reservamos nuestras reflexiones críticas para el final de este parágrafo, contentándonos con señalar las críticas formuladas por numerosos creyentes. Ellos mismos se dan cuenta de que un deseo de inmortalidad enraizado en los impulsos vitales no constituye ninguna garantía en cuanto a su realización efectiva. Las discusiones filosóficas no son tampoco muy convincentes en cuanto apelan al dualismo del alma y del cuerpo, y aún parece menos decisiva, desde el punto de vista lógico, una nueva filosofía de la inmortalidad basada en consideraciones hiper-existenciales sobre la persona, la voluntad, o el amor. A fin de cuentas, en el plano puramente humano, estos creyentes se inclinan a compartir la resignación lúcida de los no creyentes, pero es en este desierto, donde el mensaje evangélico reconquista un significado propiamente religioso, al presentar una promesa garantizada únicamente en la fe dada al Dios de Jesucristo. Con ello el movimiento se invierte; Dios no es ya el instrumento de una esperanza suscitada por las pasiones humanas, sino la Palabra de la promesa dirigida al hombre, que marcha en el sentido de una lucidez integral. Los psicólogos de la religión que pretendan reducir sin más la fe religiosa en la inmortalidad al orden de los impulsos, pecarán por simplificación y por apriorismo.

B. LA RELIGION GARANTIA DE LA MORAL Y DE LA SOCIEDAD

En 1958[39] se planteó a los franceses de dieciocho a treinta años, la siguiente pregunta: ¿Daría usted o da usted a sus hijos una educación religiosa? Las respuesta fueron un 75 % de síes, un 11 % de noes, y un 13 % que

---

[39] *Sondages*, 1959, núm. 3, p. 13.

no respondieron. Los favorables a la educación religiosa de los niños alegaron motivos diversos. La fuerza de la tradición aparecía como el motivo más frecuentemente invocado en una porporción del 30 % (ejemplos de respuestas: «porque es costumbre», «porque es usual en la familia», «porque forma parte de la educación familiar»). Siguen en número las respuestas que buscan la justificación en las razones morales: el 28 % (ejemplos de respuestas: «porque da una moral», «porque ayuda a ser mejor educado», «porque es una guía o sostén en la vida», «porque hace respetar a los semejantes», «porque es un medio para inculcar ciertos valores humanamente sociales»). La convicción religiosa no inspira sino una 12 % de las respuestas (ejemplo: «para que mis hijos sean creyentes», «para asegurar su salvación y vida eterna»).

Estas estadísticas deben ponderarse en función de otros elementos proporcionados por la misma encuesta. La mayoría de los sujetos, en efecto, creen en Dios (73 %), en la divinidad de Cristo (62 %); afirman rezar muy frecuentemente (10 %) o frecuentemente (19 %). La religión de estos sujetos, no representa de ningún modo una conducta hipócrita ni un cálculo razonado; sin embargo, la muy débil preocupación por una formación auténticamente religiosa de los niños muestra, mejor que cualquier otro índice, hasta qué punto esta religiosidad es de tipo funcional, motivada por necesidades e intereses propiamente humanos, de manera que los sujetos recurren a ella para resolver problemas sociales. Sin duda, jamás admitirían una formulación tan brutal, e incluso es posible que, en presencia de nuestra interpretación motivacional, un buen número de los sujetos interrogados iniciarán un movimiento de purificación religiosa. Pero, en tanto que no se haya hecho la disociación entre la religión «para Dios» y la religión «para el hombre», no podemos afirmar lícitamente la autenticidad latente de esta religión. La complejidad de las intenciones afectivas del hombre, se deja traslucir en todo lo que éste hace o expresa. No creemos, por tanto, incurrir en una excesiva simplificación de la intención que los sujetos expresan en sus respuestas. En su situación particular de educadores responsables ante la familia y la sociedad, la mayoría de estos jóvenes utilizan la religión como un instrumento pedagógico y, por lo tanto, puede sospecharse el papel más o menos funcional de su religiosidad en las otras manifestaciones que hemos citado.

Conocida es la expresión de Dostoiewski —«si Dios no existe todo está permitido»— y conocido es el uso y el abuso que educadores y apologetas han hecho de ella. Sin embargo, la convicción de que la moral es un asunto exclusivamente humano se encuentra ya sólidamente establecida. Sin duda, el hombre no puede entrar en relación con Dios Santo, sino humanizando su existencia mediante la ética; pero lleva en él como principio de su realidad misma, una exigencia de justicia y de respeto hacia el otro tan autónomamente humanos que más de un moralista ve en ellas el índice más seguro de la existencia de Dios.

La llamada al fundamento divino de la moral que acabamos de observar, no representa la prosecución de una finalidad metafísica o religiosa última, sino que depende del deseo humano de garantizarse contra los riesgos de la ética, pudiendo ver en ello el efecto de aquella tensión permanente entre el individuo y la sociedad que Freud señala como una de las fuentes de la religión. En su opinión, la sociedad, necesariamente frustrante, dispone de tres medios para compensar al individuo de los sacrificios que le exigen, a saber, una promesa de compensación en el más allá, el establecimiento de un ideal moral al que el sujeto puede identificarse, satisfaciendo así su narcisismo elevado al plano social, y, en fin, la consagración de leyes morales vigentes en este mundo con el prestigio de una autoridad divina. Recurso este último que representa también, a los ojos de Freud, una compensación narcisista. Es indudable que en ello radica un motivo poderoso para hacer pasar al hombre desde lo moral hasta lo religioso, pero más bien se trata de un motivo inconsciente. En cuanto a su intención vivida, el hombre pretende garantizar su moral. De todo ello resulta que el vínculo de la moral y de la religión se encuentra superdeterminada al responder a dos motivos psicológicamente diferentes: la necesidad de seguridad y el narcisismo.

La motivación moral de la religión no es, sin duda, extraña a la predilección de ciertas sociedades hacia ciertos tipos de religiosidad. Max Weber, en un célebre estudio de sociología religiosa sobre *La Etica Protestante y el Espíritu del Capitalismo*[39a], ha podido creer deducir el capitalismo a partir de la fe humanizada o mundanizada del puritanismo; pero las situaciones técnicas y económicas nuevas no encuentran solamente en un cierto tipo de religión su posibilidad de eclosión, sino que a la vez condicionan a la religión imprimiéndola un estilo y una orientación que sirva para justificarlas y favorecerlas. El sociólogo americano Yinger[40] afirma que el protestantismo liberal de las Iglesias americanas, refleja el conservadurismo político, el nacionalismo, y el espíritu de progreso de las clases superiores. Creemos que la mentalidad de estas clases sociales conservadoras y confiadas en las promesas de la técnica no se contenta con expresarse en el protestantismo liberal, sino que le proporciona sus principios justificantes. Tal es la razón por la que en estas sociedades el «ateo» resulta un ser sospechoso.

En *Les deux sources de la Morale et de la Religion*[40a], Bergson ha descrito perfectamente el vínculo de la moral y de la religión, de que tratamos aquí. En su opinión, la naturaleza crea la religión cerrada o estática con fines biológicos; esto es, la religión espontánea no es sino una reacción defensiva de la naturaleza contra el poder disociador de la inteligencia, asegurando la cohesión del grupo y encadenando al individuo. A esta religión estática y

---

[39a] Trad. española, Madrid, Revista de Derecho Privado, 1955.

[40] *Religion, Society and the Individual*, Nueva York, 1957.

[40a] Trad. española: *Las dos fuentes de la moral y de la religión*, Buenos Aires, 1942.

cerrada, Bergson opone la muy diferente de los místicos abierta y dinámica.

C. LA RELIGION, RESPUESTA A LA CURIOSIDAD INTELECTUAL

Jamás hemos encontrado una fe religiosa abiertamente motivada por una búsqueda puramente intelectual. Sin duda, el hombre se asombra del universo en el que vive y de su propia existencia; pero si la filosofía es hija del asombro no ocurre nada análogo con la religión. Cuando el hombre se interroga vitalmente sobre su existencia es para situarse, puesto que no se resigna a ser un mero absurdo de aparición efímera; intenta orientarse en el mapa de su circunstancia y averiguar a dónde va. La búsqueda intelectual se alimenta del deseo de la inmortalidad y le es preciso descubrir lo que el hombre debe hacer. Por ello, pensamos que la curiosidad de intelectual puede encontrar tres tipos de satisfacción en la religión. En primer lugar, el deseo de inmortalidad era predominante en la gnosis, movimiento religioso que invadió el mundo greco-romano en los primeros siglos de nuestra era, cuyo propósito consistía en liberar a sus adeptos de la gravidez material para hacerles factible el acceso a la inmortalidad. El conocimiento que la gnosis propugnaba consistía en una mezcla de especulaciones teológico-filosóficas y de iniciación mistérica. Se creía que el conocimiento de la verdadera naturaleza humana velada por la materia era de suyo liberadora, y que el hombre encontraría la salvación en una libertad interior total, en sí mismo, por su iniciación especulativa y la accesis que le sirve de fundamento. La gnosis es un sistema cerrado en el que el iniciado, sin deber nada a una gracia divina que irrumpe en la historia, desvela y conquista por sí mismo el misterio del mundo, aunque, sin duda, merced a la ayuda de un revelador. Periódicamente reaparecen corrientes gnósticas en los movimientos religiosos que propugnan una actitud de abandono y retirada frente a la cultura actual y aíslan sus adeptos reagrupándolos en conventículos de iniciados en los misterios. A estos movimientos gnósticos, podemos asimilar las corrientes del género de la *Christian Science* y todo tipo de teosofías. Resulta extremadamente difícil, el detectar en la fe religiosa la presencia de una aspiración gnóstica hasta el punto de que, en general, ésta no se deja sentir. El deseo de iniciación y de participación en el misterio del mundo, parece propio de un tipo psicológico muy particular, el tipo místico, cuyo análisis abordaremos en el próximo capítulo. Aunque la orientación actual de la civilización no favorezca el desarrollo de tales tendencias, no dejan de ser una de las posibilidades psicológicas permanentes del hombre.

La investigación intelectual con intención ética, parece ocupar un lugar mucho más relevante entre las motivaciones de la adhesión religiosa. Como lo hemos señalado en el párrafo anterior, el hombre se dirige frecuentemente a la religión para encontrar respuesta a dos cuestiones de orden moral que podemos formular en términos kantianos con las dos preguntas de *¿qué debo hacer?, ¿qué me es lícito esperar?*

Sin embargo, la religión responde también a un tercer motivo de orden intelectual al proporcionar al hombre los cuadros de referencia que le permiten situarse en la existencia. Para Freud el catecismo es una especie de guía turística utilizable en el viaje de la vida. Sin duda, los sujetos religiosos son poco conscientes de esta incidencia psicológica de la religión. Pero la experiencia clínica enseña que el hombre experimenta una necesidad imperiosa de situarse en un mundo organizado y delimitado [41]. Un mundo desprovisto de señales que permitan localizar los seres y las funciones, es un mundo demencial en el

---

[41] Cf., por ejemplo, R. KHUN, "Daseinsanalytische Studie über die Bedeutung von Grenzen im Wahn", en *Monatschrift für Psychiatrie und Neurologie,* 1952, pp. 354-383.

que la personalidad no puede subsistir. En otro tiempo, los mitos y los símbolos tenían por función organizar al mundo y situar en él al hombre. El cosmos y la sociedad, aparecían como un todo ordenado y razonable en cuyo seno el hombre se sentía encargado de una función bien determinada. El hombre podía, por lo tanto, identificarse, reconocer su personalidad y su función, por el simple hecho de estar integrado en un todo significativo. Al tener como propia una función que cumplir se sentía religado a la totalidad. Situarse implica una doble exigencia, la delimitación de la función y el vínculo con el conjunto organizado. Sin duda, la religión puede todavía hoy procurar al hombre esta interpretación organizadora de la existencia, aunque quede bien entendido que tal motivación de la actitud religiosa por ser demasiado fundamental no aflora casi nunca a la superficie de la conciencia, aunque de manera subyacente inspira múltiples motivos parciales, como el deseo de inmortalidad, la búsqueda de una garantía moral absoluta y el recurso a la Providencia. Sin embargo, creemos que un elemento propiamente intelectual reúne y desborda todos estos motivos particulares; a saber, el deseo de encontrar una estabilidad funcional en el universo y un lazo significativo con el Todo jerarquizado. La curiosidad intelectual se basa en un deseo vital. Mediante su concepción del mundo el hombre busca una relación de conveniencia natural y necesaria con la existencia.

La historia de los mitos, de la filosofía, o de la teología, prueba que la motivación intelectual de la religión no es ante todo razón puramente especulativa. El mito, no era sino una propedéutica ingenua y precientífica a la filosofía o a la teoría científica. La preocupación etiológica de explicar los acontecimientos naturales, como por ejemplo el ritmo de las estaciones o el origen del mundo, es secundario a la función de orientación o de revelación. La primera función de los mitos del mal, según Paul Ricoeur consiste en «englobar la humanidad como totalidad en una historia ejemplar... a través de la figura del héroe, del antepasado, del titán, del hombre original, del semidiós, lo vívido se encarrila en las estructuras existenciales...»[42].

La investigación puramente intelectual se destaca sobre este fondo existencial del que es heredera, pero, erigida en función teórica autónoma, carece del poder religioso de los mitos originarios y de las religiones vivas. Al considerar la historia de la metafísica, no se tiene la impresión de que haya traducido una aspiración propiamente religiosa; sin duda, asume las tradiciones religiosas vivas y se da por tarea purificarlas; tal fue el caso de Platón, de Plotino, de Santo Tomás, de Hegel, y es hoy día el caso de Heidegger, pero, incluso cuando es religiosa, la filosofía se sustituye frecuentemente a la religión. Su intención y su estatuto propio de reflexión sobre las estructuras esenciales y sobre las condiciones de necesidad de los fenómenos, la conducen a anular la relación vital con el Otro. La metafísica piensa o critica la totalidad, pero, en sí misma, no introduce lo Infinitamente Otro que hace estallar la totalidad en una relación no recíproca. Por el contrario, la religión, instaura una relación original del hombre al Otro. La oposición pascaliana entre el Dios de los filósofos y el Dios de la religión, conserva su validez incluso sin juzgar a «Descartes inútil e incierto»[43]. La religión y la investigación filosófica pertenecen, pues, a dos órdenes de intencionalidad diferentes.

D. ANGUSTIA Y SEGURIDAD RELIGIOSA

La angustia es la afección fundamental del hombre. Es la compañera nocturna de todas sus graves dificultades, tribulaciones materiales, dolores patológicos, miedo a la muerte...; pero perturba al hombre tanto más, cuan-

---

[42] *Finitude et culpabilité,* vol. II: *La symbolique du mal,* París, 1960, p. 154. Cf. M. ELIADE, *Traité...,* pp. 384-385; *Le sacré et le profane,* pp. 82 y ss.

[43] PASCAL, *Pensées,* 195.

to que permanece anónima, muda, sin razón reconocida como tal. Enfrentado con sus miserias, el hombre puede luchar en la medida que tiene ante él un enemigo que le ataca a rostro descubierto. Cuando ninguna circunstancia identificable justifica el temor, el movimiento de defensa se debate en el vacío. La angustia entonces se convierte en invasora irresistible. Es esta angustia la que, según Kierkegaard, diferencia, más que la postura erecta, el hombre del animal y descubre, según Heidegger, la experiencia de la nada de la que surge la pregunta ontológica sobre el ser de los entes; es decir, que la angustia no es forzosamente patológica. Un ideal excesivamente paradisíaco del hombre como ser perfectamente equilibrado y adaptado, puede conducir a ciertos psicólogos bien pensantes a identificar angustia y estado mórbido. Ciertamente todo síntoma patológico disimula, a la vez que revela, una angustia latente que subyace a toda neurosis y toda psicosis.

En ningún caso se trata aquí de poner en duda los efectos desastrosos que la angustia puede tener sobre la religión. En la tercera parte de esta obra, que aparecerá en otro volumen y estará consagrada a las formas patológicas de la religión, se tratará de sacar a luz las diversas perversiones religiosas que puede suscitar la angustia morbosa en sus múltiples formas; pero ¿acaso la angustia es necesariamente morbosa? Afirmarlo, sería tanto como identificar sexualidad y patología, dado que toda enfermedad mental depende también, en último término, de una perturbación que afecta la esfera libidinal. Estas consideraciones preliminares nos ayudarán a situar el problema que pasamos a tratar a continuación y que cabe enunciar en estos términos: ¿La religión tiene por función garantizar al hombre contra la angustia?

El problema es de los más complejos, puesto que es prácticamente imposible medir la angustia en tanto que tal al no descubrir más que manifestaciones particulares de ella. La psicología positiva no la capta más que bajo formas individuales y limitadas que, como la timidez, la culpabilidad, el miedo a los accidentes, la angustia de la muerte, etc., aquélla suscita y penetra, pero con las que nunca se identifica. Los psicoanalistas saben por experiencia, que la angustia verdadera puede surgir de manera imprevista como un espectro que, sin saber de dónde viene y a dónde va, aparece de pronto ante el sujeto, aterrorizado y fascinado a la vez. Por muy absurdo que esto resulte a los fenomenólogos y psicólogos no analistas, existe una angustia propiamente inconsciente, que no solamente no puede captarse reflexivamente como estado de conciencia, sino que no se refiere a ninguna cualidad del mundo, manifestándose tan sólo por movimientos secundarios, como el estupor, el empequeñecimiento del campo vital, la fobia, etc. Todos estos procesos no pueden interpretarse más que como movimientos de defensa contra una angustia inefable y reprimida. La medida de la represión determina la naturaleza patológica de la angustia.

Las escalas y los *tests* psicológicos han sido elaborados con el fin de medir la intensidad de la angustia. De lo que antecede resulta que no se trata de una angustia más o menos manifiesta y no se deja de sentir cierta inquietud al ver estos instrumentos medir los conceptos de inquietud, miedo, angustia manifiesta, angustia profunda, etc., conceptos en todo caso flotantes, a partir de los cuales resulta difícil de precisar lo que los *tests* son capaces de descubrir. En efecto, la realidad psicológica de la angustia es excesivamente pluriforme y escurridiza para que sea posible captarla en una forma que, necesariamente, lleva a su cosificación.

Por otro lado, nos parece inadecuado hablar de la angustia como de una motivación religiosa. Como tal, en efecto, la angustia no tiende a nada, no es ni deseo ni impulso. Hace irrupción cuando, por su misma fuerza, las tendencias orientadas desequilibran al sujeto o cuando la prohibición que se abate sobre ellas pone al sujeto en peligro mortal. La angustia es la alerta que llega al corazón del sujeto en el momento mismo en que éste corre el riesgo de desvanecerse y se siente amenazado de disolución o de aniquilamiento. De acuerdo a la última teoría de Freud[44], la angustia precede a la represión: el peligro vital que los impulsos pueden representar empuja al sujeto amenazado a reprimirlos.

Es concebible, sin duda, que la religión pueda parecer como una solución para el hombre acorralado. Los ritos religiosos pueden servirle para conjurar mágicamente la angustia de culpabilidad psicológica, a menos que no le procuren el medio de rehabilitarse conscientemente por poca conciencia que tenga de haber pecado ante Dios. En la tribulación el hombre religioso dispone de la oración para implorar la protección del Omnipotente. Por sus leyes morales la religión autentifica la sexualidad y consagra la nobleza de un acto que sin ella se considera como transgresión de tabúes. La ordenación jerárquica, introducida en la vida por la religión, proporciona al hombre las medidas y las normas que necesita para subsistir y ante la muerte le promete una eternidad bienaventurada. Ninguna tendencia humana se sustrae a la angustia y todas pueden encontrar en la religión su realización como principio de su estabilización y de su justificación.

Relacionar la religión con la angustia, no es, por lo tanto, sino estudiar la religión en su relación con el dramatismo puramente humano. ¿Quién ha dudado del arte por el simple hecho de que, como señala A. Malraux, sea un desafío a la muerte? ¿O del amor porque sea en sí mismo una victoria sobre la angustia de toda finitud?

Afirmar que la religión es un refugio para la angustia, no deja de ser un tanto ambiguo, al evocar la idea de huida y olvido, a la vez que la posibilidad de que la angustia capacite al hombre para remontar hacia su origen; por la angustia el hombre puede nacer a sí mismo,

---

44 Cf. *Hemmung, Symptom und Angst* (1926), G. W., XIV (trad. española: *Inhibición, síntoma y angustia*, O. C., t. I, páginas 1.235-1.275).

en la culpabilidad, en la presencia de la muerte, en el abandono...; puede también recobrarse a sí mismo y abrirse a la dimensión trascendental de su ser. El don de la confianza, no se desvela más que sobre el fondo de la soledad y la esperanza del perdón sólo puede surgir en la experiencia de la falta. Si el hombre puede, en la angustia, huir hacia Dios, no es menos cierto que la actitud auténticamente religiosa, no es posible más que como victoria sobre el miedo, sobre la desconfianza, y sobre la fascinación de la nada.

La angustia puede, por otra parte, provocar también la huida lejos de Dios, tema que encontraremos nuevamente al tratar de ciertas formas de ateísmo. ¿Acaso para creer no es preciso aceptar y superar la angustia que despierta la ausencia de toda garantía tangible? ¿Y no es necesario confiar igualmente en la suma misericordia de ese Dios Santísimo? Aún sabiéndose grato a los ojos de Dios, el hombre no puede dejar de reconocerse absolutamente indigno de El, al confrontarse con tan pavorosa Santidad, puesto que de Ella le separa una infinita ruptura ontológica.

Esquematizando en un cuadro toda la gama de estados complejos intermediarios y cambiantes de la angustia, pueden subrayarse dos formas esenciales en ella: la patológica y la existencial. Dos son las formas de reacción posibles frente a la angustia connatural al hombre: «*... to suffer / the slings and arrows of outrageous fortune / or to take arms against a sea of troubles / and by opposing end them*» (*Hamlet*, III, 1). La reacción de huida puede a su vez ser susceptible de dos salidas, la pseudoreligión o la disipación en la vanalidad, que es a la vez olvido de Dios y olvido de la propia condición humana.

Si consideramos los resultados de las diversas encuestas psicológicas a la luz de los principios que acabamos de expresar, resultan difíciles de interpretar. Atendamos, en primer lugar, a los datos recogidos por R. A. Funk en su estudio sobre *Religious Attitudes and Manifest*

Anxiety in a College population[45], en el que para medir los grados de angustia el autor se sirve de una escala de Taylor. Más del 50 % de los sujetos afirman que la religión les proporciona la paz de alma y les garantiza un sentimiento de seguridad; más del 50 % igualmente consideran la religión como la sola realidad capaz de servirles de apoyo; el 64 % afirman que carecerían de toda comodidad psíquica en la vida, en el caso de que llegaran a perder la fe. Señalemos, sin embargo, que el 79 % expresan un sentimiento de culpabilidad por el abandono de su práctica religiosa; por lo tanto, seguridad y culpabilidad, lejos de excluirse mutuamente, pueden aparecer como los polos de la actitud religiosa. La comparación de las actitudes religiosas en los grupos que manifiestan un máximo y un mínimo de ansiedad, nos muestra claramente que la religión no se agota en la garantía de la seguridad, sino que protege contra la inseguridad. En efecto, el grupo que muestra una marca más elevada de ansiedad es, igualmente, el que confirma más claramente (con el nivel del 5 %) las proposiciones que expresan la correlación entre religión y seguridad, mientras que la práctica religiosa desciende sensiblemente en el grupo de menor ansiedad. De otra parte, los sujetos que sufren una ansiedad más intensa, se muestran más susceptibles de ser afectados por la duda, por ejemplo, al manifestar una mayor preocupación por los conflictos que oponen la fe a la ciencia. El grupo predominante en la escala de los conflictos religiosos, obtiene para la ansiedad la media de 22,2 contra 12,9 en el otro grupo. Contrariamente a los resultados obtenidos por otros psicólogos, Funk no encuentra correlación significativa entre la angustia y la ortodoxia religiosa. Lo que importa es la manera como se siente vitalmente la fe religiosa. Existe, por otra parte, una correlación positiva entre la ansiedad y la concepción de la vida que se sustituye a veces a la re-

---

[45] *A Survey of Religious Attitudes and Manifest Anxiety in a College Population*, Purdue University, 1955 (microfilm).

ligión; ni la inteligencia ni el sexo, sin embargo, parecen tener con la ansiedad una relación particular. El autor concluye que existe evidentemente un vínculo entre la ansiedad y la religión, de manera que aquellos que sufren un mayor sentimiento de ansiedad, son los que buscan en la religión una seguridad. Sin embargo, la correlación positiva entre ansiedad y conflictos religiosos no es unívoca, pudiéndose interpretar en los dos sentidos. El autor, sugiere la hipótesis de una relación circular, en la cual la ansiedad neurótica podría encontrarse en la raíz de los conflictos religiosos, que, a su vez, reforzarían la ansiedad. Por nuestra parte, sin rechazar ni los resultados de tal investigación, ni las conclusiones que en ella se formulan, ponemos en duda simplemente la calificación de neurótica que el autor da a la ansiedad manifiesta; y que nos parece tanto más contestable, cuanto que los sujetos estudiados son jóvenes en plena búsqueda de una orientación vital y una estabilidad emotiva.

En un estudio referente a sujetos que exceden los sesenta y cinco años de edad, Moberg[46] constata que los más religiosos eran los «mejor adaptados». Análogamente, el estudio clínico profundo de 39 casos, conduce a French a concluir que existe una correlación positiva entre la estructuración de un *yo* más firme, caracterizada por la ausencia de proyecciones y depresiones, y una concepción de vida más diferenciada, sea o no religiosa. En esta línea podemos evocar las observaciones hechas por Oates[47] sobre 173 psicóticos, de los cuales 74 no tenían ningún interés religioso antes de su enfermedad, 89 un interés moderado y 10 un interés pronunciado. En su crisis psicótica, sobre todo en momentos de gran angustia, un buen número de entre ellos manifestaban preocupaciones religiosas declaradas. ¿Es preciso ver en todo esto

[46] "The Christian Religion and Personal Adjustment in Old Age", *American Sociological Review*, pp. 87-90.

[47] "The Role of Religion in the Psychoses", *Journal of Pastoral Care*, 1949, pp. 21-30; cf. *Religious Factors in Mental Illness*, Nueva York, 1957.

la confirmación de la idea de James según la cual la religión es un estado extremo y patológico? ¿O bien podremos concluir que una situación límite que hace entrar al hombre en sí mismo, en su soledad y en su finitud, es lo que le descubre sus dimensiones trascendentales?

Para entrar en el enigma planteado por la angustia y sus relaciones con la religión, sería preciso proseguir el estudio de la personalidad profunda, y poner en claro la estructuración que se opera entre los diversos elementos en ella descubiertos por el análisis: impulsos, conflictos, relaciones con el otro, identificación, sublimación. Los capítulos que siguen intentarán alguna excursión en esta dirección, pero el análisis que precede revela ya que la religión es un dato central para el hombre cuando se encuentra conmovido en su afectividad profunda. La religión nace de lo más profundo de sus movimientos vitales del esfuerzo que intenta superar la inseguridad existencial. Se trata, por lo tanto, de una respuesta a la inseguridad angustiosa. Finalmente, el estudio de la angustia no nos enseña nada nuevo, simplemente todas nuestras consideraciones sobre la motivación desembocan en ella. Un estudio exhaustivo de la relación entre angustia y religión, debería elaborarse sobre la base de las investigaciones diferenciadas de las causas de la angustia y correlativamente de los motivos de interés religioso. La angustia no es más que la señal vivida, que advierte al hombre sobre la precariedad de una existencia cuyos fundamentos no están en su propio poder. Por doquiera busque dónde sentirse seguro y adquirir la paz, el suelo amenaza con hundirse, abriendo bajo sus pies el abismo de la nada. Tal es la razón por la cual, el hombre y solamente el hombre se plantea la cuestión de su ser. ¿Es responder a esta cuestión emprender un camino que conduce a la realización de los deseos y las esperanzas humanas o degradarlas en una consolación ilusoria? ¿Acaso no hay otra actitud auténtica que la negación de toda esperanza? Sin duda posee una innegable grandeza, el soportar con una lucidez sin concesiones el destino de la existencia, obteniendo una mayor pureza moral de la certidumbre aceptada de la nada última, pero la crítica psicológica señalará en semejante actitud, una impureza diferente que consiste en el repliegue sobre sí mismo. La negativa de abandonarse a la esperanza, es también un movimiento procedente de los impulsos vitales. A la inversa, este abandono o esta entrega de sí mismo puede desatar la angustia no menos que la soledad y la congoja. Ambos modos de existencia implican los mismos riesgos de inautenticidad. No pensamos en manera alguna concluir de lo dicho, que de toda actitud a-religiosa esté necesariamente viciada por motivos psicológicos inconscientes, pero no nos cabe la menor duda de que uno y otro modo de existencia están profundamente enraizados en la trama de los procesos psicológicos humanos. El hombre es algo muy distinto de una pura conciencia transparente y lúcida, libre de los impulsos vitales que la alimentan, y por lo tanto su religión y su ateísmo nunca serán angélicamente puros, sino siempre encarnados en lo humano.

El problema de la angustia nos conduce hasta el dintel metafísico del hombre y de su religión, que no nos toca franquear. Nuestra tarea consistía en examinar hasta qué punto y en qué sentido la psicología de la motivación explica la religión. Paso a paso desembocamos sobre la cuestión de la verdad a través del estudio de la angustia en el que se resumen todos los precedentes. La angustia, nos empuja de manera indeclinable a plantearnos el problema crucial de la psicología contemporánea: ¿La religión puede explicarse exhaustivamente? O, en términos de Freud, ¿la religión es una mera *ilusión* por el hecho de estar motivada? La honestidad intelectual nos obliga a separar los hilos de una explicación que al pretenderse exhaustiva se revelaba reductora. Al término de este análisis recapitulemos nuestra investigación para mejor establecer las correspondientes conclusiones.

CONCLUSIONES Y REFLEXIONES CRITICAS

Las múltiples frustraciones del hombre se revelan como poderosos resortes del comportamiento religioso. Las necesidades de una asistencia providencial en las dificultades materiales, la espera de una ayuda sobrenatural en la lucha moral y en las pruebas afectivas, la angustia de la muerte agudizada en el campo de batalla o en el otoño de la vida son situaciones que estimulan intensamente la actividad religiosa. No olvidemos, sin embargo, la ambivalencia de estos motivos que llevan en sí los gérmenes de incredulidad y de escepticismo. Los adolescentes, experimentan a la vez un mayor dominio personal y la inutilidad de su empresa religiosa y por ello su actividad religiosa decrece progresivamente.

Los hombres que se sitúan al margen de la sociedad, reaccionan contra su alienación social, integrándose en una secta comunitaria en la que pueden gozar de la comunión humana que fuera de ella se les rehúsa. La condenación que arrojan contra una sociedad hostil, les justifica a la vez por separarse de ella y en adelante viven en la esperanza de otro mundo cuyo advenimiento les parece inminente. En su forma particular, su fe religiosa está motivada por una frustración social y aparece como el anti-tipo mismo de la sociedad que les rechaza. La oposición a las Iglesias invalida, sin embargo, la interpretación marxista, y obliga a hacer reservas frente a una de las tesis freudianas sobre el origen de la religión; por otra parte, la interpretación marxista de la religión, no se encuentra confirmada por las observaciones sociológicas.

La culpabilidad es, sin duda, la raíz de numerosos actos religiosos y en ello hemos señalado un vínculo de causa a efecto, a saber, el cumplimiento por la religión de una función de liberación y de reintegración moral de los sujetos. Por el contrario, el testimonio de hombres verdaderamente religiosos nos aporta la prueba de que otro género de culpabilidad, el sentido del pecado, encuentra su motivación en la misma fe religiosa. Al invertirse las relaciones motivacionales resulta imposible la generalización de la tesis freudiana, pero de todas maneras es indudable que la debilitación de la culpabilidad psicológica ocasiona muy frecuentemente un descenso de las actividades religiosas.

La necesidad de fundar una moral y de asegurar una estabilidad social, es innegablemente un factor importante de creencia y de práctica religiosa. La necesidad de seguridad, se hace sentir en la investigación de un fundamento y de una garantía de la vida en Dios. Empujado por la dinámica misma de su personalidad, el hombre se busca una ley y un fin. ¿Quién podrá proporcionárselo mejor que el Creador y Juez supremo? ¿Y dónde encontrar una autoridad más compulsiva y una garantía más poderosa contra el desorden que amenaza todo hombre y toda sociedad?

La curiosidad intelectual no parece ser un motivo determinante de la actitud religiosa. En la medida, sin embargo, en que ofrece una visión estructurada del universo, la intelección del mundo se abre a la religión de la que el hombre puede en efecto esperar recibir los principios ordenadores de un cosmos que le salva del caos y de la desmesura o de la nada. Pero el hecho de que este elemento, hipotéticamente intelectual, no aparezca en la creencia explícita de los creyentes, nos muestra que es demasiado ambigua para ser realmente llamada motivo de la religión. En resumen, o bien esta motivación no dice nada nuevo respecto a los otros motivos ya alegados, como son la necesidad de garantizar la moral y el deseo de inmortalidad, o bien apunta hacia algo más fundamental como es el deseo de lo absoluto; pero en este último caso salimos del cuadro de la psicología de la motivación, puesto que el deseo de lo absoluto corresponde, como veremos en el capítulo próximo, a un orden psicológico distinto.

El estudio de la angustia no lleva a la misma conclusión: multiforme en sus fuentes y en sus manifestaciones la angustia no puede introducirse en una relación motivacional con la religión más que si se distinguen en ella procesos diferentes.

La necesidad religiosa, que figura a veces en los cuadros de psicología motivacional, se descompone así en movimientos diversos que son otros tantos esfuerzos para superar las necesidades inscritas en las situaciones existenciales. La religión conserva una estructura diferenciada que nos impide postular lo que los psicólogos de la motivación han llamado necesidad religiosa.

¡Cuántas oscuridades existen, pues, en un concepto aparentemente tan claro como el de motivación psicológica de la religión! Todos los motivos analizados no son más que deseos humanos orientados hacia una finalidad humana: inmortalidad, sostén moral, protección... ¿Qué es lo que le añade su coeficiente propiamente religioso? La mayor parte de los psicólogos se contenta con poner en relación los motivos que acabamos de señalar y el comportamiento religioso. Su óptica puede hacer valer ciertas justificaciones al dar cuenta efectivamente del comportamiento religioso con sus variaciones de intensidad y de intencionalidad, poniéndolos en relación con las diversas situaciones que los provocan, pero esto no es explicarlos en lo que tienen de propiamente religiosos. La psicología está en su perfecto derecho cuando delimita su campo de estudio, pero al hacerlo debe ser consciente de lo que implica su limitación y, en consecuencia, no se puede hablar de explicación psicológica de la religión sin incurrir en un abuso terminológico. De hecho, cuando los autores hablan de fuentes de la religión, no explican más que sus formas particulares y en cierta medida la curva de sus actividades, pero la existencia y el porqué de la religión no lo explican en absoluto.

En nuestra opinión, es por razón de una hipótesis de trabajo implícita, por lo que numerosos psicólogos se detienen en un examen de las formas y de las actividades religiosas creyendo que un estudio semejante pone de manifiesto las fuentes de la religión. Están, en efecto, persuadidos, de que, a las aspiraciones humanas corresponden siempre objetos adecuados. Por lo tanto, les basta mostrar que la religión proporciona una respuesta adecuada a las diversas necesidades humanas; por ejemplo, si el hombre en apuros aspira a la protección y la religión le aporta la respuesta adecuada, esta correspondencia entre demanda y objeto será una fuente de la religión y garantizará su valor. Hace mucho tiempo, sin embargo, que los creyentes se han habituado a parejos razonamientos que llenan la literatura apologética. La teoría es seductora, y, por el hecho mismo de ser psicologista, el hombre tiene el sentimiento de reconocerse en ella, creyendo espontáneamente en la objetividad de sus necesidades y sus deseos.

Una vez hecho el estudio de los motivos humanos de la religión el enigma psicológico que ésta plantea permanece intacto. Freud pretende resolverlos, pese a ser consciente de la extrema complejidad del fenómeno religioso y de la multiplicidad de los dinamismos psicológicos en juego. Sin salir de un terreno exclusivamente psicológico cree poder elucidar plenamente el misterio que encierra la única verdadera cuestión religiosa: ¿Por qué el hombre cree en Dios? Los análisis motivacionales a los que se lanza en *El Porvenir de una Ilusión* no tienen otro fin que poner en evidencia una realidad simple y fundamental: la religión es el recurso del hombre a un Dios Padre providencial y remunerador. Para Freud lo que distingue a Dios es la paternidad. Toda forma religiosa se encamina hacia esta creencia, llegada a la cual Freud apela a dos hipótesis extraídas de su experiencia y de su teoría psicoanalítica. De una parte, no existen deseos humanos que no sean formas de creencia. A la manera del niño o del primitivo, el hombre adulto, en el fondo de su ser dominado por los impulsos, tiene fe en la realización efectiva de sus deseos. De su narcisismo primario el hombre conserva la fe en la omnipotencia de sus apetitos. La magia y la religión lo atestiguan. En efecto, en sus dificultades el hombre guarda confianza en la intención de sus deseos incluso cuando falta todo fundamento razonable y, siempre como el niño, el hombre traspone en otra persona la omnipotencia de la que carece desde que se enfrenta con la barrera de un destino más fuerte que él. En esta transferencia se deja guiar por la huella marcada en su conciencia o mejor en su inconsciente por la experiencia infantil; confiere a una figura paternal sobrenatural la omnipotencia de la que su humanidad carece. Así la religión nace del encuentro de diversos factores psicológicos: deseo confiado en su omnipotencia, fracaso ante lo real, transferencia a una figura paternal, realización ideal y mítica de la nostalgia del padre. Freud ve en la negativa ansiosa de una problematización general de las creencias religiosas, esto es, el «dogmatismo», y en la retirada de lo religioso ante el progreso de la razón una doble confirmación de su tesis sobre el condicionamiento esencialmente afectivo de la religión.

Es preciso reconocer que la teoría freudiana ofrece la única síntesis de que disponemos, para explicar psicológicamente el hecho de que el niño, el adolescente o el adulto, en general el hombre en una situación de aprieto, crea espontáneamente en un Padre providencial y solamente ella permite comprender el porqué las actividades religiosas decrecen al no estar ya verdaderamente motivadas. Una teoría que sintetiza económicamente todos estos extremos, merece sin duda una presunción de verdad. Tanto más cuanto que no se propone ninguna otra. Le reprochamos, sin embargo, su generalización abusiva y cuasi metafísica de que hace alarde, puesto que no expresa, en nuestra opinión, más que un momento particular en la génesis de la personalidad religiosa.

Señalemos, ante todo, que la teoría de *El Porvenir de una Ilusión* no abarca la totalidad de los fenómenos religiosos, más aún pueden oponérseles una multitud de ellos. Por otra parte, las críticas freudianas del carácter cuasi mágico de estas creencias, se encuentran ya en numerosas obras de los grandes místicos y entre los creyentes formados en nuestra cultura crítica. En las entrevistas de adultos creyentes citadas en el capítulo sobre la experiencia religiosa, no hemos encontrado traza alguna de los motivos arriba alegados. Ciertamente, Freud no llegó a conocer, según él mismo reconoce, la mínima experiencia de una fe religiosa purificada [48]. Sin embargo, es asombroso que su información haya sido tan deficiente. Más adelante reconoció en el judeo-cristianismo una religión de grandiosidad distinta a las formas de religiosidad a las que en un principio había dedicado su crítica. Posiblemente, Freud, de acuerdo a su método habitual de trabajo, prosiguió hasta el extremo una cierta línea de pensamiento que no explica sino un cierto número de fenómenos parciales.

La segunda reserva es indisociable de la precedente. Ciertamente que la teoría freudiana aparece válida en sus grandes líneas a condición que se la limite al momento de emergencia del fenómeno religioso. Efectivamente, sólo los procesos alegados por Freud la hacen inteligible en las formas en que se presenta concretamente con sus creencias cuasi mágicas convergiendo hacia una figura paternal cuya omnipotencia sirve para subsanar las debilidades del mundo humano. Sin embargo, ello no impide que nos preguntemos si esta intención religiosa es o no una ilusión carente de toda autenticidad. Dejando a los filósofos y a los teólogos el problema de la verdad última, que Freud resuelve demasiado alegremente, no podemos dejar de plantearnos algunos problemas de interpretación filosófica, nacidos al borde mismo de los hechos observados y que nos sugieren las mismas teorías psicológicas. Esta religión es indudablemente funcional y tiene un mucho de ilusoria como saben los mismos sujetos, siendo su consecuencia la quiebra de la práctica religiosa; pero ello no implica necesariamente la conclusión de que esta religión funcional no deje lugar para una relación ver-

---

[48] *Freud-Pfister, Briefe 1909-1939,* Frankfurt a. M., 1963, p. 12 [trad. española, México, Fondo de Cultura Económica, 1967].

dadera con el Otro. Flower[49] creía responder a Freud, señalando que los sujetos religiosos son perfectamente conscientes de la situación real humanamente frustrante, y que recurren a la religión para precisamente dominar la situación reconocida en su verdad, lo cual excluye la posibilidad de tomar a estos sujetos como enfermos mentales. Pero la respuesta golpea en el vacío porque jamás nadie ha pretendido considerar el recurso a lo religioso con una transformación delirante de lo real y el mismo Freud no ha llamado a la religión *neurosis,* sino *ilusión.* La verdadera cuestión radica en saber si la religión no es la creación sustitutiva y por ello cuasi delirante de un mundo irreal superpuesto al mundo real. Una comparación puede aquí ayudar a nuestro razonamiento sirviendo de crítica general a todas las teorías puritanas que condenan la religión impura a no exceder del plano meramente humano. El niño no posee el conocimiento verdadero de sí mismo ni del Otro, su risa es satisfacción y alegría de vivir, su ternura expresa su lazo de dependencia vital, y, sin embargo, llega realmente al Otro aunque sea a través de objetos transicionales y en demandas utilitarias e interesadas; su relación a otro pone ya en obra una cierta forma de amor. De la misma manera, se puede decir que la conciencia religiosa que se origina y se motiva en las necesidades de todo orden, constituye ya una cierta manera de comunicación con el Totalmente-Otro; utilizando una bella expresión de Martín Buber, «cuando el hombre dice Tú, el Otro está ya presente».

Por otra parte, la presencia efectiva de Dios en el corazón de las intenciones religiosas, incluso primarias funcionales e imaginarias, constituye el hogar que irradia en las etapas sucesivas del progreso religioso perpetuando su lenta elaboración. Si el Dios de los motivos psicológicos no fuera más que un ídolo, el hombre no podría jamás llegar a una comunicación auténtica. Si alguna vez puede volverse hacia el verdadero Dios, es porque ya lo

---

[49] *An Approach to Psychology of Religion,* London, 1927.

posee no ciertamente en su inteligencia, sino en una relación establecida a nivel de la pura existencia.

Lo expuesto encuentra una confirmación en lo anteriormente dicho sobre la experiencia religiosa. Entre los intelectuales, hemos encontrado la negativa consciente frente a una experiencia religiosa, que redujera la presencia de Dios a nivel de las necesidades humanas; pero, más allá de toda motivación psicológica, existe una confianza en que la obra humana no termina en el absurdo. El misterio que rodea la existencia y la nimba de cierta esperanza, hace sospechar la existencia de un Otro, y reconocen en él a la luz de su fe en el mensaje religioso los rasgos del Dios vivo. Por la autocrítica psicológica, los sujetos han descubierto el rostro de Dios disimulado a la vez que prefigurado en el Dios de sus necesidades y de sus motivos.

Analizando por lo tanto el concepto de motivación llegamos a plantearnos el siguiente dilema: o la religión motivada constituye una solución falsa o bien trasciende a su propia motivación. Al restituir en su dinámica temporal los fenómenos religiosos observados, aparecen siempre en tensión dialéctica entre estos dos polos. Según la edad, las situaciones, la educación y la fidelidad personal, los sujetos se sitúan en un punto determinado dentro de esta línea dinámica, que se extiende entre el simple motivo y la presencia del Otro. El hecho de que la religión emerja de las motivaciones humanas, y que a partir de las tendencias horizontales sea capaz de pasar a una dimensión vertical, es lo que nos impone la tarea de una revisión crítica, de manera que toda religión consciente de sí misma contiene un fermento de ateísmo. La presencia del Otro puede oscurecerse y disolverse en la crítica, o bien, por el silencio que opone a las peticiones de los sujetos frustrados, Dios puede lentamente afirmarse en la alteridad de su presencia arrancando al sujeto de su repliegue sobre sí mismo. Como veremos, la actitud religiosa se estructura en la conversión.

Maslow[50] ha desarrollado una crítica perfectamente válida del concepto de motivación. A la conducta, necesidad-satisfacción, opone la conducta de crecimiento y del ser. Los sujetos son clasificados rigurosamente según el criterio de la autorrealización, de manera que los que podemos llamar psicológicamente adultos desarrollan intensas actividades en el orden del amor, arte, ciencia o religión, en la medida en que precisamente no están ya determinados por necesidades o motivaciones. Como dice Maslow, aman y conocen de acuerdo al modo de ser; pero, si aceptamos su crítica de la motivación, el concepto del *ser* evocado, no parece suficiente a efectos de expresar la relación intelectual que induce un sujeto hacia otro, ya sea hombre, ya sea Dios. El análisis del estado de ser que Maslow nos propone adolece, por lo tanto, de un grave defecto, puesto que el conocimiento y el amor de acuerdo al modo del ser suprimen la verdadera alteridad en la relación al Otro. Los sujetos viven la unión con quien les es distinto, de acuerdo a una experiencia de fusión, y la presencia se abisma en una indiferenciación que cabría considerar narcisista. Prisionero del mismo concepto de motivación que critica, Maslow procura superarlo mediante un pensamiento excesivamente espacial: al movimiento supuesto por la ausencia, propone la realización que es reposo en la posesión.

Henos aquí llegados al cabo de un largo camino al problema crucial de todo pensamiento religioso: ¿Dios es acaso una respuesta a las carencias humanas? ¿Su presencia suprime la separación y la distancia? ¿Es distinto de la mera ausencia y del puro silencio? ¿O tal vez existe una presencia que salvaguarda la alteridad y la unión?

Las diversas corrientes religiosas, se distribuyen se-

---

[50] *Motivation and Personality,* Nueva York, 1954 (trad. española: *Motivación y personalidad,* Barcelona, Sagitario, 1967). Maslow ha reelaborado en el sentido indicado la crítica de las concepciones de la motivación en su trabajo "Cognition of Being in the Peak Experiences", *Journal of Genetic Psychology,* 1959.

gún dos tendencias diametralmente opuestas a las que Jung y Freud han proporcionado respectivamente sus bases psicológicas. Para abordar la cuestión, nos será preciso examinar los dos símbolos fundamentales de la religión: el de la madre y el del padre. Tal será el tema de nuestro próximo capítulo.

CAPITULO III

LOS DOS EJES DE LA RELIGION: EL DESEO RELIGIOSO Y LA RELIGION DEL PADRE

En las situaciones límite el hombre encuentra espontáneamente el tono de la invocación religiosa. Sabiéndose impotente, hace surgir la imagen de un Padre todopoderoso, bondadoso, sostén de la sociedad; decepcionados o llegados a un nivel de mayor lucidez, los creyentes sospechan frecuentemente que su Dios no es más que una quimera, y muchos tienden a separarse de un padre excesivamente acomodaticio a sus necesidades, inclinándose, en consecuencia, hacia una actitud de reservas frente al misterio callado que apenas osan llamar con el nombre de Dios.

Sin embargo, en la gran tradición judeo-cristiana, el nombre de Padre es la suprema denominación de un Dios que se revela en la majestad de su radical trascendencia, de un Dios que, por su misma presencia, impugna los antropomorfismos religiosos y las idolatrías. Por ello, la teología no juzga conveniente identificar una apelación tan noble con el emblema de las peticiones estrechamente humanas. ¿Acaso no existe ninguna vinculación entre ambas acepciones del nombre de Padre? Es preciso reconocer, que, a primera vista, no aparece muy claramente el lazo que existe entre una y otra; sin embargo, si la ruptura fuese radical, no subsistiría ninguna rectitud religiosa natural en el hombre y el Dios de las necesidades humanas no sería sino un ídolo. Así, por ejemplo, Eckhart, haciéndose eco de los profetas de Israel, no dejó de acusar inflexiblemente de idolátrica tal actitud religiosa.

Nuestro propósito no es investigar el sentido teológico del nombre de Padre, y no recurriremos a la teología sino en la medida en que expresa tradiciones religiosas vivas y originales. La intención de este capítulo es, más bien, poner en claro las implicaciones psicológicas de este término, mediante una exploración en dos direcciones: la de la psicología profunda y la de la creencia religiosa purificada de los antropomorfismos espontáneos. Sin ceder a la tentación de hacer concordar ambas líneas de investigación, trataremos de elevarnos por encima de las necesidades humanas y descubrir cómo, de una parte, el nombre de Padre se enraíza en las estructuras psicológicas elementales del hombre, y de otra, al fin de la evolución religiosa, expresa al ser divino y articula la actitud del creyente.

Semejante empresa se dirige derechamente hacia el problema candente de la desmitificación de Dios. La connaturalidad entre el hombre y su Dios, que los estudios psicológicos sobre las necesidades religiosas han valorizado, indicaría que el nombre de Padre no es sino el espejo en el que se reflejan las aspiraciones ilusorias del hombre. La figura del Padre, al responder tan profundamente a las angustias humanas, ¿acaso no será el mito supremo del hombre desgraciado? Se comprende que Platón[1] haga coincidir el estadio de la humanidad ilustrada con la desaparición del padre putativo. «Esto es... como si un hijo putativo se hubiese criado entre grandes riquezas... y al llegar a hombre se diese cuenta de que no era hijo de aquellos que decían ser sus padres, pero no pudiese hallar a quienes realmente le habían engendrado.» Conociendo su verdadero estado, prosigue Sócrates, se sustraerán a la autoridad de sus presuntos padres y

---

[1] *La República*, VII, 537-538. Nuestro comentario se inspira en J. HYPPOLITE, "Le mythe et l'origine", en *Demittizzazione e Morale*, Roma, 1965, pp. 24-29.

seguirán los consejos de otros, esto es, marcharán por el camino de la interrogación dialéctica. Si el Padre no es más que la cifra de las aspiraciones ilimitadas del hombre, éste debe buscar el principio de su emancipación en el ateísmo, en el agnosticismo, a menos de seguir un camino religioso diferente, que la tipología clásica designa con el término de mística, en oposición a la religión profética. Mediante la «mística», el hombre reintegra el principio divino enterrado en lo más íntimo de sí mismo y disimulado en el mundo.

La mística

La mística es un fenómeno complejo, indefinible en sus formas concretas, a su vez determinadas por el medio cultural y religioso en el que toman forma. La mística puede ser teísta o panteísta, racional o irracional, cristiana o antidogmática. Todas las escuelas que se pretenden místicas se caracterizan por un rasgo común, consistente en *la aspiración a una experiencia de Dios o de lo divino en general a través de una intuición imediata.* La mística germina en la experiencia dolorosa de la separación, y pretende cruzar el abismo que separa al hombre, del mundo en cuanto Unidad, o de Dios. En el fondo de su alma, el místico desea unirse a Dios o a lo divino, según los casos; apartándose de la apariencia engañosa de las cosas, se recoge en sí mismo para descubrir la centella divina escondida en lo más íntimo de su alma, o bien está ansioso de desgarrar el velo que le oculta la unidad radical del universo en el que todas las cosas se encuentran unificadas en Dios. Para el místico, las figuras múltiples de las pasiones humanas, son todas por igual, el disfraz engañoso del único deseo verdadero, el deseo de Dios.

A la mística se opone tradicionalmente la religión profética, vuelta hacia la acción constructora de la comunidad y mensajera de Dios ante el mundo; pero, presentada en esta forma radical, semejante oposición entre los dos tipos de religión es falsa, como lo prueba la presencia de numerosas notas proféticas en muchos místicos. Los místicos cristianos subrayan siempre la distancia que media entre el hombre y Dios; así, por ejemplo, Ruysbroek afirma que, en la unión misma, no dejamos de ser criaturas, y Eckhart y Taulero ponen el acento en el servicio ético a la humanidad; y por otra parte, ¿qué mayores profetas en lo audaces y emprendedores que Bernardo de Claraval o Teresa de Avila?

Es por tanto vano, el pretender caracterizar la mística en oposición al profetismo, ya desde un punto de vista doctrinal, ya desde el punto de la experiencia religiosa, atendiendo al sentido de la majestad o de la santidad de Dios. La pavorosa ascesis que han sido capaz de imponerse místicos como San Juan de la Cruz, no es una simple técnica humana de purificación, sino que se presenta, en primer lugar, como la voluntad de una pureza radical que exige la aproximación a Dios.

Por muchas que sean las formas y las doctrinas místicas, no es un artificio del lenguaje el unirlas bajo un vocablo común, puesto que el nombre mismo, significa siempre la unión íntima del hombre con lo infinito divino que funda y unifica todas las cosas. El deseo de unión que subyace a la búsqueda del místico, tiende a la presencia inmediata de lo absoluto y a la supresión de todos los límites. De suyo, este deseo lleva a una comunión en el que el *yo* coincide con lo infinito. Los místicos cristianos necesitan una vigilancia constante y una conciencia teológica alerta, para llegar, sin dar lugar a ilusión alguna, a la unión con el Dios personal de Jesucristo. Por su enraizamiento en el deseo religioso, el movimiento natural de la mística puede engañar fácilmente a los psicólogos y a los filósofos que asimilan en exceso el Eros religioso y las místicas teológicamente avaladas. Tal es el error de óptica al que es preciso imputar, la desconfianza que el fenómeno místico despierta entre ciertos teólogos, sobre todo protestantes, quienes sospechan que se trata de un resurgir del panteísmo o del naturalismo religioso; así, K. Barth estima que «la mística es en su esencia la negación de la fe bajo formas y en grados siempre nuevos» [2].

No vamos a hacer aquí una psicología de los místicos [3]; bástenos el determinar el movimiento psicológico al que responde el deseo de unión que anima las experiencias místicas de todos los órdenes. Mística, unión, interioridad, son todos ellos términos que aparecen frecuentemente en psicología, especialmente al analizar los fenómenos religiosos. Representan un cierto tipo de experiencia y deseo, cuya incidencia psicológica se trata de poner en claro.

I. EL DESEO RELIGIOSO Y EL SIMBOLO MATERNAL

El Eros, nos dice Platón en el *Banquete*, es hijo de la Riqueza y la Pobreza nacido de la unión entre *Poros*, la abundancia, y *Penia*, la privación, mezcla de finito y de infinito. Ser intermediario, habita en el corazón de los hombres y los religa a los dioses, y por ello, nuestro mundo sublunar es, a la vez, necesitado y capaz de ambicionar la plenitud divina. En *Fedro*, Platón vuelve a tomar el mismo motivo para definir el Eros en su doble filiación divina y humana; es gracia divina y nostalgia del alma. Como un delirio «este don que viene de los dioses» se convierte en el hombre en «una impulsión divina que nos lanza fuera de nuestros hábitos regulares». El fin del Eros, es la contemplación que une espiritualmente la inteligencia a las Ideas [4]. En esta contemplación uni-

---

[2] *Dogmatik*, 1/2[4], p. 352.

[3] Baste señalar dos obras clásicas sobre la psicología de los místicos: J. MARÉCHAL, *Études sur la psychologie des mystiques*, 2 vols., Bruselas-París, 1937-1938, y E. UNDERHILL, *Mysticism. A Study in the Nature and Development of Man's Spiritual Consciouness*, Londres, 1962.

[4] *Fedro*, 249, c-250; cf. *Banquete*, 210, e-211.

tiva, el hombre vivifica las semillas de inmortalidad que reposan en él, y, por ello, entra efectivamente a participar de la vida divina.

Podemos, por lo tanto, calificar como Eros religioso al deseo de inmortalidad y de unión con lo divino que parece actuar en el fondo de la vida mística. El término de Eros, expresa perfectamente la aspiración profunda a superar toda contingencia y toda apariencia, la nostalgia de esa plenitud, en la que se reabsorbería toda inquietud humana.

A. EL DESEO DE DIOS EN LA TRADICION CRISTIANA

Las investigaciones de psicología positiva sobre las motivaciones de la actitud religiosa, no nos muestran sino raras y efímeras apariciones del Eros religioso. Toda una tradición mística nos prueba, sin embargo, su extraordinaria potencia. ¿Corresponde tal vez a un mundo hoy ya desaparecido? Creemos que aún existe la escuela donde florecen numerosas vocaciones contemplativas y en las que el deseo de lo absoluto proyecta al hombre por el camino de la purificación religiosa. En el bello estudio que Dom Jean Leclercq consagró a *L'amour des lettres et le désir de Dieu*[5], se afirma que, para los espirituales de la Edad Media, la vida monástica, plenamente ordenada a la salvación del monje no tiene otro fin que «buscar a Dios». El alejamiento del mundo, el silencio y la ascesis, fomentan el deseo de Dios. En el estudio de las letras y de la teología, el monje no tiene otra finalidad que dejarse instruir por Dios. Su espiritualidad es la de *El cantar de los cantares:* «Expresión a la vez de un deseo y de una posesión, este cántico es un cántico de amor, un cántico que se escucha poniendo en él todo el ser y cantándolo uno mismo. Entonces acompaña y sostiene el

[5] *L'amour des lettres et le désir de Dieu. Initiation aux auteurs monastiques de Moyen Âge*[2], París, 1957.

progreso de la fe, de gracia en gracia, desde la vocación, la conversión y la vida monástica, hasta la entrada en la vida bienaventurada»[6]. «Los maestros que se suceden, elaboran la doctrina del deseo de Dios. San Gregorio es el Doctor del deseo, empleando constantemente los términos de *anhelare, aspirare, suspirare*»[7]. Según Bernardo de Claraval, el monje no busca a Dios, pero le desea; carece de un conocimiento de El, pero goza de su experiencia. «El deseo, a menos de que se haga problema para sí mismo, se satisface con una cierta posesión de Dios, que le hace a su vez crecer. El resultado de este deseo, es la paz reencontrada en Dios, puesto que el deseo es ya una posesión en la que se concilian el temor y el amor.» «En el deseo, que, aquí abajo, es la forma del amor, el cristiano, encuentra la alegría de Dios y la unión con el Señor Glorificado»[8]. El Antiguo Testamento revestía un valor particular para el monacato medieval, en razón de su carácter profético orientado hacia la salvación que ha de venir y en el que prevalece el sentimiento de deseo[9].

El deseo religioso era, por lo tanto, el objetivo de los maestros de la vida monástica. El tema del Dios oculto recibe una interpretación que depende de la psicología del amor. Dios se oculta, afirma San Gregorio, a fin de que la esposa que lo busca no lo encuentre y lo busque con renovado ardor[10]. Tema místico por excelencia que San Juan de la Cruz adoptará a su vez.

Esta tradición cristiana del deseo de Dios, engarza con el antiguo Eros platónico. Los datos históricos lo comprueban: «En cada época y en cada lugar, donde se produce una renovación del monacato se asiste a un renacer de Orígenes»[11].

---

[6] *L'amour...* cit., p. 13.
[7] *Op. cit.,* 36.
[8] P. 37.
[9] P. 82.
[10] P. 85.
[11] P. 93.

B. EL DESEO DE DIOS EN NUESTROS DIAS

Al final de estas disgresiones sobre la impresionante tradición del misticismo monástico, es preciso plantearse de nuevo la cuestión de si el antiguo fervor del deseo religioso, alimenta todavía las vocaciones propiamente contemplativas. Así lo creemos, aunque aún no disponemos de ninguna investigación positiva sobre este punto específico. Entre los adultos intelectuales cuyos testimonios religiosos hemos recogido, dos sujetos solamente evocan una experiencia religiosa de naturaleza mística, en el sentido más amplio del término, e incluso, en ambos casos, se trataba de recuerdos de la adolescencia, excesivamente impregnados de emoción afectiva, para no resultar sospechosos en opinión del adulto. Sin duda, el fenómeno no es raro en la adolescencia o época de la vida en el que el despertar del fervor amical y la nostalgia existencial atraen a los jóvenes hacia una experiencia de presencia y totalidad. De acuerdo a una encuesta realizada por Allport[12], el 17 % de los sujetos que reconocen una importancia en su vida al sentimiento religioso, descubren la incidencia de una «experiencia mística», y nuestra propia encuesta nos revela que, enfrentados con el sufrimiento, la soledad, o el aislamiento, numerosos adolescentes, en su mayoría muchachas, creen experimentar una amistad con Dios; la disminución de esta experiencia entre los dieciséis y diecinueve años, y el escaso rastro que deja entre los adultos, denota la naturaleza extremadamente emocional de semejante deseo de Dios, propio de la adolescencia. Cabe presumir, que en algunos sujetos de «tipo religioso», el deseo de Dios se profundiza y se afirma como una constante en el curso de su caminar en la contemplación. Sin embargo, no es menos cierto que la civilización contemporánea está lejos de favorecer la germinación y el desarrollo de este tipo.

12 *The Individual and his Religion*, p. 39.

La actitud de realismo deliberado frente al amor pasional [13], la acentuación de la autonomía personal, la voluntad de dominar el mundo, rasgos todos ellos componentes del clima cultural contemporáneo, separan al hombre de la experiencia y de la tradición del Eros religioso.

C. EL «TIPO RELIGIOSO» DE SPRANGER

E. Spranger [14] ha intentado analizar un tipo religioso que correspondiera perfectamente a la tendencia mística tal como la hemos evocado. En la línea de las «ciencias humanas» de Dilthey, elaboró una fenomenología de los tipos humanos de formas de existencia, esforzándose por captar en las actividades concretas de los hombres, las estructuras que le confieran un sentido. Así llega a reconstruir seis formas de existencia, que designa bajo los rasgos del hombre teórico, el hombre económico, el hombre estético, el hombre social, el hombre político, el hombre religioso. En cada tipo, un valor dominante polariza la existencia. El sentido religioso se define, según él, por «la relación a la totalidad de los valores que culmina en un valor supremo» [15]. «El mundo, como totalidad de conexiones de ser y de sentido, que actúan sobre el individuo es ya en sí mismo un concepto religioso.» «El lenguaje religioso, denomina Dios la realidad última que constituye el mundo» [16]. «El corazón de la religiosidad, reside en la búsqueda de lo que constituye el valor supremo para el ser espiritual del hombre. Esta búsqueda es una inquietud a la vez que una insatisfacción...» La posesión del bien religioso se caracteriza siempre como una

---

[13] Cf. la encuesta: *Les 16-24 ans* [2], París, 1963, pp. 202 y ss.

[14] *Lebensformen. Geisteswissenschaftliche Psychologie und Ethik der Persönlichkeit*, 8, Tübingen, 1950. (Trad. española: *Formas de vida. Psicología y ética de la personalidad*, Madrid, Revista de Occidente [5], 1961.)

[15] P. 237.

[16] P. 238.

redención *(Erlöstsein).* El hombre religioso es aquel cuya estructura mental *(Geistesstruktur)* está constantemente orientada hacia la realización de una experiencia del valor supremo y radicalmente pacificador»[17]. En este tipo religioso, Spranger distingue seguidamente tres formas principales: el tipo de la mística inmanente, caracterizado por el asentimiento entusiasta a todos los valores vitales reconocidos a partir de un centro en el que confluyen (por ejemplo, Goethe); el tipo de la mística trascendente, que a través de la renuncia total al mundo busca y descubre el valor supremo de una esfera trascendente (por ejemplo, Plotino); y, en fin, la forma más frecuente, el tipo místico mixto que acepta y rechaza a la vez las diferentes regiones de valores vitales.

Spranger identifica, por lo tanto, el hombre religioso con el tipo «místico». El hombre típicamente religioso, sería el atraído por un valor único supremo, más acá o más allá de los dominios parciales donde se limita la existencia de los otros. En esta perspectiva, la distinción de los dos tipos extremos y de una forma mixta parece imponerse necesariamente. La religiosidad, consiste en efecto en asumir en la experiencia la conexión última de todos los valores. La diversidad de las formas depende únicamente de las naturalezas individuales: la mística inmanente terrestre reposa en un sentimiento fundamental de que los impulsos oscuros poseen su verdad profunda y nos religan al corazón del mundo; la desconfianza hacia la naturaleza y la vida determina por su parte el tipo trascendente[18]. Una estimación prudente de las motivaciones personales produce el tipo mixto.

Señalemos, en primer lugar, que, en opinión de Spranger, la religión radica en la inquietud y la insatisfacción, en la tensión hacia una plenitud que abarca el universo y la existencia en un valor último. Normalmente, la búsqueda inquieta se orienta hacia la vida terrestre en todas

---

[17] *Lebensformen,* cit., p. 239.
[18] P. 265.

sus manifestaciones: el ateo puede participar en ellas religiosamente.

Pero ¿acaso no es confundir diversos planos el llamar religioso al hombre que persigue la experiencia fáustica de una participación integralmente terrestre? Està ampliación extrema del término religioso, corresponde a un psicologismo radical, que explica igualmente la vertiente trascendente de la mística merced a una desconfianza de carácter; pero ¿la creencia en un Dios radicalmente trascendente no es algo más que la consecuencia del mal humor que separa al hombre de la mística vitalista?

Al reflexionar sobre la posición de Spranger, es forzoso reconocer, que su psicología religiosa sufre una grave confusión reflejada a nivel de la teoría psicológica por la naturaleza confusa y ambigua del deseo. En efecto, en el momento de su aparición, el Eros es nostalgia de plenitud y deseo de satisfacción, un hambre que desea ser calmada, una aspiración a superar la distancia y la alteridad. En su proyección natural, el deseo se vive como una necesidad incluso radical, principio y término de todas las necesidades. ¿Esta necesidad es religiosa? Juntamente con Spranger, creemos que el deseo es el punto de emergencia del movimiento religioso, pero no podemos compartir su opinión en dos puntos capitales: la asimilación del deseo de infinito a la actitud religiosa, y la identificación del tipo místico con el hombre religioso.

En primer lugar, negamos la identificación entre lo «religioso» y el deseo de infinitud o de unidad. Es cierto que empleamos el término de «Eros religioso», para significar la dinámica religiosa que el deseo es capaz de suscitar, pero preferimos distinguir, por una parte, el movimiento interno del deseo y, de otra, la religión. Puede incluso considerarse más rica la mística vitalista, pero se trata de distinguir, ante todo, dos actitudes radicalmente diferentes. Fieles al uso tradicional, reservamos por lo tanto el término de religioso, a la actitud que reconoce a Dios como Otro, aproximándosele con temor, admiración, esperanza y gratitud. Señalemos, una vez más, que, desde nuestro punto de vista, no existe religión, sino allí donde lo Otro, fundamento y raíz de mi ser, no es el mundo en su totalidad, sino el Totalmente-Otro, frente al cual me descubro a la vez como separado y religado. No se trata de una querella terminológica, porque, en psicología, la confusión de los términos corresponde, frecuentemente, a una falta de atención hacia las estructuras radicalmente diferenciadas, a nivel mismo de la experiencia que se trata de investigar.

Spranger erige el tipo místico en forma exclusiva del tipo religioso oponiéndolo a los tipos profanos. Sin duda, el hombre religioso se define por su relación con lo absoluto; pero ¿ello no excluye la existencia de otra relación con lo absoluto distinta de la inquietud mística? Ya hemos tenido la ocasión de describir otros tipos de actitud religiosa, como es la convicción de haber recibido una tarea humana a realizar, y de ser responsable ante Dios, confiándose sin embargo a El para realizarla. ¿Es acaso esto de menos valor religioso o puede considerarse como a-típico? Sin duda, hay en la religión aprehensión del núcleo vital y del valor último donde todas las regiones del ser confluyen; hay también esperanza de una realización plena; pero aprehensión y esperanza no inspiran necesariamente una nostalgia de unión. La ascesis religiosa, no sirve siempre para sostener el deseo de Dios en su proyección vertical, sino que, frecuentemente, pretende realizar una exigencia ética implicada en la visión religiosa del mundo.

Resumiendo lo dicho, el Eros religioso, indiferenciado en sus comienzos, puede llegar a revestir formas diversas. Puede replegarse en una nostalgia por la unión vitalista con el Gran Todo; puede también transformarse y elevarse en busca sistemática de una unión personal con Dios; puede, en fin, determinar un compromiso religioso en el seno de un mundo humano por edificar, en la esperanza de verle encontrar su perfección en Dios. Debido a que el Eros puede también trasmutarse en apertura al Otro, más allá de toda necesidad y toda aspiración espontánea, son posibles actitudes religiosas muy diferentes, ya se trate del tipo contemplativo místico o de un humanismo que se edifica ante Dios. La transformación del deseo en una apertura a Dios, puede así expresarse en dos actitudes distintas, aunque de tenor igualmente religioso. Un deseo sostenido de unión con Dios constituye el eje fundamental de la existencia contemplativa; el trabajo humano y la realización ética en la conciencia esperanzada de una presencia dada, constituyen el tipo religioso activo. ¿Ambos tipos de actitud religiosa dependen de la psicología diferencial de la personalidad? Así lo creemos, aunque para afirmarlo carecemos de un número suficiente de datos positivos.

D. PELIGRO DEL MISTICISMO INDIFERENCIADO

Las confusiones que afectan al tema del deseo religioso, suponen graves consecuencias. Pasemos en silencio el problema teológico de la asimilación del monaquismo e incluso del cristianismo en general, a formas concretas heredadas de la corriente platónica. Baste atenernos a dos efectos que interesan directamente a la psicología de la religión.

El deseo de absoluto puede ser experimentado por el hombre como una amenaza mortal. Todo deseo se experimenta como peligroso y, según veremos más adelante, el ateísmo puede ser una forma de defensa contra el deseo. Pero si lo absoluto es, sin más, el torbellino que engulle las fuerzas humanas todas, el hombre no dispone de medios suficientes para mantenerse por sí mismo en su existencia propia, temporal y contingente. Si la alteridad de lo absoluto con relación a lo finito no está verdaderamente salvaguardada y justificada, y en la unión, la distancia se anula, el hombre se abisma en un ser sin límites y sin fondo. Lo que condujo a Hölderlin a la locura, fue, precisamente, la imposibilidad de mantener la distancia. Al identificar religión y mística de unión radical, se suprime el estatuto propio de lo humano y se arroja a los hombres a un ateísmo defensivo. Pareja confusión no permite escape alguno a la obsesión de anonadamiento que persigue a tantos de nuestros contemporános en su búsqueda religiosa. A su nivel, el pensamiento filosófico ha tematizado el temor de destrucción que muchos creyentes experimentan en ciertos momentos de incertidumbre y de duda. Citemos a título de ejemplo a Merleau-Ponty: «Si no es inútil, el recurso a un fundamento absoluto destruye aquello mismo que pretende fundar...», «... la conciencia metafísica y moral muere al contacto con lo absoluto, porque es, por encima del mundo trivial de la conciencia adormecida, la conexión viviente del *yo* consigo mismo y del *yo* con otro» [19]. Tomando por modelo el ideal monástico, la orientación mística del cristianismo medieval implicaba un desprecio del mundo al que cabe imputar la responsabilidad de la reacción atea de nuestros días.

E. LA EXPERIENCIA CENITAL

Ya hemos tenido la ocasión de exponer la tesis mantenida por Maslow, según el cual, el sentido de los comportamientos y de las experiencias que no nacen de una carencia se sitúa más allá de la motivación [20]. Como lo indica su denominación, la experiencia cenital es la experiencia de una plenitud del *ser*. Ahora bien, es chocante el ver los términos en que los sujetos expresan su experiencia de la cumbre. El objeto se descubre en ella como unidad plenaria libre de toda relación, situada al margen de cualquier finalidad; la atención se centra exclusivamente en el objeto que reposa en sí mismo; la experiencia trasciende al *yo* que se olvida de sí; es experiencia

---

[19] *Sens et Non-Sens*, París, 1948, pp. 190-191.

[20] "Cognition of Being in the Peak Experiences", *Journal of Genetic Psychology*, 1959.

de valor y se justifica por sí misma; tiempo y espacio son abolidos en ella; el objeto es integralmente bueno y deseable, y la cuestión del mal pierde toda razón de ser; la experiencia es absoluta, pasiva y receptiva, fusión, identificación del que percibe y del objeto percibido; el individuo se absorbe en el objeto contemplado, los conflictos y las dicotomías, la angustia y la contrariedad, se superan en un amor totalmente admirativo. Maslow estima, que el término de *experiencia oceánica* expresa adecuadamente este estado cenital. En ella, sin embargo, discierne el autor citado, dos formas bien distintas; algunos de sus sujetos que hablan de experiencia filosófica, religiosa o mística, consideran la totalidad del mundo como unidad y absoluto; otros por el contrario describen una experiencia estética o amorosa y perciben un objeto particular como si se tratase momentáneamente de la totalidad del universo.

No podemos adivinar la posición que adoptaría Maslow en relación a nuestra problemática; pero tenemos la impresión de que hace suya la interpretación que los mismos sujetos le proporcionan de sus experiencias. De todas maneras, sus testimonios prueban la irrupción, en los hombres normales, de un Eros que es embriaguez afectiva. Misteriosamente, el Eros convierte cualquier objeto en centro del mundo, y confunde el sujeto con el objeto admirado y promovido a la dignidad de valor absoluto. El amor o la estética divinizan un fragmento del universo, pero la mística diviniza al mundo como totalidad. En el encantamiento emocional, el juicio, la voluntad, la ley moral, quedan en suspenso. Toda distancia, toda carencia, se suprimen, y el Otro, en tanto que tal, cede a la misma evanescencia. ¿Ilusión o verdad? En esta metamorfosis mágica del mundo que realiza el Eros indiferenciado, las señales de lo verdadero y lo real se desvanecen, pero con ellas se disuelve también lo que en el más estricto sentido del término debe llamarse la religión.

La potencia imaginativa del Eros no es religiosa en

sí misma, sino que exige que el principio de lo real introduzca una separación que restituya al deseo la carencia de lo deseado, y le abra el acceso a lo otro. El símbolo del padre contiene esta virtud de ruptura, que arrancando el deseo a su inmersión imaginaria en la falsa infinitud de la fusión, lo proyecta al encuentro del Otro.

F. PSICOANALISIS DEL MISTICISMO

Recurriendo al psicoanálisis freudiano, podemos penetrar más profundamente en el misterio del Eros y de sus oscuros orígenes. Por su parte, Maslow nos abre el camino. La experiencia cenital, nos dice, constituye una sana regresión más allá de la disociación del principio de lo real y del principio del placer. Los procesos secundarios que se relacionan con el mundo real se suprimen. Maslow no encuentra incluso inconveniente alguno, en hablar de la fusión del «Yo», del «Ello», del «Super Yo», y del ideal del yo, del inconsciente y de lo consciente, del principio del placer y del principio de lo real. En verdad, tales amalgamas parecen depender, más de la confusión teórica, que de la fusión mística. Si hay regresión, es porque el sujeto retorna afectivamente más acá del principio de lo real. La regresión puede, sin duda, ser saludable, de la misma manera que, en la experiencia erótica, el momento regresivo puede restituir al hombre un tono vital y simbolizar para él una plenitud de vida. Sin embargo, no es menos cierto, que semejante experiencia de fusión afectiva, es en sí misma un momento de indiferenciación narcisista en el sentido técnico del término. Por nuestra parte, preferimos acogernos a la explicación que Freud proporciona de esta experiencia mística y al juicio que da de ella.

Freud[21] nos cuenta que después de la publicación de *El Porvenir de una Ilusión,* una eminente personalidad

---

[21] *G. W.,* XIV, pp. 421-431 *(Malestar en la cultura).*

(se trataba de Romain Rolland) le escribió una carta en la que expresaba su asombro de verle perder de vista la verdadera fuente de la religión, tan diferente de las motivaciones infantiles y vulgares analizadas en este libro. El corresponsal de Freud, evocaba así un sentimiento original conocido por millares de hombres, consistente en la experiencia de la eternidad, el sentimiento de algo ilimitadamente oceánico. Tal sentimiento, prosigue el corresponsal, se encuentra en el origen de todas las necesidades religiosas. Freud le respondió que creía comprender este sentimiento. ¿No se trataba acaso de la desaparición de las fronteras internas que separan el «Yo» del «Ello» (la esfera primaria de los impulsos)? En efecto, el psicoanálisis de la génesis del *yo* nos enseña cómo éste no llega a ser una instancia subsistente, sino en el curso de una historia psíquica, a través de la cual la experiencia de lo real exterior corrige al *yo* del placer primitivo, mediante el principio de lo real. Originariamente el *yo* del placer contiene todo; ulteriormente, por su entrada en lo real, el *yo* se disocia del mundo exterior. Sin embargo, el sentimiento primario del *yo* se mantiene oscuramente en muchos hombres y sus contenidos representativos son precisamente las imágenes de ilimitación y de vinculación al Todo; esto es, las mismas que corresponden al sentimiento oceánico. Todos los estadios de la formación psíquica se conservan, «como los estratos sucesivos de la ciudad eterna», y el hombre puede siempre reactualizar su recuerdo; pero Freud no ve en ello la fuente de la religión, que, en su opinión, es una relación con un Dios personal y paternal derivada de la desazón infantil y la nostalgia del padre. Freud reconoce la dificultad que experimenta en concebir semejante sentimiento oceánico, cuya experiencia le falta completamente. Sin embargo, la prueba de que reflexionó sobre él, nos la proporciona la última nota que conservamos escrita de su mano· encontrada sobre su mesa después de su muerte: «Mística, la oscura autopercepción del reino que se extiende más allá del Yo: El Ello»[22]. Ciertos psicoanalistas, como Westerman-Holstijn, reconocen todavía en la religión una virtud «mística», que como el arte o el amor, expresa simbólicamente la experiencia afectiva de la unión inmediata con el Todo, de donde el hombre obtiene su sustancia. Puede ser saludable porque, de vez en cuando, todo hombre debe sentirse enraizado y unificado[23].

G. LOS VALORES MATERNALES

Nos ocupamos ahora de la unión «dual» con la madre, muy próxima del estado narcisista de indistinción e ilimitación dichosas. Los psicoanalistas, han puesto de relieve numerosos síntomas, que manifiestan, en la desintegración mórbida, la permanencia activa del vínculo primordial entre la madre y el hijo; pero, desde la perspectiva de nuestro tema, es preciso descifrar las huellas de esta vinculación arcaica en una perspectiva predominantemente religiosa, porque el vínculo primordial del niño y la madre ha marcado definitivamente cada psiquismo humano, y permanece en el seno de todo hombre como una sedimentación activa. Por ello no debe considerarse en modo alguno como signo de inmadurez o como residuo perjudicial, la permanencia de los valores afectivos que la imagen maternal ha impreso en el psiquismo humano; pero no es menos cierto que, sin llegar a lo puramente patológico, el predominio de la imagen materna puede constituir un régimen afectivo cultural y religioso, que resiste al progreso de la personalidad.

El lazo primordial entre el niño y la madre, reproduce las experiencias psíquicas anteriores en una unión de fusión afectiva, que abarca las experiencias de felicidad

[22] *G. W.*, XVII, p. 152, nota manuscrita del 22 de agosto de 1938.

[23] *Hoofdstukken uit de psychoanalyse,* Utrecht, 1950, páginas 155-167.

en una totalidad difusa, y las de seguridad, en una pulsación única de expansión del ser hasta las fronteras últimas de lo existente. Las connotaciones afectivas que implica, incluso en el adulto, la imagen maternal, contienen valores ya en otro tiempo experimentados por el sujeto, y de los cuales guarda una añoranza nostálgica su afectividad profunda. Los valores maternales se integran por lo tanto en la existencia como uno de sus vectores afectivos esenciales y en consecuencia es natural encontrarlos en la imagen de la divinidad.

Si fuese preciso reconstruir la imagen maternal sin recurrir a la psicología o al pensamiento, bastaría con recoger el rastro vivo, dejado a través de todas las literaturas que, sin cesar, han cantado y cantan el lazo íntimo que une al niño y a la madre, describiéndonos a ésta bajo todos sus aspectos, como aquella que rodea al hijo de todos sus cuidados, le alimenta y le acaricia, le protege y le cobija, le ayuda y sabe aguardar en silencio. Ella constituye el misterio y la profundidad afectiva a la que se unen cualidades típicamente femeninas, como la fecundidad receptiva, el don velado, la cálida ternura. Ella es manantial a la vez que portadora de la vida. Es tierra, naturaleza, centro, agua, mar, casa, hogar, caverna... En los símbolos femeninos figuran también estas mismas cualidades afectivas.

En nuestro capítulo sobre la experiencia religiosa, hemos señalado que, en una mentalidad participativa, las religiones celebran la unión con la naturaleza y con el misterio vital del cosmos. Las imágenes maternales abundan en sus ritos y sus cantos religiosos [24]. ¿No será, acaso, porque el misterio divino, centro fecundo de la naturaleza, se percibe a través del símbolo arcaico del lazo maternal? El mito muy generalizado del paraíso perdido, figura también la armonía pacificante de la que la madre es siempre la imagen paradigmática.

La madre es, por tanto, en sí misma un símbolo con

---

[24] Cf. M. ELIADE, *Traité*..., pp. 211 y ss.

ecos profundamente religiosos, entendiendo por símbolo, una imagen que en virtud de sus connotaciones afectivas nos representa una realidad cuya comprensión no agotará jamás la riqueza de su significación. El simbolismo maternal es, en efecto, polivalente; contiene amenazas a la vez que promesas. En la exposición antecedente, no hemos revelado más que sus valores positivos. La madre es el símbolo de la totalidad primordial, de la armonía universal, del manantial vital de la dicha que sacia toda nostalgia [25]. Sublimada, la imagen maternal simboliza la patria a la que el deseo religioso aspira [26], y, sin embargo, el símbolo maternal no basta por sí solo para conducir el deseo prerreligioso hacia una actitud auténticamente religiosa. No es un simple azar de la historia de la civilización, el que Dios nos sea dado a través del símbolo del Padre.

H. JUNG: UNA PSICOLOGIA DEL SIMBOLO MATERNAL

En nuestra opinión, la psicología de Jung puede considerarse como una psicología del símbolo maternal. Las limitaciones de nuestro trabajo, nos obligan a reducir a su mínima expresión las referencias a la psicología jungiana y también nuestras reflexiones críticas al respecto. La psicología jungiana constituye, por otra parte, un universo cerrado en sí mismo, cual nebulosa esotérica, para comprender la cual es preciso realizar una previa confrontación crítica de todos sus conceptos fundamentales con los datos de la psicología y de las ciencias humanas en general. El recurso a los conceptos de arquetipo, de participación, de inflación, del «sí propio» *(Selbst)*, de libido teleológica..., no sirve para nada, en tanto que no sea decantado lo real y lo imaginario. A la manera de una

[25] Cf. J. LACAN, "La famille", en *Encyclopédie Française*, t. VIII. *La vie mentale*, p. 8' 40-6-8.

[26] M. ELIADE, *op. cit.*, p. 327; G. VAN DER LEEUW, *La Religion...*, pp. 312-331.

gnosis, la psicología jungiana exige del que pretende comprenderla que se abandone a ella y adopte el lenguaje de los iniciados. Nuestro escepticismo en cuanto al valor de inteligibilidad de los conceptos jungianos, no nos anima a hacer la prueba, pero ello no nos impide reconocer la real fecundidad de esta psicología, que ha suscitado efectivamente un vasto movimiento de estudios sobre el simbolismo religioso, del que es centro afamado el círculo *Eranos.*

Si se pretende hacer una interpretación de la obra de Jung, será preciso, sin duda alguna, buscar en el símbolo maternal la clave del sistema y la raíz de su psicología. Ya desde un punto de vista cuantitativo y atendiendo a los estudios que dicho autor consagrara al símbolo maternal, parece indudable que la madre es el centro de gravedad de la teoría de Jung, puesto que si el símbolo paternal no está del todo ausente, no ocupa sino un lugar secundario que contrasta con la importancia decisiva que le confiere el freudismo. Sobre todo, Jung no parece haber captado la relación dialéctica que opone y une ambos símbolos. Su psicología es puramente estática y, al contrario de Freud, no ha elaborado una psicología del conflicto. Pero ¿podía haber sido de otra manera? ¿Acaso el símbolo maternal no evoca por naturaleza el paraíso primordial anterior a la ruptura y a los conflictos?

La idea de una síntesis entre Freud y Jung fascina a numerosos psicólogos, sobre todo de estirpe jungiana, pero refleja el espejismo de una pisocolgía completa, indudablemente hasta hoy no alcanzada, y que sólo podría intentarse con posibilidades de éxito mediante una reinterpretación radical de los conceptos jungianos, como por ejemplo en los ensayos realizados en este sentido por Szondi, de una manera extremadamente notable.

El elemento maternal es para Jung el fondo originario y la fuente fecunda de toda vida psíquica [27]. Jung coloca

---

[27] *Die Beziehungen zwischen dem Ich und dem Unbewussten*, Zürich, 1939, p. 123.

a la madre en el centro de todas las neurosis, porque ve en la relación entre madre y niño un dato primero y más fundamental que la vinculación con el padre[28]. La libido aspira a entrar nuevamente en el seno materno para renacer a una nueva vida[29]. El deseo incestuoso, que se presenta en la teoría de Freud como un momento conflictual y dinámico, significa para Jung el deseo de fecundar a la madre para engendrarse idéntico a sí mismo. Tres características definen desde este punto de vista el símbolo maternal: su calor fecundo y nutritivo; su carácter emocional que despierta a la vida consciente; su misterio oscuro y oculto, símbolo originario. Perteneciendo, bajo múltiples expresiones, al inconsciente colectivo que habita todo hombre, la madre es, esencialmente, un «arquetipo».

Para Jung, el símbolo de la madre integra igualmente el concepto de Dios[30]. La madre simboliza a Dios, al menos, tanto como el padre. La religión, en efecto, vuela en alas del deseo de renacer a sí mismo y de reencontrar así la perdida integridad total, pero es, precisamente, en y por la madre como el hombre nace y en consecuencia aspira a renacer a sí mismo.

Estas breves referencias a Jung las proponemos a lectores que suponemos están ya familiarizados con su obra, y solamente con el fin de basar nuestra propia interpretación. En nuestra opinión, la acentuación por parte de Jung de la aspiración a renacer a sí mismo, de la necesidad de reencontrar la integridad interior sobre la superación de los conflictos por la asimilación de los contrarios (el bien y el mal, el padre y la madre, etc.), depende de una mística de la integridad en la que creemos reconocer los efectos psicológicos del símbolo maternal. La

---

[28] *Von den Wurzeln des Bewusstseins,* 1954, p. 101.

[29] *Symbole der Wandlung,* 1952, p. 357.

[30] Cf. R. Hostie, *Analystiche Psychologie en Godsdienst,* Amberes-Utrecht, 1954, pp. 227-228. (Trad. española, *El Mito y la Religión,* Madrid, Razón y Fe, 1962.)

madre se concibe, por lo tanto, como la mediadora en este renacer. Nos encontramos, pues, ante una psicología que, utilizando un idioma un tanto particular, tomado de diversas ciencias humanas, reinterpreta todas las religiones, considerándolas como otras tantas tentativas simbólicas de realizar el deseo de unión y de integridad original.

De ser exacta, nuestra interpretación de Jung explica perfectamente el hecho de que la psicología jungiana no deje lugar alguno para la presencia de un Dios personal, puesto que al realizar el movimiento de su perfecta reintegración, el sujeto llega a encontrar su centro en sí mismo entrando en posesión de la totalidad del universo. ¿Qué podría significar una relación vital con el Totalmente-Otro, en un semejante estado de realización y suficiencia interior? Del mismo modo que en las experiencias cenitales descritas por Maslow, el tiempo y la historia son abolidos, y la alteridad se reabsorbe en una plenitud interior afectiva e imaginaria.

La tendencia mística en busca de la unión inmediata y experimental con el Todo, es algo innato en el hombre por el hecho de la potencia afectiva de la libido. Los estadios del narcisismo y de la unión «dual» con la madre, refuerzan en el Eros sus aspiraciones originarias, impregnándolo con el fondo arcaico de imágenes activas y de recuerdos profundos que el hombre guarda de sus orígenes. Las religiones se han apoyado frecuentemente en la potencia afectiva e imaginativa del Eros; baste pensar en las religiones mistéricas, en los simbolismos cosmovitalistas y en las místicas de fusión. La psicología religiosa de Jung, marca una etapa en la historia del movimiento místico y mistérico, constituyendo una tentativa de perfeccionar lo propiamente místico mediante una técnica psicológica. Por esta razón, y pese a las apariencias, consideramos que la psicología jungiana es tan escasamente religiosa como pueda serlo el freudismo ateo, porque cierra toda apertura hacia el Otro. Sin embargo, Jung tiene el mérito de restituir al dominio de la psicología profunda el símbolo maternal y el Eros místico, olvidados en exceso por la psicología freudiana

I. EXPERIENCIA DE FELICIDAD COMO CONDICION PRERRELIGIOSA DE LA RELIGION

Incluso cuando transforma radicalmente el Eros inicial, el deseo de Dios no deja de tener en él su origen. ¿Quién es el hombre religioso que no espera de Dios la pacificación de sus deseos y qué mejor manera de expresar la perfección a obtener en Dios que el símbolo del paraíso? El fin supone la reintegración a los orígenes, pero entre uno y otros, es preciso que la ruptura de la totalidad afectiva, obligue al sujeto a salir de su inmanencia, transformando su deseo originario en una fe en las cosas invisibles, y le abra, a través de ellas, un acceso hacia el Totalmente-Otro.

En ausencia de los valores maternales, el deseo humano inicial llegaría a extinguirse, y por ello, para que sea capaz de esperar, es preciso que el hombre haya gozado de la experiencia de la seguridad, de la dicha y de la integridad originarias. El futuro no adquiere sentido, más que en el horizonte de una experiencia arcaica que lo prefigura. Cuando no fascinan, los sortilegios del esoterismo místico provocan fácilmente una negativa racional y una rigidez nihilista que rechaza todo sentido.

Si Freud aparece radicalmente cerrado a la religión, ello es debido, en nuestra opinión, a su voluntad puritana de purificar la libido de sus espejismos y de domar sus esperanzas arcaicas. En todo deseo de unión, Freud estigmatizaba una regresión hacia la época confusa en la que el psiquismo del hombre se encontraba todavía en una libido indiferenciada. Freud no supo percibir la potencia simbólica del Eros humano en los grandes temas místicos, como los del paraíso, la integridad y la plenitud; no supo reconocer los momentos simbólicos grabados en la afectividad profunda del hombre.

No hay religión y apertura al Otro sino merced a la virtud dialéctica de los dos vectores constitutivos de lo humano: la plenitud armoniosa y bienaventurada de los orígenes y el principio de realidad cuya figura es el Padre. En su relación recíproca, los dos momentos producen el tiempo, que camina hacia una unión de nuevo tipo con el Otro, conocido ahora en su alteridad.

Nada mejor que el ateísmo teórico de Freud, para probarnos la necesidad de la experiencia simbólica primaria. La psicología clínica, nos descubre igualmente en una cierta experiencia de felicidad y en un sentimiento de integración, las condiciones indispensables para el despertar de la actitud religiosa. En un estudio tan excelente como breve, el célebre psiquíatra Rümke analiza con gran finura los erorres «de carácter y de disposición afectiva» que pueden obstaculizar el desarrollo de la actitud religiosa[31]. No es ésta la ocasión de resumirlo, pero nos inspiramos en él, subrayando las condiciones afectivas primeras que parecen necesarias para el desenvolvimiento religioso y que, por otra parte, están ligadas al proceso dinámico del deseo.

Para que el hombre pueda llegar a ser religioso, es preciso que tenga el sentimiento de estar insertado adecuadamente en la totalidad del ser. Según Rümke, este sentimiento emerge en la conciencia con la llegada de la pubertad, y ésta es la razón por la cual el autor mantiene serias reservas respecto a la existencia de una vida religiosa personal antes de la pubertad. Por nuestra parte, consideramos que un sentimiento de esta índole, es familiar al hombre desde sus primeros años viviendo en una fe perceptiva no explícita. En la alegría y la confianza, nace la experiencia de la bondad del universo y, en este sentido, se ha podido hablar de una religiosidad natural del niño. La psicología genética nos pone constantemente

---

[31] *Karakter en aanleg in verband met het ongeloof*[3], Amsterdam, 1949. Traducción: *The Psychology of Unbelief*, Londres, 1957.

ante la paradoja de que el niño vive los sentimientos en los registros afectivos, pero no tiene de ellos sino una conciencia lateral. Las perturbaciones afectivas de la pubertad desorganizan el psiquismo, llevan los sentimientos al nivel de la conciencia explícita, y la aspiración religiosa se destaca desde que el adolescente toma conciencia de su inserción en una totalidad que posee un sentido. Si no ha conocido la experiencia precoz de la felicidad, el sujeto se encuentra separado de la fuente misma del deseo religioso. Si el Eros no ha podido desarrollarse, el hombre se ve desprovisto de aquel poder imaginativo y afectivo que realiza la percepción simbólica del mundo, pero la visión religiosa del mundo implica justamente el hecho de que en la vida, en el paisaje, en la bóveda estrellada, o al menos en la existencia misma, el sujeto reconozca la epifanía de Alguien Distinto cuya presencia trasciende todo eso y espera al hombre en el porvenir. La percepción simbólica supone el lazo fundamental y dinámico entre el hombre y el universo, lazo establecido por obra del Eros, principio de felicidad y de unión. La muerte precoz de la felicidad vital, puede cortar definitivamente la dimensión de lo infinito.

La obra de Sartre ilustra, negativamente, la necesidad de este primer desarrollo afectivo como condición de la religión.

«Vivía aterrorizado... y la razón es ésta: al ser un niño mimado, un don providencial, mi profunda inutilidad me era tanto más evidente, cuanto que el ritual familiar me parecía de una férrea artificialidad. Me sabía de sobra y, por tanto, tenía que desaparecer; yo no era más que una floración insípida en trance de agostamiento definitivo. Dios me habría sacado de apuros convirtiéndome en una obra de arte firmada. Una vez seguro de poseer un papel en el concierto universal hubiera esperado pacientemente a que El me revelase sus designios y mi indigencia. Yo presentía la religión, la esperaba, era el remedio... Pero, más tarde, en el Dios de moda que se me enseñó, no reconocí a Aquel que ansiaba mi alma. Me hacía falta un Creador y me daban un Gran Jefe. Ambos no eran más que uno mismo; pero yo lo ignoraba y acaté sin calor alguno al ídolo farisaico, a la vez que la doctrina oficial me quitaba todo deseo de buscar mi propia fe»[32]. Este texto admirable, da testimonio de la ausencia de toda experiencia pre-religiosa de felicidad y de la búsqueda angustiada de una respuesta de lo Alto capaz de situar al niño en el concierto del mundo. La experiencia nos convence de la incapacidad para captar el mensaje religioso, cuando se carece de una previa experiencia de la felicidad, puesto que en tal caso aquél no responde a ninguna esperanza natural y vital. Para el niño, lo Santo se descubre en la prolongación del crecimiento vital y afectivo.

Muchas tendencias que salen a luz en el momento de producirse el desgarrón propio de la pubertad, pueden también impedir la eclosión de un sentimiento de inserción adecuado, cerrando así al sujeto la perspectiva religiosa; tal es el caso del intelectualismo racionalista o del voluntarismo. Por otra parte, la ausencia del fenómeno pubertario puede definitivamente detener tanto el crecimiento religioso como el de la relación auténtica del otro.

El sentimiento religioso se diferencia y se estructura progresivamente. En su evolución, Rümke distingue un segundo momento, en que, el ser como totalidad, se capta en cuanto fundamento originario de todas las cosas; así, por lo tanto, la razón da ya a la totalidad una coherencia articulada. En un tercer momento, la totalidad se capta como «el fundamento de mi fundamento», y es entonces cuando una ruptura se introduce en la inserción en el seno de la totalidad, inaugurando una relación personal entre mi *yo* y mi fundamento. Tal es la hora de la duda religiosa, pero no nos detendremos

---

[32] *Les Mots,* París, 1964, pp. 78-79.

aquí, puesto que, en cuanto propia de la psicología genética, esta cuestión desborda el marco del presente capítulo.

J. CASO PATOLOGICO DE RELIGION MATERNAL

Hemos insistido ya sobre el hecho de que el deseo religioso no aparece, o sólo aparece muy raramente, entre las motivaciones y las experiencias religiosas que nos es dado observar. Solamente la adolescencia nos muestra algunos signos ambiguos. Sin embargo, sobre los testimonios de la experiencia clínica y de la historia del deseo de Dios, podemos afirmar que la religión tiene su origen en el Eros, principio de felicidad y de unión. Su trabajo subterráneo constituye el arco tensional y la potencia simbolizante que religa el hombre al Todo y le proyecta hacia una promesa de infinitud. En cuanto este poder afectivo y vital es lesionado por las vicisitudes de la historia personal, el hombre se encuentra como «de más», extraño en el mundo, fenómeno absurdo, confrontado con un destino carente de sentido. El símbolo maternal, figura de armonía y de felicidad, recuerda la reminiscencia arcaica de unión plenaria y de esperanza en el paraíso futuro, integrándose en la imagen divina, sin llegar en modo alguno a destronar el símbolo paternal.

En su intercambio de ideas con respecto al sentimiento oceánico, Freud y su corresponsal tenían ambos razón. Símbolo arcaico de una experiencia de infinitud vivida, el sentimiento oceánico, en gran parte inconsciente, aparece como fuente de la religión por la apertura a la felicidad y al amor, de cuya afectividad se encuentra marcado, pero no desemboca en una religión digna de este nombre, sino a través de una serie de transmutaciones muy profundas, operadas por el símbolo paternal.

Se puede ilustrar con mayor detalle el deseo religioso por los fenómenos particulares que suscitan en algunos casos patológicos. Resumamos, a guisa de ejemplo, el estudio clínico de un caso psicoanalíticamente tratado por H. Schjelderup[33]. Se trata de una mujer joven, no creyente aunque de educación religiosa. Los rasgos más impresionantes de su cuadro psicológico fueron tentativas de suicidio, fenómenos de glosolalia y de experiencias «místicas». De vez en cuando, experimentaba el sentimiento extraordinariamente intenso de no existir, acompañado de una experiencia de felicidad total que describía en estos términos: «Felicidad; ausencia de toda angustia; armonía absoluta. No pienso, no soy un *yo* individual... Basta de exigencias y de deseos...; solamente el sentimiento explícito de estar unida a algo distinto. En este estado soy simplemente todo; soy la luz, la nieve; soy lo que oigo.» La amnesia reveló una tensión violenta con un padre irascible a quien consideraba loco. La sujeto guardaba el sentimiento de ser culpable, odiosa y vil; privada de todo socorro se refugiaba en la angustia, pero el lazo con la madre se refuerza poderosamente. La negación de su femineidad y el miedo de la vida, la impulsan en una huida hacia la madre. Durante la cura realizó sobre el analista una transferencia maternal intensa, deseando entrar en su espacio interior y vivir en él en seguridad, en un contacto perfecto al abrigo de toda responsabilidad. Los fantasmas de muerte descubrieron progresivamente el sentido de sus tentativas de suicidio: la muerte era el retorno a la madre, el descanso y la cálida acogida en su seno; la muerte aparecía como la unión con la tierra mediante la que se obtiene la conversión en tierra o, dicho en otros términos, «el todo absoluto en el todo». La muerte significaba, por lo tanto, la permanencia de una experiencia mística de nirvana, que resuelve de manera definitiva el problema fundamental consistente en la imposibilidad de la comunión absoluta con el otro. En ciertos momentos, la sujeto expresó mediante el simbolismo cristiano de la figura de Cristo confundida con

33 H. y K. SCHJELDERUP, *Über drei Haupttypen der religiösen Erlebnisformen und ihre psychologische Grundlage*, Berlín, 1932, pp. 4-25.

la madre, el retorno a la madre tierra. En esta regresión mística, la enferma experimentó regularmente la tendencia irresistible a pronunciar sonidos ininteligibles. Se encontraba habitada por sonidos sobre los que no tenía poder alguno, sintiéndose entonces que volvía a ser una niña pequeña, en la euforia de una maravillosa intimidad consigo misma. Tenía el sentimiento de extenderse, hasta estar sola en y con el universo entero.

En tales experiencias patológicas, incluso el lector profano podrá fácilmente reconocer los efectos regresivos del narcisismo y del lazo recíproco de la madre y el niño. Resultan patentes los caminos a través de los cuales el Eros místico sale a luz en los casos mórbidos: unión total, armonía en la plenitud, abolición de la finitud y de la responsabilidad. Pero las experiencias místicas, invaden con ello todo el psiquismo hasta el punto de llegar a ser mortales. Este caso patológico, nos permite también medir el naturalismo radical y la fuerza destructora de un deseo de unión y armonía, cuando no está compensada por la aceptación de lo real, de la ruptura o, para decirlo de una vez, de la ley del padre.

II. LA RELIGION DEL PADRE

El psicólogo en la escuela de la historia de las religiones

Una verdad paradójica se desprende de nuestro estudio sobre la experiencia religiosa: aquellos primitivos, como los recolectores, cuyas formas de civilización son las más elementales y están más desprovistas de toda técnica económica, poseen un concepto muy simple y directo de un Dios padre. Los pigmeos de Africa Central, por ejemplo, veneran al Creador como un ser personal sin mujer ni hermanos, pero con dos hijos y una hija, que fueron los primeros hombres. La hija no podía mirar a su padre el Creador.

La experiencia de la existencia como donación gratuita, y el simbolismo familiar, hacen surgir la idea de la paternidad de Dios. Esta intuición inmediata que aflora en una mentalidad culturalmente infantil y que se renueva regularmente en las situaciones de conmoción profunda, se encuentra, según vimos, en tensión con las especulaciones teóricas y el desarrollo de una sacralidad cosmovital. La historia de las religiones, nos enseña que la intencionalidad religiosa arcaica contiene un haz de posibilidades, y que los diferentes tipos de civilización pueden acentuar uno u otro polo. En una perspectiva histórica el monoteísmo aparece como la reconquista de la intuición teísta primitiva oscurecida por el desarrollo de las potencias humanas: el poder técnico sobre el mundo, la participación en el misterio de la vida, las especulaciones cosmológicas, etc.

El psicólogo no debe juzgar el valor de las diversas formas religiosas que salen a su encuentro, pero, si pretende comprender al hombre religioso, no debe encerrarse en una simple descripción de los fenómenos religiosos, de cuyo contexto socio-cultural, y del sentido de cuya evolución histórica deberá extraer un cierto número de correlaciones y de leyes. De todas maneras, la historia de las religiones nos obliga a desechar los viejos esquemas de interpretación excesivamente simplistas que enfocan la historia cultural y religiosa en la perspectiva de un progreso continuo a partir de estadios inferiores. Todo ocurre, por el contrario, como si la intuición religiosa primitiva contuviese un conjunto de elementos muy diversos, que a continuación se han fragmentado en las múltiples formas religiosas que nos son conocidas: naturalistas, mágicas, mistéricas, trascendentalistas, politeístas... Para el psicólogo que estudia los fenómenos religiosos, también resultan altamente significativas la aparición intermitente del concepto de Dios Padre y la gran variedad de sentidos que puede revestir. La historia religiosa nos presenta, en efecto, tres conceptos netamente diferenciados de la paternidad de Dios. El primero es el de los recolectores, correspondiente a una intuición ingenua; el segundo, consiste en un resurgir del monoteísmo primitivo en medios más evolucionados, durante los momentos de catástrofe; el tercero, se encuentra elaborado en los sistemas de pensamientos religiosos muy desarrollados, como fue el caso del neoplatonismo. Por otra parte, la tradición judeo-cristiana ofrece un concepto de Dios Padre absolutamente específico. El hecho de que la historia religiosa dé cuenta del nacimiento de representaciones tan diferentes del concepto de la paternidad divina como los expuestos, ¿no es prueba de que existe allí algo más que un símbolo simplemente connatural al hombre? ¿Cómo podría ser de otro modo, cuando todo lo que se refiere a la familia depende a la vez de una estructura en la cual el individuo debe integrarse, y de una obra que procede de un compromiso personal del sujeto?

Arriesgándonos a proponer una interpretación psicológica de la historia religiosa del símbolo paternal, diremos que el padre representa un modelo arcaico de Dios, que no comienza a adquirir su verdadera significación sino a partir del momento en que desaparece la evidencia original intuitiva. El padre es un símbolo que, en expresión de Kant, «da qué pensar»; para captarle en su verdadera potencia simbólica, es preciso que el hombre se interrogue sobre su sentido, lo haga problema, y explote otras posibilidades religiosas. Es preciso también, que el hombre haga la prueba de su autonomía. Era preciso, en cierto modo, que ocurriera la ruptura de la caída para que, llegado a la posesión adulta de sí mismo, el hombre restaurase el signo divino en toda su grandeza, purificándolo de sus proyecciones excesivamente humanas.

Pero, para recorrer semejante camino, ¿le bastan al hombre sus propios medios, sin otro apoyo que el de la gracia divina que opera en la humanidad? La tradición judeo-cristiana afirma el papel irreemplazable de la Palabra misma de Dios. La revelación por sí misma ha hecho irrupción en la historia, instaurando en ella un diálogo de problematización y reconocimiento, único capaz de manifestar la paternidad de Dios en su verdadera significación. El psicólogo, no necesita tomar posición respecto de la verdad de esta creencia, pero tampoco puede subestimar los efectos religiosos que ella produce. y debe cuidar de poner en claro las estructuras psicológicas particulares que estas creencias suponen y actualizan.

Los tres niveles de un estudio psicológico del símbolo paternal

Un estudio claro y diferenciado del símbolo paternal debe realizarse en tres niveles. En primer lugar, deberemos interrogarnos sobre la estructura psicológica profunda del símbolo paternal. En segundo término, será preciso examinar cómo se presenta dicho símbolo en la tradición teológica que, ciertamente, no es para el psicólogo un fenómeno religioso de menor importancia que las múltiples actitudes religiosas cotidianas. En fin, el psicólogo podrá analizar el símbolo paternal de Dios tal como es vivido por los creyentes que le reconocen.

En las principales obras que consagrara a la religión (*Totem y Tabú,* 1913; *Malestar en la Cultura,* 1930; *Moisés y el Monoteísmo,* 1938), Freud intentó reconstruir las series de momentos decisivos que señalan el camino hacia la religión del padre. Ya no considera en ellas las formas populares y degradadas de la religión, encontradas en la experiencia clínica y que denunciara en *El Porvenir de una Ilusión.* Se trata de la religión grandiosa del totemismo y de la tradición judeo-cristiana, lo que, en esta ocasión, intenta someter a un examen psicoanalítico. Para captarla en su verdad, Freud se dedica a un estudio de los documentos históricos, y es en ellos donde descubre el símbolo paternal en toda su profundidad y su potencia dramática.

Diversos psicólogos han querido poner a prueba la teoría freudiana del símbolo paternal de Dios, para lo cual han interrogado a numerosos creyentes según el método de análisis positivo; pero, por nuestra parte, tenemos la impresión de que estos intentos adolecen de un doble error de perspectiva. En primer lugar, es imposible que un estudio positivo verifique, por sí solo, una tesis psicoanalítica, puesto que uno y otra operan sobre registros psíquicos diferentes, con métodos diferentes también. Por otra parte, Freud se apoya para su trabajo en testimonios históricos. Ahora bien, nada permite afirmar *a priori* que, incluso los cristianos que profesan la fe de la paternidad divina, la vivan verdaderamente en su actitud religiosa. Es preciso, efectivamente, distinguir entre la imagen de Dios tal como la presenta la tradición religiosa, y aquella otra que es vivida efectivamente por los fieles. La confusión, que reprochamos a ciertas investigaciones, entre uno y otro plano, es una secuela de la mentalidad psicologista, que parte del postulado de que todos los contenidos ideales y afectivos, proceden naturalmente de las tendencias y de las necesidades del común de los mortales. El estudio de la imagen divina entre los creyentes exige todavía más prudencia, puesto que los datos del análisis se miden de acuerdo con las posibilidades del método utilizado; otro método positivo o clínico, revelará otros componentes de la imagen de Dios, complementarios de los primeros.

Para evitar tales errores, vamos a distinguir aquí tres tipos de investigaciones: una investigación positiva sobre la imagen de Dios en diversos sujetos creyentes, un examen clínico de la tesis freudiana, y, en fin, una reflexión sobre la experiencia y la actitud de Jesucristo que nos revela la paternidad divina en toda su plenitud. Efectivamente, Jesucristo aparece en la historia religiosa como el testigo más convencido y explícitamente consciente de la paternidad de Dios; su sentido de la paternidad divina se trasluce en todo su comportamiento y por ello su testimonio debe interesar al psicólogo a título de fenómeno religioso original.

A. IMAGENES PARENTALES E IMAGEN DE DIOS

Nacida de la experiencia del mundo, la imagen de Dios está necesariamente mediatazada por las dos figuras que aparecen en el origen de toda existencia: la del padre y la de la madre. Naturalmente, que el concepto de Dios surge de su evocación simbólica, pero la cuestión a elucidar es en qué medida la imagen de Dios corresponde a las imágenes parentales.

La cuestión es doble. En primer lugar, cabe preguntarse hasta qué punto una y otra imagen contribuyen a la formación de la imagen divina, y cuál es la relación que mantienen entre ellas, por lo que se refiere a sus implicaciones religiosas. La segunda cuestión, es saber en qué consiste esta referencia religiosa. ¿Se trata acaso de una simple prolongación o transferencia de una idealización o proyección? Frecuentemente se utilizan estos términos técnicos, sin pretender designar con ellos un proceso psicológico particular, pero esta ausencia de rigor, da pie a todos los malentendidos, puesto que del proceso descrito se infiere fácilmente un juicio de valor. Así, de la tesis según la cual Dios es la proyección de la imagen paternal, se concluye frecuentemente que no es sino proyección y por lo tanto mera ilusión.

El símbolo

Sin pretender justificar aquí nuestras posiciones de manera completa, distinguimos dos dimensiones en el símbolo. En primer lugar, *resulta de la experiencia un esquema mental y afectivo impreso en el recuerdo y en la afectividad.* A través de este esquema, el sujeto tiende intencionalmente hacia una realidad situada más allá de su experiencia humana. Concretamente, la presencia real del padre, produce en la conciencia del niño una determinada imagen paternal que resulta de todas las relaciones afectivas establecidas entre el padre y el hijo; esto es, una especie de *Gestalt* (forma) imaginaria y conceptual, que designamos con el término de imagen-recuerdo. La imagen del padre, sin embargo, no se agota en esta imagen-recuerdo, puesto que se compone también de todas las significaciones que le confiere el mundo cultural del sujeto, de manera que el idioma, las costumbres, el derecho..., no menos que las experiencias personales, enriquecen, con toda la gama de sus connotaciones propias, la palabra-signo de *padre;* más aún, la experiencia del sujeto nc se limita a una aceptación pasiva de imágenes visuales e impresiones afectivas. Por sí misma, la constelación familiar confiere al padre una posición particular que hace de él, un *polo de significaciones,* de manera que una estructura objetiva se impone al niño, incluso cuando no es plenamente consciente de ello; por su parte, el niño no es simplemnte receptivo, sino que contribuye a la emergencia de la figura paterna con sus peticiones y sus deseos, a la vez que responde a las exigencias que recibe de su parte. Interpreta el comportamiento del padre real en una relación de intercambio afectivo, de peticiones y de respuestas. Los conflictos y las decepciones, determinan fuertemente en él la imagen del padre.

Es imposible tratar de aislar cada uno de los múltiples factores que contribuyen a determinar la estructura de la imagen paterna, pero al menos creemos poder distinguir dos niveles: el de la imagen-recuerdo que representa al padre real tal como *es* conocido por el sujeto, y la imagen-símbolo que representa al padre tal como *debe ser* según las ideas y los deseos del sujeto. La distinción corresponde, por lo tanto, a la que opone el hecho y el derecho; a la imagen del segundo, la llamamos símbolo con preferencia a cualquier otro término. Se habla a veces del «padre ideal», pero la expresión es inadecuada, puesto que ideal implica una connotación de idealización afectiva, de engrandecimiento según el orden de las demandas afectivas; «padre de derecho», implica, al contrario, una nota de realidad que frecuentemente los sujetos no son capaces de distinguir claramente respecto de su idealización más o menos irreal y engañosa. Por su parte, la expresión «concepto del padre» no es más feliz, puesto que no evoca otra cosa que un simple esquema intelectual. Descartamos igualmente el término jungiano de «arquetipo», que significa un símbolo innato inconsciente y colectivo, en tanto que la imagen del padre es siempre tributaria de la cultura y de la constelación familiar. Por el contrario, el término de símbolo expresa adecuadamente la doble realidad que pretendemos designar aquí, a saber, un esquema mental y afectivo fruto tanto de las experiencias individuales como de esos factores estructurales que son la familia y el medio cultural; más allá de estas aplicaciones a lo real humano, este esquema tiende a expresar una realidad mucho más profunda y fundamental, esto es, una ley del ser humano y del mundo todo, tal vez, incluso, un Padre absoluto en el que la paternidad humana encuentra su fundamento.

Investigaciones sobre la imagen recuerdo

Diversos autores han interpretado a Freud, como si en la imagen de Dios no viesen otra cosa más que la sublimación de un padre capaz de responder a todas las necesidades humanas. Diversos textos de Freud apoyan semejante idea. Un pasaje del estudio sobre *Leonardo de Vinci* resume admirablemente esta concepción del padre, como providencia que atiende solícita a los deseos humanos: «En el complejo paterno-materno reconocemos, pues, la raíz de la necesidad religiosa. El Dios omnipotente y justo y la bondadosa naturaleza se nos muestran como magnas sublimaciones del padre y de la madre, o mejor aún, como renovaciones y reproducciones de las tempranas representaciones infantiles de ambos. La religiosidad se refiere, biológicamente, a la impotencia y a la necesidad de protección del niño durante largos años... La protección que la fe religiosa ofrece a los creyentes contra la neurosis queda fácilmente explicada por el hecho de que les despoja del complejo paterno-materno, del que depende la conciencia de la culpabilidad, tanto individual como generalmente humana, resolviéndolo para ellos, mientras que el incrédulo tiene que resolver por sí solo tal problema» [34].

Es preciso señalar una ambigüedad en el pensamiento de Freud, puesto que en el texto que acabamos de citar pasa insensiblemente de la nostalgia de un padre protector, al drama ético de un complejo de culpabilidad, admitiendo por tanto una doble fuente de la religión; más tarde, sin embargo, Freud adquirirá una conciencia más precisa de su diferencia radical. En la primera fase los símbolos paternal y maternal se diferencian escasamente. Dios, padre sublimado, y la Naturaleza, madre sublimada, responden a las mismas exigencias del hombre a la deriva que busca la seguridad. Dios no es, por lo tanto, aquí, más que la transposición inmediata de una experiencia infantil del padre. En caso de ser así, las dos imágenes parentales pueden significar Dios, y su importancia respectiva dependerá de la satisfacción que los hombres hayan encontrado en el Padre o en la Madre.

Muchos psicólogos han examinado las preferencias afectivas, y las han puesto en relación con la imagen de Dios, entendiendo por tal, la definida por estas mismas preferencias afectivas. M. O. Nelson y E. M. Jones [35], han establecido una serie de 60 proposiciones que expresan 20 sentimientos capaces de convenir por igual a las imágenes parentales y a la divina: aceptación, aceptación sin reservas, ayuda, amor, apoyo, confianza, compren-

---

[34] *Eine Kindheitserinnerung des Leonardo da Vinci* (1910), G, W., VIII, p. 195 (trad. española: *Un recuerdo infantil de Leonardo de Vinci, O. C.*, II, p. 394-b).

[35] "An Application of the Q-technique to the Study of Religious Concepts", *Psychological Reports,* 1957, pp. 293-297; "Les concepts religieux dans leur relation aux images parentales", *Lumen Vitae,* Bruselas, 1961 *(Adulte et enfant devant Dieu),* páginas 105-110.

sión, facilidad para agradar, para satisfacer, generosidad, interés, perdón, paciencia, protección, proximidad, accesibilidad, relación significativa, respeto, seguridad, y sostén[36]. En las 60 proposiciones el sujeto relaciona estos sentimientos con el padre, la madre, o Dios, según una jerarquía que traduce sus experiencias. Tomemos por ejemplo la proposición, «yo me siento protegido por mi madre»; puede ser clasificada bajo las 9 rúbricas que van desde el desacuerdo total al acuerdo total. Los resultados obtenidos por Nelson y Jones entre 20 sujetos protestantes revelan en todos, hombres y mujeres, una similitud más estrecha entre los sentimientos evocados a propósito de la madre y de Dios, de que en los que sugiere la relación del padre y Dios. La similitud máxima se encuentra en los sujetos que prefieren a su madre y es mínima entre 3 sujetos que prefieren a su padre. Entre los sujetos que no marcan preferencia por uno u otro de sus padres, hay una correlación significativa entre los sentimientos hacia el padre y hacia Dios, pero incluso en esos casos la correlación es inferior que la existente entre la madre y Dios.

O. Strunk[37] ha repetido el mismo estudio sobre sujetos de nivel de madurez espiritual más homogénea, llegando a resultados un tanto diferentes. Si la conexión entre la imagen maternal y la imagen divina permanece fuerte, de ningún modo le es inferior la que se establece entre la de Dios y la del padre. Entre los sujetos de sexo femenino, la correlación Dios-padre predomina ligeramente sobre la correlación Dios-madre. Strunk emite la hipótesis de una actitud religiosa más evolucionada, que ejercería una influencia sobre la relación entre las imágenes parentales y la imagen de Dios. Estos sujetos proyectan

---

[36] Adoptamos las categorías utilizadas por el P. A. Godin para sintetizar los veinte sentimientos expresados en las sesenta proposiciones. Cf. A. Godin y M. Hallez, "Images parentales et paternité divine", *Lumen Vitae,* 1964, p. 248.

[37] "Perceived Relationships between Parental and Deity Concepts", *Psychological Newsletter,* Nueva York, 1959, pp. 222-226.

a Dios según las dos imágenes parentales, y, entre los sujetos mejor formados, el padre simboliza a Dios en medida no menor que la madre.

El P. A. Godin, S. I., y la señorita M. Hallez[38] han vuelto a realizar el estudio de Nelson y Jones, aplicándolo a 7 grupos homogéneos, resultando de su trabajo conclusiones fuertemente matizadas. De manera análoga a los investigadores precedentes, los autores citados constatan que las imágenes parentales condicionan la imagen de Dios y, en consecuencia, la actitud que se mantiene frente a El. Entre los hombres, el vínculo de la imagen divina con la imagen maternal es más fuerte, y entre las mujeres la relación es la inversa. Con la edad, el vínculo entre la imagen divina y las imágenes parentales tiende a desaparecer, y el condicionamiento de la primera por la segunda es tanto más fuerte cuanto mayor es la preferencia por uno de los padres, en cuyo caso la imagen de Dios es atraída por la del padre preferido, o bien es asociada a la del padre no preferido, en cuyo caso se encuentra netamente desacreditada. En cuanto al desprendimiento que, en medida escasa, pero cierta, tiene lugar en los sujetos de más edad, entre la imagen divina y las parentales, el P. Godin emite tres hipótesis explicativas; a saber, una mayor madurez espiritual que purifica la imagen de Dios; la progresiva indiferenciación de las imágenes parentales mediante un fenómeno de idealización, como ocurre, por ejemplo, después de que ambos han muerto; o, en fin, por la combinación de ambas razones.

Indudablemente semejantes estudios son de gran interés, pero es preciso reconocer que la elección de los enunciados de la encuesta les impone límites reales. En nuestra opinión, puede decirse que falsean en cierta manera el proyecto y las conclusiones, por el hecho de situarse en la perspectiva de un examen comparativo de las imágenes parentales y de la evocación de lo divino. En efecto, las

---

38 "Perceived...", cit., pp. 243-276.

categorías afectivas a las cuales recurren los autores con el fin de captar las imágenes parentales y divinas, se definen casi exclusivamente por valores referentes a la intimidad, como es el caso de la aceptación, la ayuda, la confianza, la proximidad, etc. ¿No es por lo tanto natural que las preferencias afectivas se dirijan al padre de sexo opuesto? ¿O bien que entre los sujetos que la edad o el estado religioso aleja de sus padres, las preferencias afectivas se hayan embotado progresivamente en virtud de un proceso de idealización retroactiva? En estas condiciones, aplicadas a Dios los mismas categorías afectivas, fatalmente hacen inclinarse la imagen divina del lado de la imagen parental del sexo opuesto.

De todas maneras, estas investigaciones no bastan para avalar la teoría freudiana respecto de la formación de la idea de Dios a partir de la imagen paternal. A diferencia de los otros psicólogos citados, el P. Godin, como experto psicoanalista, tiene buen cuidado de poner en guardia contra todo error de este tipo; pero pensamos que, pese a todo, estos resultados completan y matizan acertadamente la tesis de la relación entre Dios y el padre protector, tal como Freud la sostuviera en *El Porvenir de una Ilusión,* y en ello consiste, desde nuestro punto de vista, el mayor interés de estos estudios. En efecto, resulta chocante que las cualidades afectivas de intimidad, comprensión, y consolación, que los sujetos descubren en Dios, se evoquen especialmente a propósito del padre de sexo opuesto.

Todavía cabe preguntarse si tales cualidades agotan las imágenes paternal y divina, puesto que el sujeto puede perfectamente amar y admirar otras relaciones en el padre y en Dios. Toda la psicología genética, nos alecciona sobre la extraordinaria influencia del modelo paternal, al que el muchacho trata de identificarse, pero la eficiencia de esta relación dinámica, no se expresa ya en términos de preferencia afectiva. El amor pone en acción vectores afectivos muy diferentes, y que desbordan con mucho los registros de la intimidad protectora y confiada.

Por otra parte, como lo hemos explicado antes, el hombre puede tender hacia Dios a través de una imagen parental que no es exactamente la réplica de su progenitor real.

Estudio sobre las imágenes parentales en su nivel simbólico

Para saber verdaderamente cuál es la correspondencia entre las imágenes parentales y la imagen divina es por lo tanto preciso estudiar las primeras en su estatuto simbólico, tal como lo hemos definido más atrás, tarea que hemos abordado personalmente con ayuda de nuestros colaboradores[39]. En la literatura religiosa y profana, hemos intentado descubrir las cualidades específicas del padre, de la madre, y de Dios. Los caracteres propios de las dos imágenes parentales, fueron repartidos en dos listas correspondientes, sometidas a jueces competentes. Este trabajo permitió obtener dos escalas de cualidades paternales y maternales. El *padre* aparece como titular de la autoridad legisladora, poder, fuerza, norma, inteligencia ordenadora y juez; distante, severo, inconmovible, dinámico; es el que aporta la claridad, el que orienta hacia el porvenir, el que dirige, el que toma la iniciativa, el que hace tomar al niño conciencia de su pequeñez, el que es fuente de prestación. Por su parte, la *madre* aparece como interioridad, profundidad, intensidad, refugio; acogedora, afectiva, tierna, servicial, paciente; la que participa en las preocupaciones del niño, le protege, le cuida, sabe esperar, está siempre dispuesta, descubre lo que es delicado, permite ser infantil, acoge y ampara. Estas dos series de rasgos han sido cuidadosamente elaborados y avalados de manera que presentan las diferen-

---

[39] Utilizo aquí dos tesinas de licenciatura en psicología realizadas bajo mi dirección en la Universidad de Lovaina en 1964: M. R. PATTIJN y A. CUSTERS, *Het Vadersymbool en het moedersymbool in de Godswoorstelling* (textos a multicopista, inéditos).

tes funciones y atributos afectivos que la literatura y la psicología reconoce a ambos progenitores en su unión y su complementariedad.

La segunda fase del estudio, consistió en obtener la asociación de estas diferentes categorías, a la imagen de la madre, el padre y de Dios por parte de 178 sujetos, 82 muchachas, y 96 muchachos, todos estudiantes católicos de veinte a veinticuatro años de edad, advirtiéndoles, por los motivos antes indicados, que no debían representarse a sus padres reales, sino a los padres tal como en su opinión deberían ser, esto es, su imagen del padre y de la madre, no de hecho, sino de derecho, única que tiene un valor verdaderamente simbólico. Las estadísticas arrojan los resultados siguientes: las cualidades paternales diferencian mejor que las cualidades maternales las dos imágenes parentales; por lo tanto, el padre presenta una imagen más compleja en la que se integra una gran parte de las cualidades maternales a la vez que otras específicas que les distinguen de la madre. Las cualidades de intimidad y de ternura son propias, sin embargo, de la madre; los atributos de juez, de gobernante y de fuerza, caracterizan exclusivamente la imagen del padre. En la aplicación de estos diferentes rasgos a Dios, resulta que la imagen divina es todavía más completa que la imagen paternal, puesto que integra en un grado, todavía más elevado, un número de cualidades maternales, como la paciencia, la profundidad, la interioridad, el refugio, la disponibilidad, la apertura, la participación en las preocupaciones del hombre, la capacidad de espera y el cuidado amoroso. Las cualidades paternales atribuidas a Dios, expresan, sobre todo, la firmeza y la acción que dirige, como es el caso de la inteligencia ordenadora, el ser juez, poder legislador, autoridad, fortaleza, orientación hacia el porvenir, y dirección. La imagen divina resulta de las dos imágenes parentales, y está, por lo tanto, más cercana de la paterna que de la materna. Las cualidades maternales, sin embargo, se atribuyen a Dios con una mayor intensidad que las paternales. Por último, debemos señalar que todo lo precedente vale por igual para uno y otro sexo, y que ciertas cualidades parentales no se encuentran casi asociadas a la imagen divina, y ello claramente en razón de su carácter excesivamente humano, a saber, los de servicialidad, rasgo maternal, y lejanía, rasgo paternal, que por otra parte se atribuyen raramente al padre. El cálculo de las cotas del conjunto de estas cualidades, según el grado de atribución a los tres conceptos, confirman nuestros resultados: la distancia entre Dios y el padre es notoriamente menor que la que se comprueba existe entre Dios y la madre, puesto que la totalidad de estas cualidades se atribuyen más normalmente al padre y a Dios, que a la madre y a Dios. También puede señalarse una mayor distancia entre la madre y el padre que entre el padre y Dios.

Podemos concluir, por lo tanto, que en los dos sexos las cualidades maternales y parentales evocan el ser de Dios, lo cual muestra, en nuestra opinión, que, al menos entre los sujetos cristianos, la idea real de Dios se forma por la mediación de dos imágenes parentales reconocidas en sus funciones diferenciales. Ambas son verdaderamente simbólicas en su contenido ideal, e implican connotaciones evocadoras de Dios, pero Dios trasciende sus limitaciones humanas y aparece como una síntesis de contrastes. El símbolo paternal es el más apto para expresar el ser de Dios, porque en sí mismo abarca ya una plenitud de cualidades que apuntan hacia Dios. Llamando a Dios con el nombre de «Padre», no se reduce la imagen divina a uno solo de los dos polos parentales con exclusión del otro, puesto que, a su mismo nivel, la imagen del padre presenta ya algo más que la figura simplemente simétrica e inversa de la de la madre. Podríamos resumir nuestras conclusiones con las palabras de un joven poeta, Francois d'Espiney: «... Padre cuyo nombre es padre y casi también madre...»[40]. Esta doble invocación de Dios se encuentra en más de un texto religioso; sirva de ejemplo

[40] Texto encontrado entre sus papeles póstumos.

la oración de los Kekchi antes de iniciar la recolección del maíz: «¡Oh Dios, mi Señor, mi Madre y mi Padre, Señor del monte y de los valles... ¿Quién sabe cuándo podré volver a hablarte? Padre mío y Madre mía, Angel, Señor de los montes y de los valles, pero volveré de nuevo a alzar a Ti mi clamor. ¿Cómo no hacerlo, oh Dios mío?»[41].

Sería preciso, sin embargo, un estudio comparativo entre sujetos pertenecientets a culturas de tipo matriarcal y de tipo netamente patriarcal, para llegar a comprender en qué medida la idea de Dios sufre la marca de las imágenes parentales diferenciadas en un medio cultural distinto del occidental.

B. EL SIMBOLO PATERNAL SEGUN EL PSICOANALISIS

Mediante el análisis profundo, hecho posible gracias a la experiencia clínica, el psicoanálisis ha puesto al descubierto cómo el hombre llega a ser un sujeto realmente humano, a través de la curva de su evolución personal, de los conflictos, las renuncias, las identificaciones y la formación de sus lazos afectivos. Semejante estructuración dinámica, se efectúa a partir de la constelación familiar en la que el padre y la madre constituyen los dos polos afectivos esenciales, con los cuales y frente a los cuales el niño llega progresivamente a estructurarse convirtiéndose en hombre. En este sentido, el psicoanálisis supone un estudio genético fundamental y una verdadera antropogénesis[42]. En esta humanización progresiva del hombre a partir de la infancia, el padre juega un papel

---

[41] Cf. FR. HEILER, *La Prière*, París, 1931, pp. 177-178.

[42] Para una ampliación de todo lo que sigue en torno al psicoanálisis me remito a la introducción que a esta ciencia se hace en W. HUBER, H. PIRON, A. VERGOTE, *La Psychanalyse, science de l'homme*, Bruselas, 1964. (Trad. española, Madrid, Guadarrama, 1967.) Cf. también RICOEUR, *De l'Interprétation. Essai sur Freud*, París, 1965.

específico. Comparado a la función maternal, el padre asume un papel original de humanización, no en virtud de lo que sea por sí mismo, atendiendo a sus cualidades individuales, sino por el lugar que ocupa en las relaciones familiares. En sus principales obras sobre la religión, Freud nos muestra que, en virtud de su función propia, el padre despierta en el hombre la representación de Dios.

La fuerza estructurante del símbolo paternal

Para comprender psicológicamente la paternidad divina, nos es preciso ante todo considerar la formación del símbolo paternal humano, cuya interpretación psicoanalítica, por supuesto, no es posible hacer aquí. Bástenos, por lo tanto, evocar brevemente sus grandes líneas, dejando al lector la tarea de ampliar estas indicaciones acudiendo a los trabajos que la desarrollan y la ilustran.

Freud y toda una estirpe de psicoanalistas en pos suya, han demostrado que la estructuración esencial y definitiva del hombre se realiza en virtud del «conflicto de Edipo», que aparece en los orígenes de toda la civilización en sus diferentes dimensiones, ya sea la moral, la religiosa, o la política. Son muchas las personas, e incluso los psicólogos, que, a causa de una desgraciada vulgarización, de consecuencias deformantes más que educadoras, conciben el complejo de Edipo como una especie de quiste más o menos molesto, padecido a lo largo de la existencia, primero por los niños, y después por los adultos. En realidad, el complejo de Edipo caracteriza la fase psicológica de tres a seis años de edad, en la que las relaciones afectivas se hacen más complejas, polarizándose y diferenciándose. A la edad edípica, mediante la confrontación con los dos polos familiares, el niño, ser de placer y de deseo, carente todavía de una conciencia verdadera de sí mismo y del otro, realiza una organización afectiva que le orienta definitivamente en la vida, y que le hace ser consciente de lo real y de la ley, capaz por lo tanto de vida ética.

Hasta entonces, el niño vivía en simbiosis con la madre, y la posibilidad de limitación afectiva no existía para él, puesto que, de suyo, la libido no sabe autofrenarse, sino que es unión difusa y placer ilimitado. Sin duda que el lenguaje y la educación familiar, imponen ya al niño ciertas leyes y ciertos límites, pero, una y otras, no comienzan a ser asumidas en la afectividad profunda, sino a partir del momento en que el niño adquiere verdaderamente conciencia de que, entre la madre y él, se interpone el padre, que por su función misma, sea cual sea su personalidad, impone la ley. Tal es la famosa prohibición edípica de la que hablan los psicoanalistas y que, con frecuencia, se limita equivocadamente a lo sexual, como si el padre no tuviera otra misión que prohibir al hijo la relación sexual con la madre. El padre es aquel que, por su presencia eficaz, separa al niño de la madre, introduciendo la medida en la desmesura de las demandas afectivas del primero, y llevándole a la renuncia del paraíso afectivo de la unión difusa, mezcla de placer, de felicidad, de erotismo y de seguridad. Necesariamente, el complejo de Edipo se vive de forma conflictual, puesto que la ley aparece como violencia exterior y prohibición meramente negativa; pero, religado al padre por una ternura inicial, el niño dispone de un poder suficiente para llegar a identificarse con el padre «interiorizando» su ley y reconociendo en él al modelo de una existencia libre y orientada hacia el porvenir. A partir de entonces, la ley libera, proyectando al hombre hacia el futuro de una felicidad por conquistar. El momento negativo en el que el padre arranca al niño del sueño de armonía indiferenciada, y de placer pasivo, es un momento necesario. De la separación del niño y la madre, resulta en la psicología del primero una ausencia y una oquedad constitutivas de la condición de la libertad, de la existencia autónoma y del deseo verdadero. Efectivamente, una vez separado de la madre, reenviado a sí mismo, y forzado a tener en cuenta el mundo real y organizado, el niño podrá, libremente ya, disponer de sí mismo, tomando conciencia de sus deseos y habituándose a mantenerlos a distancia. Así, aprende a llegar a ser él mismo, como ser distinto y autónomo. Los deseos que se orientan hacia el futuro tomando al padre como modelo, no están ya condenados a perecer en el paraíso artificial de una satisfacción imaginaria. La felicidad está delante en el futuro y no atrás en el pasado. Por último, la prosecución de la felicidad personal puede ya legitimarse, porque la figura ideal a la que el niño se identifica, el padre, resulta garante de ella.

Pese a las reservas que debe hacérsele, este esbozo nos permite poner en claro los componentes humanos que integran la imagen paternal, y que cabe reducir a tres notas fundamentales: *la ley, el modelo* y *la promesa.* Frente a la demanda de unión inmediata y de placer ilimitado, el padre impone las exigencias de la separación, de la medida y del respeto al otro; pero, por ello mismo, introduce el principio de la realidad en la línea de un perfeccionamiento de las relaciones interpersonales. Es la ley con todos sus aspectos de negatividad, de limitación y de prohibición; pero, a la vez, representa una función altamente positiva porque el niño encuentra en el padre al hombre a quien debe identificarse, en cuanto que es el hombre que triunfa y que posee la felicidad. El padre es tal, en tanto que reconoce al niño como a su igual en potencia, y ofrece a éste el modelo que puede asimilar para estructurarse a sí mismo. Por último, el encuentro de estas dos instancias, la ley y el modelo, abre la dimensión del porvenir, porque en el vínculo natural y difuso con la madre el niño *no es,* pero al aceptar la ley e identificándose al modelo, debe actualizarse y *llegar a ser* lo que todavía sólo es como promesa y posibilidad. El porvenir, por lo tanto, le es prometido, permitido, y garantizado.

Todas las cualidades paternales pueden reunirse en una expresión admirable: *el padre es aquel que reconoce al hijo.* Reconocer equivale a conferir a otro su propia personalidad mediante una palabra, que es a la vez ley, vínculo parental y promesa. El reconocimiento hecho en virtud de la palabra, asume los sentimientos de ternura, a la vez que los supera, puesto que pertenece a un orden distinto. No es dado inmediato, fruto de una simple reciprocidad afectiva, no es «natural», puesto que no emerge de lo que en nosotros hay de naturaleza, afectos, deseos e incluso razón. No es un grito ni de angustia ni de deseo. Es preciso que alguien la pronuncie con libertad plena, realizándose en ella el hecho único que humaniza al hombre, esto es, la asunción en toda libertad de su propia existencia y la formación intencional de un lazo consciente con el otro. El hombre que dice a una mujer: «Tú eres mi esposa», se cambia a sí mismo y cambia al otro [43], y, superando todo lo que en ellos hay todavía de naturaleza, instauran un vínculo propiamente humano que es un compromiso y una promesa de futuro. De la misma manera es como, mediante una palabra, a veces incluso pronunciada solamente a través del lenguaje de los comportamientos significantes, tiene lugar el reconocimiento del niño por el padre.

Freud ha subrayado fuertemente la influencia decisiva que la función paternal ejerce en la espiritualización progresiva de la cultura y de la religión. Unida su experiencia clínica a sus conocimientos antropológicos, llegó a la convicción de que, en la medida en que se dejan transformar por el reconocimiento de la función ética del padre, los hombres se desprenden de la satisfacción sensorial inmediata, dedicándose al reino del espíritu, a la cultura, al lenguaje y a la inteligencia, de manera que dominando el placer de los impulsos, entran en las instituciones sociales. Son muchos los psicólogos, e incluso los psicoanalistas, que, fascinados por los valores maternales, han reaccionado contra esta valorización del símbo-

---

[43] Cf. J. LACAN, "Fonction et champ de la parole et du langage en psychanalyse", en *La Psychanalyse,* I (París, 1956), pp. 81-166, especialmente p. 138 (recogido en el volumen J. LACAN, *Écrits,* París, du Seuil, 1966, pp. 237-322). También A. DE WAELHENS, *La Philosophie et les expériences naturelles,* La Haya, 1961, pp. 122 y ss.

lo paternal cuya exageración reprochan a Freud. En realidad no han sabido reconocer la eficacia del símbolo paternal. Como se recordará, los estudios de las imágenes parentales anteriormente citados, no mencionan las cualidades específicas del símbolo paternal. Esta es la razón por la que hemos establecido una escala de cualidades que restaura en sus dimensiones originales la imagen paterna.

Diálogo con Freud sobre la paternidad divina

Uno de los rasgos más desconcertantes y a la vez más fascinantes de la gran tradición judeo-cristiana, es el aparecer esencialmente como la religión del Padre y de la Palabra, y el ateo convencido que era Freud supo estimar semejante grandeza. Sin embargo, falto de un conocimiento suficiente de la teología judeo-cristiana, no captó de la palabra del Padre más que el momento de la prohibición, y resulta paradójico que este hombre a quien su padre había ofrecido una Biblia como primer libro, no descubriese en él, que, tanto o más que una prohibición, la Palabra de Padre es una promesa. El decálogo puede presentarse en buena y debida forma como la condición de alianza entre Dios y su pueblo, pero Freud no atiende sino a la mera Ley, intentando elaborar una explicación exhaustiva de la misteriosa constitución del símbolo de la paternidad divina sobre la única base del conflicto del hombre rebelado contra Dios. En su opinión, los hombres se han sentido culpables, y tal es la razón por la cual el sentido del pecado habita en el corazón mismo de la religión. La culpabilidad es inevitable, puesto que el hombre, llevado en alas de su naturaleza libidinal, quiere serlo todo y tenerlo todo [44]. Reprimiendo su culpabili-

[44] En nuestra interpretación de la culpabilidad nos separamos de A. HESNARD, *L'univers morbide de la faute*, París, 1949, y *Morale sans péc'* París, 1954.

dad, que sin embargo no deja de inquietarle, el hombre aumenta inmensamente la imagen del padre, haciendo de él un padre omnipotente, un padre divino que exige respeto y sumisión.

La interpretación freudiana del judeo-cristianismo se detiene por lo tanto en el primero de los instantes dialécticos y hace abstracción de la palabra de reconocimiento y de la promesa pronunciadas por el padre. Freud cree poder reconducir la explicación de la religión judeocristiana a una única causa psicológica, la rebelión del hombre y la culpabilidad que lleva consigo, y, habiendo visto en el padre humano una función positiva de identificación más allá de la resolución del conflicto, no supo ver en la relación religiosa otra cosa que el pecado. El momento del reconocimiento y de la reconciliación está totalmente ausente de su teoría. Freud no ha dejado de insistir en los efectos espiritualmente saludables de la culpabilidad, y la religión judaica se caracteriza a sus ojos por un extraordinario progreso de espiritualidad, elevándose por encima de las religiones naturalistas, como lo prueban la prohibición mosaica de toda representación de Dios, la obligación de adorar un Dios invisible o la prohibición de abusar del nombre de Dios. El símbolo paternal ejerce allí todas sus exigencias de renunciamiento, promoviendo el reino del espíritu. Los profetas aparecen como las magnas representaciones paternales de esta religión, que se realizan enteramente a través de la contestación y de la acusación de las inclinaciones naturalistas.

Entendido como simple poder normativo exterior, el padre debía adoptar la figura del tirano que impone una relación de subordinación. La religión, afirma Freud, hace esclavo, afemina al hombre, y degrada la razón, obligándola a un consentimiento puramente pasivo [45]. ¡Tal es la paradójica ambivalencia del juicio freudiano sobre

[45] *G. W.*, VII, p. 132 (trad. española: *Los actos obsesivos y las prácticas religiosas,* O. C., II, pp. 956-961).

la religión! Este contraste se explica atendiendo al conflicto no superado del que es fruto, y del que encontramos múltiples ecos en la conciencia de los creyentes que frente a Dios se sienten, por una parte, esclavos sometidos y temerosos, y de otra incuban sentimientos de subversión y un ardiente deseo de goce y de omnipotencia.

La religión judeo-cristiana, tal como Freud la concibió, es una neurosis de la humanidad, sin llegar a ser una enfermedad personal. Se ve emerger en ella la figura suprema de la espiritualización humana: el Padre absoluto, invisible, autor de la más alta exigencia ética. Pero este Padre no es más que una cifra, un simple signo, y para Freud no existe, de manera que no cabe la posibilidad de dialogar con él. Si en realidad Freud ha desfigurado violentamente el rostro del judeo-cristianismo es, ante todo, porque previamente ha rechazado su posible verdad. A partir de este momento, ¿qué explicación dar de la creencia en Dios sino la de las leyes del inconsciente, es decir, de la culpabilidad inconsciente? Al rehusar a la inteligencia y a la experiencia toda apertura hacia un universo trascendente, Freud ha pretendido dar cuenta de él atendiendo a los efectos del conflicto y de la represión y, en una palabra, queriendo explicar la religión del Padre por las leyes genéticas del complejo de Edipo. Las teorías a la sazón imperantes en la historia de las religiones, venían en su auxilio, puesto que la religión del Padre no podía resultar más que de un largo proceso histórico hecho de rebeliones y de culpabilidad consecutiva que según se intensificaba provocaba el engrandecimiento, la exaltación y la divinización de la figura del Padre.

Nuestro diálogo con Freud ha podido parecer excesivamente largo, tanto más cuanto que debía limitarse a meras alusiones; sin embargo, resultaba indispensable para permitirnos establecer nuestras conclusiones. La perfección del símbolo paternal de Dios, que es su más alta figuración, corresponde al proceso dinámico que determina en su profundidad la génesis psicológica del hombre, esto es, el complejo de Edipo; pero pretender deducir la idea de la paternidad divina a partir de las leyes psicológicas del devenir humano, constituye un grave error que condena a Freud a desconocer múltiples aspectos esenciales de la religión.

Correspondencia entre la paternidad humana y la paternidad divina

Que existe una correspondencia entre la estructura familiar y la imagen de Dios, es de todo punto indudable y nadie la discute ya, pero, con demasiada facilidad, se elude el problema hablando de proyección de la imagen paternal sobre Dios, e invocando, para ocultar la excesiva vaguedad de este término, las motivaciones más o menos infantiles que hemos mencionado y juzgado. Sin embargo, estas explicaciones de la correspondencia entre las imágenes paternales y divina, no permiten tomar en cuenta las cualidades estructurantes de la imagen paternal tal como operan en la constelación edípica. Es preciso, por lo tanto, restituir a la imagen paterna su triple función de ley, de modelo, y de promesa. Entonces, salta a los ojos que el Dios Padre de la religión judeo-cristiana representa en su más alto grado estas cualidades estructurantes, y el padre humano, comprendido en su función familiar, aparece verdaderamente como el símbolo del Dios judeo-cristiano.

De esta correspondencia resultan consecuencias graves. De una parte consecuencias prácticas, como son los efectos de la historia personal afectiva del sujeto sobre su actitud religiosa, puesto que la imagen paternal a través de la cual se llega a Dios resulta de un devenir psicológico personal. La imagen del padre no es una idea innata ni el efecto de un sentimiento «natural», sino que se elabora en el curso de una historia familiar. De otra parte, la idea de Dios no es una simple representación especulativa, puesto que el hombre, si bien intuye a Dios a través de su padre real, lo intuye más aún a través de la imagen del padre formada en él en virtud del complejo de Edipo. De hecho, la estrecha dependencia entre estas dos imágenes queda suficientemente atestiguada por la historia de las religiones, y por las múltiples deformaciones que puede sufrir la imagen de Dios, incluso entre cristianos intelectualmente bien formados. De ello daremos ejemplos en la futura tercera parte de esta obra.

Nuestra tesis implica también consecuencias teóricas. Al ser la imagen paternal esencialmente una función y un polo, no adquiere todo su valor sino en una relación dialéctica con la figura maternal. La paternidad de Dios debe, por lo tanto, tener un polo correspondiente, a falta de lo cual se reduciría a una pura negatividad; esto es, una simple exigencia de renuncia. Dios no es verdaderamente Padre, sino en cuanto que promete valores maternales. En su referencia a Dios, Freud desconoció totalmente este aspecto esencial de toda paternidad, al estar plenamente absorbido en la oposición que acababa de subrayar entre el goce naturalista y la exigencia de espiritualización. Se pueden encontrar extrañas nuestras consideraciones, pero los datos positivos aportados por nuestra encuesta sobre los símbolos parentales de Dios, atestiguan que la imagen divina se revela como la síntesis compleja de ambas figuras parentales. ¿Acaso no vemos operarse todos los días en los medios católicos una distribución de funciones entre Dios y la Virgen María? La imagen de Dios se intuye en la perspectiva del padre legislador, del juez lejano, mientras que la Virgen no es sino la proyección ilusoria de una madre divinizada, que consuela, protege, se halla próxima y consigue el perdón... La acentuación unilateral de la paternidad en las características que le son exclusivas, como la ley y el juicio, implica el desdoblamiento en el plano de las relaciones religiosas de dos funciones divinas, en detrimento de una relación única con Dios.

¿Nos sería lícito ir más allá de esta primera observación y, superando la afirmación de una correspondencia estructurante, tratar de explicar la imagen de Dios a partir del símbolo humano? En otros términos, ¿podemos deducir la creencia religiosa de la relación entre el niño y el padre? Hemos visto ya que, al intentar explicar psicológicamente la religión, Freud se extravió en una teoría lógicamente imposible y empíricamente impugnada por la historia de la religión. Si hemos prolongado nuestro diálogo con él, fue con el intento de prevenir el simplismo psicologista, muy difundido hoy día, y consistente en identificar la correspondencia simbólica entre Dios y el padre con una explicación reductora de la religión, según la cual Dios no sería otra cosa que la imagen aumentada del padre; esto es, la imagen paternal proyectada en la dimensión de lo infinito.

En puridad, la acepción vulgarizada del término de proyección no es sino un espejismo pseudo-científico que no corresponde a ningún proceso psicológico real. Esta palabra, de apariencia científica, oculta la ausencia de un verdadero pensamiento. En realidad, la psicología pone entre paréntesis toda convicción teológica o filosófica y nos permite solamente afirmar que, en sus orígenes, los hombres daban prueba de una fe en un Dios-Padre, reconocido en una experiencia directa e ingenua. La imagen del padre humano, autor de la vida, los induce a pensar que el don de la existencia y de la tierra que los sustenta debe provenir de un Padre universal. Por otra parte, comprendemos sin dificultad que el hombre se haya rebelado contra el Padre intentando sustituirse a él. La Biblia inicia la historia humana con el extraordinario episodio del Paraíso, que es la historia de la donación, del reconocimiento, de la rebelión, de la culpabilidad, y de la reconciliación. Desde entonces, la idea de la paternidad de Dios debió fortalecerse y desplegar todas sus virtualidades en el curso de un diálogo hecho de conflictos y de pactos sucesivos. ¿Basta esta historia religiosa para instaurar en toda su plenitud la imagen de la paternidad divina tal como la recibimos de la historia judeo-cristiana? Nada permite afirmarlo y, al contrario, resulta asombroso que el único pueblo que afirmó la paternidad divina en todo su poder sea precisamente el pueblo que recurre a una revelación personal por la propia palabra del Dios-Padre. Nadie podrá dudar que el único hombre que ha pretendido proclamar y manifestar la paternidad de Dios en su dimensión propiamente interpersonal, Jesucristo, afirmaba al mismo tiempo su origen trascendente. El psicólogo, en tanto que tal, no puede más que inclinarse ante los hechos sin pretender elucidar el enigma que desborda el campo de su competencia.

III. EL HECHO JUDEO-CRISTIANO

Sin intentar una obra que corresponde solamente al teólogo, nos proponemos ahora apelar al testimonio de la tradición judeo-cristiana, con el fin de aclarar su concepción de la paternidad divina. Dicha tradición representa una experiencia religiosa original y originaria, de la que ninguna investigación de psicología positiva es capaz de dar debida cuenta. Recurriendo a las fuentes mismas de esta creencia, no hacemos sino seguir las huellas del propio Freud.

Israel llamaba ya a Dios con el nombre de «Padre», porque Dios engendraba y adoptaba a su pueblo queriendo, en virtud de este acto de creación y de adopción, ser reconocido por él, en un culto religioso y en una ética de vida [46]; pero el vínculo de paternidad y de filiación, culminó en la relación que unió al Dios eterno con el hombre Jesús. La relación del Hijo al Padre constituye la originalidad esencial y la paradoja fundamental del Nuevo Testamento. En Cristo, la paternidad de Dios se realiza en un doble plano; por una parte, el hombre Jesús no se comprende a sí mismo sino a partir y en fun-

---

[46] Cf. la excelente exposición de J. JEREMIAS, *Parole de Jésus. Le sermon sur la montagne; le Notre-Père*, París, 1963; para una exposición más técnica, W. MARCHEL, *Abba, Père*, Roma, 1963.

ción del Padre; esto es, solamente como Hijo; su voluntad es la del Padre, sus palabras las que recibió de El; sin que por sí mismo se apropie nada, pero, rehusando prevalerse de la bondad o de la omnipotencia divina como de un bien propio, confiesa que todo lo que es del Padre le ha sido dado. Su vida se abre con la palabra del Padre que reconoce a su Hijo, y se termina con la palabra por la cual, seguro de la gloria que ha de recibir del Padre, se entrega totalmente en sus manos. Es preciso no olvidar que, bajo las palabras desgastadas por el uso, late el hecho esencial de que en el reconocimiento total de quien se presenta como el Hijo por excelencia, la paternidad de Dios, cuya unicidad se confiesa continuadamente en toda la santidad de su trascendencia invisible, aparece en la plenitud de su poder, para renovar la existencia humana. La paradoja de la paternidad, adquiere aquí su verdadera dimensión; el Padre como tal, está enteramente presente en una palabra que reconoce y constituye la filiación. Ausente y presente, invisible y manifiesto, trascendiendo radicalmente a la naturaleza, pero, sin embargo, próximo en una intimidad sin igual, tal aparece desde entonces la paternidad de Dios. El Padre a quien llama el hombre en sus tribulaciones no es más que el lejano reflejo y la vaga prefiguración del Padre que se revela en la experiencia de Cristo.

La paternidad de Dios se realiza igualmente en el plano de las relaciones religiosas de la humanidad sobre el que arrojan una luz decisiva dos textos de San Pablo: «Dios estaba en Cristo reconciliando al mundo consigo» (2 *Cor.*, 5, 19), y también: «Porque los que son movidos por el espíritu de Dios, ésos son hijos de Dios. Porque no habéis recibido el espíritu de siervos para recaer en el temor, antes habéis recibido el espíritu de adopción por el que clamamos: '¡Abba, Padre!'» *(Rom.*, 8, 14-15).

La eficacia de la palabra paternal transforma a los hombres en hijos de la paternidad divina, conjugándose la revelación vertical con la horizontal. El Padre no es una idea suprasensible, ni un modelo de espiritualidad, ni el Omnipotente rival de los Prometeos terrestres, ni el principio interno de una expansión cosmovital, ni tampoco el *alter-nos* que desposa nuestra historia. Dios se hace Padre para el hombre, por la palabra, que introduce una separación entre lo visible y lo invisible, y que, sin embargo, instaura la filiación más allá de la distancia y de la rebelión.

La historia religiosa repite, resume y perfecciona, la historia originaria de la humanización del hombre. Consintiendo a la palabra que le constituye como hijo, en la promesa de la herencia paterna, el hombre accede a la filiación auténtica, y, como en el plano humano la palabra le humaniza, en el plano religioso la palabra le diviniza [47]. Dios-Padre no es ya el simple correlato de los deseos humanos porque, en el Eros religioso, la palabra del Padre introduce la ruptura y la distancia. La unión con Dios no se realiza ya en la fusión, puesto que «habitando en la luz inaccesible» Dios es inalcanzable por el esfuerzo afectivo espontáneo. Si Dios es el término de las aspiraciones humanas, su satisfacción sigue estando más allá de sus posibilidades, de manera que la felicidad se promete como el término de una historia progresiva, sin descubrirse en el retorno a los orígenes inmanentes.

La paradoja de la paternidad divina culmina en la condensación de toda la gama de valores paternales sublimados, y Dios, autor de la promesa, es también su objeto. Mas invisible aún en virtud de la palabra que instaura el lazo de filiación, Dios es, al mismo tiempo, Aquel que se promete a la contemplación última, de manera que la palabra y visión aparecen como dos líneas convergentes en el mismo centro divino.

[47] Limitándonos al examen de las estructuras psicológicas, pasamos en silencio un elemento esencial en la doctrina cristiana y en la experiencia de los místicos: el Espíritu de Dios presente en el interior del hombre, y gracias al cual éste consiente a la palabra y reconoce con ello al Padre. Un estudio de la experiencia cristiana propiamente dicha debería desarrollar el tema de esta presencia interior por la cual Dios se revela al hombre en el corazón mismo de su conciencia.

La psicología religiosa que tiene por misión explorar la experiencia, la actitud, la creencia, y el comportamiento religioso, incumpliría su misión si no prestara la debida atención a la relación vívida, que los creyentes mantienen con este Dios-Padre a quien confiesan.

A. LA CULPABILIDAD

La exposición realizada sobre el símbolo del Padre, introduce naturalmente en una psicología de la culpabilidad, puesto que la función paternal en la génesis de la experiencia humana o religiosa, se define por la palabra que es a la vez prohibición, reconciliación, y reconocimiento.

La culpabilidad juega en tres niveles psicológicos y en tres niveles religiosos. En primer lugar, existe el tabú, del que hemos hablado en el primer capítulo. La culpabilidad aparece en él como el temor instintivo de aquello que se siente como una amenaza hacia los valores vitales, el extranjero, la sangre, la muerte, el sexo, la vida. Para el sentimiento, todo aquello que parece cargado de un poder oculto (el *mana)* se experimenta como objeto hórrido y fascinante, de lo que nos ofrecen innumerables ejemplos la etnología y la psicología clínicas. Lo sagrado puede tomar cuerpo en el tabú psicológico, que entonces adquiere un valor religioso[48]. Así se explica psicológicamente, el hecho de que un enorme potencial de culpabilidad, que se tiene por cristiana, pueda cargarse en faltas sexuales de menor importancia. La culpabilidad sexual incrementa su intensidad bajo la influencia de un segundo proceso que la psicología clínica ha aclarado suficientemente: los impulsos sexuales se relacionan espontáneamente con la prohibición del Padre. La falta sexual se

---

[48] Cf. J. GOETZ, "Le péché chez les primitifs, Tabou et péché", en *Théologie du péché,* París-Tournai, 1960, pp. 125-188, en especial pp. 172-174.

refiere así a Dios por dos motivos de orden psicológico, puesto que el sexo depende de lo sagrado-tabú, a la vez que Dios dobla la figura del padre en el sentido edípico de esta figura. Es inútil señalar que tal culpabilidad carece de un valor propiamente religioso, y que es de carácter simplemente pre-religioso, de manera que su referencia a Dios permanece oscura y exige ser purificada y decantada de los residuos de afectividad, explotados todavía con demasiada frecuencia en la actual pseudoeducación religiosa.

Un segundo nivel de la culpabilidad aparece con ocasión de la herida narcisista. El sujeto que comete la falta, se siente disminuido, degradado y rechazado por la sociedad, y esta vez la falta se mide espontáneamente atendiendo a la imagen ideal que el sujeto se da inconscientemente a sí mismo. Se puede hablar aquí de culpabilidad sociológica, porque la imagen ideal del *yo* se elabora siempre atendiendo a la opinión social. En nuestro segundo capítulo hemos mostrado, de acuerdo a los datos aportados por las dos encuestas citadas, que, entre los adolescentes, la culpabilidad es en gran parte narcisista y sociológica. La religión les sirve de medio para restaurar en sí mismos la imagen ideal rota y reintegrarse moralmente en la sociedad. También en esta ocasión el tenor propiamente religioso de la culpabilidad es bastante débil.

Las dos primeras formas de culpabilidad, propias de lo puramente natural y psicológico, pueden fijarse bajo el efecto de la represión, y en consecuencia actuar sobre el hombre a partir de su inconsciente, en cuyo caso la culpabilidad se convierte en una enfermedad psíquica de la que más adelante tendremos ocasión de tratar.

La culpabilidad no se hace verdaderamente religiosa más que si la falta es reconocida como falta personal ante Dios. La falta religiosa, el pecado, no puede, por lo tanto, juzgarse sino a través de la ley del Padre y sólo así puede descubrirse el mal en su verdadera dimensión; esto es, como rebelión y ruptura del pacto fundamental que une al hombre con Dios.

Nuestra definición, aparentemente clara, oculta grandes dificultades psicológicas de las que es preciso darse cuenta, bajo pena de falsear la conciencia religiosa. La repugnancia que tantos no creyentes manifiestan frente a la culpabilidad religiosa, y lo molesto que frecuentemente los creyentes estiman el reconocimiento de las faltas repetidas, nos prueba que la experiencia humana y las fórmulas religiosas no concuerdan siempre.

La experiencia ejemplar de San Agustín nos ofrece un buen punto de partida para establecer una psicología de la falta religiosa [49]. San Agustín escribió sus *Confesiones* para reconstruir la historia de su conversión, y el mismo título de *Confesiones* pone de relieve que se trata, a la vez, de la adhesión confiada a Dios, y el juicio realizado bajo la mirada de Dios, sobre todas las faltas pasionales y los errores intelectuales anteriores. Antes de reconciliarse con Dios por el bautismo, Agustín no conocía la relevancia verdadera de sus faltas. La culpabilidad religiosa es, por lo tanto, un doble movimiento de asentimiento a Dios, y de reconocimiento del pasado que esta acción de la gracia descubre como un pasado de extravío. La palabra presente de Dios arranca el pasado del olvido, lo desmitifica en el acto mismo de la reconciliación y el perdón. La conciencia religiosa de la falta está, en consecuencia, naturalmente orientada hacia el futuro, y su visión retrospectiva del pasado, es una renovación de la existencia con vistas a su superación. La culpabilidad religiosa es lo contrario de la culpabilidad psicológica, hecha de angustias, de recuerdo autopunitivo, de huida y de aislamiento psicológico. La conciencia religiosa suprime el lastre de la impureza afectiva que arrastra con ella la falta psicológica; es decir, que antes del reconocimiento y la reconciliación, no hay verdadera falta religiosa reconocida como tal, y que la falta religiosa es

---

[49] Para un análisis detallado y más profundo, cf. J. M. Le Blond, *Les conversions de saint Augustin*, París, 1950.

superada en el momento mismo en que se manifiesta a la conciencia del sujeto como tal falta religiosa.

El estudio psicológico de la falta, debe preservarnos de la tendencia a endurecerla y a sustantivarla, porque ésta puede degradarse en odio de sí mismo, al resbalar fácilmente hacia esa actitud servil y feminoide, tan frecuentemente denunciada por Freud, Hesnard y tantos otros. En efecto, desde que el sujeto se coloca ante Dios, reuniendo bajo su mirada sus deseos y sus pasiones, intenta imputarles retrospectivamente el mal en el instante mismo que lo percibe en ellos, llegando así a no ver los deseos y las pasiones humanas más que desde el ángulo del mal. Ello equivale a olvidar que el hombre, en cuanto ser de impulso y de deseo, no es ético y religioso por naturaleza, sino que lo llega a ser. En el juicio maniqueo sobre las faltas pasadas, el hombre religioso coincide con ciertos psicólogos, que se mecen en la dulce ilusión de una educación y una existencia exentas de faltas y de culpabilidad.

De hecho, la buena conciencia no es otra cosa que la mala conciencia en vías de superación. El bien es fruto de la exclusión de un mal premoral, de una pasión que no conoce ni límites ni leyes. Desde el punto de vista psicológico, no es por puro azar el que los mandamientos del decálogo se formulen negativamente con la sola excepción de los dos imperativos que exigen respeto a Dios y a los padres. La falta se revela en su significación religiosa en el momento del reconocimiento y de la aceptación lúcida y confiada de una falta oscura, en gran parte inconsciente, que precede al asentimiento a la palabra divina. Por el asentimiento a Dios, el hombre se libera de la falsedad sobre sí mismo, con la cual velaba, más o menos voluntariamente, su comportamiento.

Es por lo tanto propio del devenir humano, el que toda fe religiosa sea al mismo tiempo un reconocimiento de la falta; pero un reconocimiento demasiado insistente y repetido suena frecuentemente a falso y deja transparentar un resentimiento contra sí mismo y un despecho malsano, de manera que se habla frecuentemente de pecado como si el hombre lo hubiera realizado lúcidamente, por mala voluntad deliberada, mientras que en realidad, antes del reconocimiento en la fe, el hombre no tiene conciencia clara de su falta en cuanto a su relevancia propiamente religiosa. Para el que sabe reconocerse en ella, resulta claro que la insistencia en la gravedad del pecado expresa un orgullo puritano o, en términos psicológicos, un narcisismo moral. Se habla de la falta como si el hombre fuese capaz de evitarla. La psicología, por el contrario, confirma la sabiduría de la experiencia humana, puesto que al enraizarse en el deseo, la ética y la religión son necesariamente dinámicas y conquistan lo puro sobre lo impuro, el bien a partir del mal.

En *Malestar en la Cultura,* Freud insiste en la necesidad de la culpabilidad psicológica que se mezcla por doquier a la experiencia de una humanidad en desarrollo. El hombre, dice Freud, debe aceptarla y renunciar a la nostalgia de una pureza que no es humana. Impresionado por el testimonio de los santos que experimentaban con profundidad radical este dolor de la culpabilidad, Freud extrajo la conclusión de que la religión no es capaz de suprimir este dolor, sino que a fin de cuentas lo confirma y la agrava. Este juicio nos parece a la vez verdadero y falso. Ciertamente, los santos son más conscientes que los otros hombres de la falta religiosa, pero por ello mismo su culpabilidad es religiosa y no psicológica. Su sentido del pecado no es otra cosa que el reflejo de una confianza acrecentada en la reconciliación filial con Dios, y en ellos, el reconocimiento de la ley del Padre y la conciencia culpable resultante, no son más que el momento negativo de una reconciliación que les lleva hacia una seguridad de perdón y de pacificación.

En diversas ocasiones nos hemos referido a la encuesta realizada entre 1.800 adolescentes belgas, que en esta ocasión también nos proporciona luminosas informaciones sobre el problema de la culpabilidad. Las cotas más elevadas de temor de Dios, se encuentran en los sujetos que, de otra parte, manifiestan una actitud religiosa menos espiritualizada, como es el caso de los adolescentes que siguen enseñanzas técnicas y de los obreros; pero los mismos sujetos presentan las cotas más bajas en cuanto a la categoría de Dios misericordioso y son igualmente ellos quienes expresan el grado más violento de rebelión contra Dios. Por su parte, los alumnos de humanidades clásicas y los universitarios, presentan las cotas menos elevadas en lo que al temor de Dios se refiere, pero, al contrario, muy elevadas en cuanto a la misericordia divina, pudiéndose concluir de todo ello, que la formación humana y religiosa rudimentaria, recibida en un clima de inferioridad social, intensifica la conciencia del juicio divino como instancia opresiva. La escisión entre la prohibición y la reconciliación, abre la dialéctica de señor y esclavo tal como la ilustraron Hegel y Marx.

B. CONCLUSION

El examen de los hechos religiosos, nos hace descubrir principios religiosos que escapan a la crítica de las motivaciones psicológicas en el sentido propio del término. Los dos principios que hemos sacado a luz, por una parte el deseo de Dios, y, por otra, en el polo opuesto, la imagen paternal como evocación simbólica de Dios, recogen los temas que hemos encontrado en el curso de nuestra investigación sobre la experiencia religiosa.

El deseo de Dios abre al hombre hacia una orientación religiosa, que la tipología ha calificado de mística; esto es, la búsqueda de una unión inmediata, de una experiencia directa que satisface las aspiraciones a una felicidad integral. Hemos señalado las formas muy diferentes que puede adoptar la religión mística, desde el vitalismo y el panteísmo, a la versión teísta e incluso cristiana, y hemos examinado especialmente sus fundamentos y sus estructuras psicológicas. El deseo de Dios se vincula al Eros, potencia afectiva e imaginativa, orientada hacia una felicidad de unión y armonía. El Eros remonta a un estadio precoz de desarrollo psicológico, en el que la fase narcisista de la unión dual del niño y la madre deja en el hombre un recuerdo arcaico de plenitud afectiva. Al examinarlas, diversas experiencias aparecen como tentativas de recuperar esta felicidad inicial, como es el caso de las experiencias de fusión con lo sagrado, la nostalgia del paraíso perdido, y las experiencias que hemos llamado cenitales, a las que, aun poniendo en duda su carácter de religiosas, ya que constituyen una regresión afectiva más acá de toda relación personal con el Otro, reconocemos su carácter pre-religioso en cuanto experiencias unitivas, que, al considerar el universo en una perspectiva de unidad, pueden constituir una preparación a la experiencia religiosa, aunque ni el sentimiento de lo infinito, ni la unión que satisface el deseo, son Dios.

En una concepción teísta, el deseo religioso puede ser un poderoso resorte de la vida religiosa, y la historia de la tradición monástica está jalonada por el cultivo y el ahondamiento del deseo de Dios. Sin embargo, si el deseo de Dios orienta todavía hoy las vocaciones propiamente religiosas, se hace cada vez más raro en un clima que no le favorece. Hemos subrayado la profunda transvaluación que el cristianismo realiza en el deseo religioso; Freud, por su parte, prescinde de un sector importante de la mística cristiana, cuando denuncia con vigor el carácter regresivo de la experiencia oceánica, que por otra parte identificaba con la mística.

La madre nos ha aparecido como la figura específica del deseo «místico», al simbolizar el manantial vital y la unión que proporciona la plenitud de la paz. En las religiones vitalistas y mistéricas, que celebran la participación en el misterio de la vida cósmica, abundan los simbolismos maternales, pero esta tendencia religiosa, centrada en el simbolismo maternal, parece resurgir en el corazón mismo de la psicología jungiana, que, efectivamente, puede definirse como una especie de mística científica de la reintegración de sí mismo y del mundo.

Aun negando el calificativo de religión a ciertas corrientes místicas, no hemos dejado de subrayar tampoco las cualidades maternales de la religión, como es el hecho de que la experiencia arcaica de la felicidad prefigura la realización del hombre en Dios. A la inversa, la negativa integral de estos valores o su desfiguración por una herida precoz, repliegan al hombre en sí mismo, y destruyen los vectores afectivos profundos, susceptibles de conducir a Dios. Estos motivos nos hacen insistir, siguiendo a Rümke, en las condiciones afectivas que hacen posible un progreso religioso. Tenemos la convicción, de que tales experiencias se hacen ante todo en los errores preconscientes de los primeros años, y que, antes de la toma de conciencia propia de la pubertad, el niño debe sentirse ligado a la totalidad, percibida a través del amor maternal y la protección paternal; la experiencia familiar le abre así un reino de felicidad, en el que encuentra la posibilidad de fundarse y de realizarse.

Cuando el deseo no se transforma al contacto de lo real, la fijación maternal no se limita a sumergir al hombre en un misticismo regresivo, sino que puede incluso arrastrarle a experiencias propiamente patológicas, y es así cómo, más allá de la nostalgia de la madre, hemos llegado a percibir la fascinación de la muerte.

El principio de lo real rompe la unión afectiva instaurando la relación con el otro, en la que el Dios Totalmente-Distinto puede hacer su aparición. El padre es la instancia que introduce lo real en las profundidades afectivas; su palabra exorciza la fascinación. Mediante las relaciones diferenciadas que establece con los dos polos de la constelación familiar, la larva humana que es el niño, se estructura y humaniza progresivamente.

En el conflicto edípico, la figura paternal se revela en su verdadera función, puesto que el padre es a la vez el autor de la ley que prohíbe, el modelo a quien el niño puede identificarse, y el garante que promete la dicha futura. En la unión afectiva de la madre y el niño, introduce la renuncia y la orientación dinámica hacia un futuro por construir.

Por la función que le es propia, el padre evoca a Dios bajo otros rasgos que los de protector, más bien maternal, del sujeto atribulado. Dios se presenta, en efecto, con las mismas cualidades que el padre, autor de una ley moral, formulada negativamente en razón de la exigencia de espiritualización que contiene, modelo de santidad a imitar, y, en fin, providencia por la donación de una promesa que orienta al hombre, no ya hacia el paraíso arcaico de sus deseos, sino hacia una felicidad final cumbre de la espiritualización humana.

Nuestro diálogo con Freud nos ha permitido conocer el valor simbólico del padre. Por el contrario, el fracaso de su tentativa de explicar la fe judeo-cristiana, nos confirma en la convicción de que la psicología no es capaz de deducir a Dios de la simple imagen del padre humano, sino que ha de contentarse con manifestarnos la analogía estructural existente entre la relación niño-padre, hombre-Dios, coincidencia que nada tiene de fortuita, porque, al mismo tiempo que se humaniza en sus relaciones familiares, el hombre llega a ser capaz de acceder a la verdadera dimensión religiosa.

La paternidad de Dios es, sin embargo, más completa que la del hombre, puesto que aparece como la armonía de los contrarios, reunificando todas las cualidades parentales. El deseo de Dios puede, por lo tanto, orientarse hacia El; por la transformación que opera el simbolismo paternal, el deseo puede esta vez, acceder a la unión con Dios, que no amenazará ya el reconocimiento verdadero del Totalmente-Otro, en su alteridad irreductible.

Los estudios positivos, nos han mostrado que la imagen paternal se presenta, efectivamente, en sujetos cristianos, como más compleja que la imagen maternal, y que puede, por lo tanto, servir de intermediario con el ser divino, pero, a su vez, la imagen de Dios se revela todavía más compleja, realizando la síntesis dialéctica de ambas figuras parentales.

De esta paternidad divina la teología cristiana despliega todo el contenido. El don divino, el reconocimiento condicionado por la ley, la instauración de la filiación, tales son las señales decisivas de Dios. Una psicología de la culpabilidad debe, por lo tanto, medirse con la palabra del juicio y del reconocimiento. El pecado, por consiguiente, se distingue radicalmente del tabú y de la herida narcisista, a las cuales muchos creyentes conceden en su juicio de culpabilidad una parte excesivamente importante.

Las teorías psicológicas se muestran aún más insuficientes cuando pretenden explicar la creencia en la paternidad divina a partir de las solas aspiraciones humanas. El término de «proyección» religiosa no recubre aquí la menor realidad psicológica. El de «transferencia» de cualidades paternales sobre Dios, es más apropiado, a condición de que se respete la distancia que separa la imagen del padre de la de Dios. Tal es la razón, por la cual hemos preferido el término de simbolización expresiva; a través de la figura humana, el hombre puede tender intencionalmente hacia la realidad de Dios, puesto que la historia humana y la historia religiosa se realizan según las mismas leyes.

Bien entendido que hemos examinado los símbolos de Dios solamente en una realización propiamente religiosa. Sería necesario, además, describir todas las falsificaciones de las simbolizaciones religiosas, y toda la gama de sus reflejos. Hemos analizado lo uno y lo otro en el estudio de la motivación. Podemos, igualmente, referirnos a Simone de Beauvoir, cuando describe la erotización de la figura paterna, por la niña que busca un apoyo viril en su solitaria adolescencia. Queda por aclarar si en todas las máscaras que pueden denunciarse, no se oculta el valor simbólico. Menos puritanos tal vez, e instruidos por las lecciones de la psicología, preferimos creer en el carácter mixto de los comportamientos humanos. Bajo apariencias, que desfiguran sus deseos excesivamente humanos, el hombre no deja de tender, de una u otra forma, hacia una cierta imagen del Dios trascendente. Sería presuntuoso querer separar la aspiración humana de la intención religiosa.

CAPITULO IV

LA ACTITUD RELIGIOSA, SUS TENSIONES Y SU ESTRUCTURA

Los dos primeros capítulos estaban consagrados a las formas espontáneas de la religión. Hemos considerado, en primer lugar, la percepción de los signos del mundo que remiten al Otro, a quien la religión llama Dios; a continuación, nos hemos detenido en el estudio de los motivos afectivos y pasionales que proyectan al hombre hacia su Dios, en una demanda insistente de ayuda y de satisfacción. En los dos primeros análisis, nos hemos limitado a constatar que la religión, en el sentido plenario del término, es un asentimiento personal que trasciende estos movimientos religiosos espontáneos, consagrando, al asumirlos de una manera deliberada, las primeras intuiciones que hasta entonces habían quedado mudas. Con confianza y lucidez, la religión toma a su cargo las creencias heredadas de la sociedad, y decanta los sentimientos y las necesidades naturales. A esta religión personal, reservamos el término psicológico de *actitud,* distinguiéndola de la experiencia primera y de los movimientos religiosos espontáneos y motivados.

Esta actitud religiosa personal, hemos visto en el tercer capítulo, que no resulta simplemente de la desmitificación de los motivos religiosos espontáneos, sino que ha de pasar por el símbolo del Padre, instaurando así un lazo nuevo entre el hombre y Dios, salvaguardando la distancia y la alteridad establecida entre ellos a pesar de su íntima unidad. El lazo de filiación, permite que Dios se afirme plenamente como tal Dios, y diviniza al hombre sin privarle de su condición humana. En la filiación, el deseo de Dios se transforma en presencia ante Dios, y las peticiones vitales que le eran dirigidas se convierten en responsabilidad consciente ante el Reino del Espíritu.

La actitud religiosa, por lo tanto, deja tras sí la religiosidad ingenua de los primeros estadios de la evolución psíquica del hombre. Naciendo paso a paso, a partir de la resolución de las tensiones y conflictos sucesivos, aparece como una forma religiosa muy diferenciada y altamente personalizada.

Identificando la verdadera religiosidad con la actitud religiosa, tal como la entendemos, somos plenamente conscientes de optar por una interpretación que milita contra una corriente muy difundida en los estudios de psicología de la religión. Esta toma de posición no podemos justificarla enteramente en tanto que psicólogo; pero no hemos dejado de apoyarla, al menos parcialmente, en razones válidas. De una parte, la tradición judeo-cristiana que nos sirve de guía, nos enseña que la verdadera religión se establece en un trabajo de purificación de las idolatrías espontáneas. Por otra parte, la psicología dinámica, ampliando el campo de su problemática, nos muestra que entre el hombre y sus valores esenciales, no existe armonía preestablecida. El hombre debe crearlos a costa de grandes esfuerzos y mediante la crítica permanente de sus ilusiones y de sus alienaciones. Esta doble referencia al judeo-cristianismo, y a la psicología dinámica nos autoriza a considerar la actitud religiosa como la realización de la religiosidad auténtica.

En el presente capítulo nos dedicaremos a explicitar los elementos y las tensiones internas que constituyen la actitud religiosa; después de una definición del término psicológico de *actitud,* veremos cómo éste se organiza según las tres dimensiones del ser humano: el tiempo vivido, el compromiso en las realidades terrestres y las relaciones entre persona y sociedad. La actitud religiosa, en efecto, reinterpreta el pasado en función de futuro, y diferencia los valores humanos para reunificarlos en el nivel religioso, realizando una síntesis entre el devenir personal y la solidaridad social.

En un tercer apartado, examinaremos el hecho psicológico de la conversión religiosa, que, desde el punto de vista de la psicología de la religión, representa un fenómeno privilegiado en el sentido de permitirnos observar claramente cómo la actitud religiosa puede definirse a través de las experiencias y las resistencias.

En un cuarto apartado, en fin, examinaremos la tensión profunda que enfrenta la autonomía humana y el asentimiento religioso, convergiendo, por último, todos los análisis anteriormente realizados, en la paradoja y antinomia en la que se anudan los problemas esenciales de la actitud religiosa.

I. DEFINICION PSICOLOGICA DE LA ACTITUD

La misma palabra lo dice: la actitud es una manera de ser frente a alguien o frente a algo, es decir, una disposición favorable o desfavorable que se expresa mediante palabras y mediante un comportamiento. A primera vista ya la actitud aparece constituida por tres elementos: es una conducta total (una manera de *ser),* en relación intencional al objeto dado (con *relación* a), y puede realizarse (es un *comportamiento)*[1]. Vamos a tratar sucesivamente cada uno de estos tres elementos, analizándolos uno tras otro.

En cuanto manera de ser o en cuanto conducta total, la actitud integra una pluralidad de funciones. Los procesos afectivos, volitivos, cognitivos, se organizan en ella en una estructura compleja. En una palabra, el conjunto de relaciones concretas de conocimiento y de afectividad,

---

[1] Cf. *Les Attitudes, Symposium de l'Association de psychologie scientifique de langue française,* París, 1961.

que, en el curso de su historia, el hombre establece con las personas y las cosas y que determinan su personalidad original.

Los procesos psíquicos no se desarrollan en circuito cerrado, sino que están en relación continua de intercambio con el mundo, y tanto la afectividad, como la inteligencia, se desarrollan en un contexto social, de manera que la actitud es siempre personal y social [2].

Por ser fruto de la interacción de diversos procesos psíquicos y del intercambio entre el individuo y su medio socio-cultural, la actitud es una estructura dinámica, un equilibrio evolutivo, y se caracteriza, en consecuencia, por una cierta estabilidad a la vez que por su apertura al intercambio con el mundo. La estabilidad y la integración, no alcanzan el mismo nivel en todos los individuos. Los adultos realizan ordinariamente una integración más elevada que los niños; sin embargo, es frecuente que, incluso el adulto, no haya llegado a estructurarse suficientemente. Regiones enteras de la existencia, pueden permanecer inasimiladas en la personalidad, y la religión, por ejemplo, puede reducirse a la periferia de la existencia personal, o bien la vida afectiva puede encontrarse agobiada por una voluntad de éxito profesional. Esta falta de integración puede ser ocasión de conflictos entre diferentes regiones de la personalidad, e incluso puede ocurrir que, a causa de una exclusión radical y precoz, los vectores dinámicos reprimidos constituyen otros tantos núcleos extraños a la persona, lo que constituye el supuesto de la existencia propiamente patológica.

Dos procesos, sobre todo, juegan un papel esencial en la estructuración de las actitudes: el complejo de Edipo y el aprendizaje. El capítulo anterior ya ha subrayado la profunda influencia del complejo de Edipo. Antes del Edipo, el niño tiene ya su carácter, pero su personalidad sólo se diferencia y estructura a través del Edipo y a

---

[2] Cf. H. C. J. DUYKER, "Les attitudes et les relations interpersonnelles", en *Les Attitudes,* p. 86.

través de su repetición en el curso de la adolescencia. El aprendizaje no modifica la persona tan profundamente como el Edipo, pero contribuye en gran parte a la formación de las actitudes, dado que la personalidad se elabora a través de los intercambios que mantiene con los objetos, con los demás hombres, y con su medio cultural. Por otra parte, hemos puesto de relieve más atrás la importancia del mensaje religioso, único capaz, al parecer, de descifrar las huellas religiosas existentes en el mundo. Pero el aprendizaje, no instaura una actitud en tanto que no impregna verdaderamente la persona. Es preciso que ésta se apropie las enseñanzas recibidas en lugar de conservarlas como un cuadro de ideas extrañas en su vida. Una actitud verdadera, se apropia los elementos aprendidos, haciendo de ellos su propia forma, asimilando las ideas recibidas en toda su profundidad personal y, sólo así, haciéndolos verdaderamente productivos.

La relación intencional a los objetos y las personas, constituye la segunda componente de la actitud. Esta, se encuentra orientada de una forma específica hacia objetivos que el hombre considera como dependientes de su propio campo de acción, rasgo que la diferencia del carácter, el cual «designa un modo de reaccionar más o menos general de una persona sin especificación de las situaciones y de los objetos a los cuales se aplica» [3]. Así, por ejemplo, la agresividad frente a la religión puede representar la actitud deliberada de un hombre que no tiene forzosamente «carácter agresivo», pero la inversa puede también presentarse. El término de habitud no conviene para expresar la relación intencional al mundo, aunque, en revancha, toda verdadera actitud, implica diversas habitudes.

Por sí misma la actitud no es todavía un comportamiento, pero en cuanto estructura personal abierta al mundo, predispone a un comportamiento favorable o des-

---

[3] R. Meili, "Les attitudes dans les réactions affectives", en *Les Attitudes*, p. 79.

favorable con relación a un objeto dado. Esta es la tercera característica de la actitud, porque, al representar una actitud personal, sus creencias están lejos de ser neutras desde el punto de vista emocional y práctico. Por el contrario, en la medida misma en que se encuentran integradas por el sujeto en su profundidad psíquica, las creencias se convierten en formas de orientación práctica que modifica el contorno del sujeto.

Aplicando nuestro concepto de actitud a la religión, resulta que se imponen distinciones cuyo estudio supondrá un cierto número de dificultades. La actitud es algo distinto de la opinión, la creencia, o el comportamiento religioso. En efecto, las creencias religiosas no constituyen necesariamente una actitud, y pueden no ser más que opiniones heredadas del medio social determinante o convicciones intelectuales, disociadas de la verdadera personalidad y que no transforman el sujeto, ni su medio. De otra parte, tomadas en el nivel objetivo de su contenido mental, las creencias pueden cargarse de numerosas connotaciones personales que determinan su verdadero sentido.

Para conocer el tono específicamente religioso de una creencia, interesa saber por qué razón la adopta el sujeto. Se puede simplificar la cuestión introduciendo en ella la distinción, fundamental en lingüística, entre lo significante y lo significado. Tomemos por ejemplo, la creencia en la paternidad de Dios. Hemos observado los elementos, numerosos y diversos, que pueden integrar el símbolo del padre. «Padre», es un significante fundamental, un símbolo primordial; pero, para los diferentes sujetos que se refieren a él, puede significar contenidos sumamente distintos a los que corresponderían otras tantas actitudes características. No sirve por tanto de gran cosa, el inventariar, pura y simplemente, las creencias de los sujetos, y ese tipo de encuestas no hacen más que recoger opiniones sin conseguir revelar las actitudes subyacentes. Numerosas escalas de actitudes religiosas, calcadas de encuestas sociológicas, no rebasan este nivel. No basta tampoco observar los comportamientos religiosos, sino que es preciso, por el contrario, el interpretar su sentido, esto es, explicar qué actitud expresan. Una práctica religiosa regular puede depender de influencias sociales, de una ansiedad mórbida, en grado no menor que de una convicción personal, y la ausencia de una práctica religiosa regular, por significativa que sea, no denota necesariamente una actitud religiosa menos firme; las influencias socio-culturales pueden bastar para explicarlas. Si, por lo tanto, la actitud se manifiesta siempre bajo una forma oral o comportamental, sus expresiones no dejan de estar sujetas a interpretación. Colocados ante el hecho de su ambigüedad, las técnicas psicológicas deben determinar las significaciones exactas que los creyentes atribuyen a los significantes de su fe.

II. LA ESTRUCTURA DE LA ACTITUD RELIGIOSA

Diversos psicólogos han señalado, que la actitud religiosa se caracteriza por su carácter englobante. Allport [4], se pregunta, incluso, si existe algún otro sentimiento que pueda compararse a la religión en cuanto a su capacidad para integrar la totalidad de los intereses humanos. En su opinión, el sentimiento religioso, llegado a un estado de madurez, parece ser el único factor psíquico capaz de integrar todos los componentes de la personalidad. Por su parte, French afirma que «la actitud del creyente tiende a estructurar y a unificar todos los aspectos del comportamiento» [5].

Ciertamente, la religión no es en todos los creyentes el factor dinámico que integra efectivamente el conjunto de sus comportamientos. Al término de su investigación

---

[4] *The Individual...*, p. 73.

[5] "The Structure of Sentiments. A Study of Philosophico-Religious Sentiments", *Journal of Personality*, 1947, pp. 209-244.

sobre la estructura de los sentimientos, French constata que, para unos, el sentimiento religioso está «superiormente organizado» y «constituye una parte integrante del *yo*», mientras que, para otros, la religión no está integrada en el *yo* sino superficialmente, permaneciendo al nivel del *super-yo*. Entre los primeros, la religión imprime una orientación positiva a la vida, mientras que, para los otros, se limita a «asegurar una función de defensa y a servir de escudo protector del *yo*».

¿Cómo podría ser de otra manera? Si por vocación la religión debe integrar toda la vida, no es en absoluto asombroso el que su poder real sobre la persona se vea frenado por obstáculos y profundas resistencias, y que la integración efectiva no se realice en muchos casos.

En el apartado siguiente tenemos el propósito de examinar el poder estructurante de la religión, considerándolo desde un punto de vista *a priori*. Examinaremos cómo se articula idealmente la integración que opera una religión abierta y dinámica, y, a la vez, trataremos de comprender mejor, por qué la estructuración religiosa de la persona es, en muchas ocasiones, desfalleciente; nuestro estudio aclarará las múltiples disociaciones que el hombre debe superar para obtener efectivamente la integración de la religión en su vida.

Inspirándonos en un esquema trazado por Allport[6], en su estudio sobre la formación de las actitudes, distinguiremos tres momentos de la integración religiosa: la asimilación del pasado, la diferenciación que se opera en el conflicto, y la imitación de un modelo. Estos tres momentos coinciden, de hecho, con las tres dimensiones de la personalidad, el tiempo vivido, el ser-en-el-mundo, las relaciones con el otro y con la sociedad.

---

6 "Attitudes", en C. MURCHISON, *A Handbook of Social Psychology*, Worcester, Mass., 1935, pp. 798-844.

A. LA INTEGRACION DEL PASADO

Como el pasado forma parte de la existencia, no se le puede rechazar impunemente. El olvido del pasado no salva el futuro, sino que, al contrario, es al excluirlo del presente, cuando se asegura al pasado que se trata de ignorar, la ocasión de mantener con insistencia sus efectos perturbadores.

Si existe una verdad incontestablemente establecida por la psicología clásica, es el hecho de que, para rescatarse en una orientación positiva hacia el futuro, el pasado debe ser aceptado y asumido, puesto que nadie puede borrar las huellas que el pasado ha dejado en la afectividad profunda. El pasado rechazado, se fija y actúa de manera autónoma sobre el sujeto, obligándole a un esfuerzo continuo de represión en el que sus fuerzas vitales se agotan en un combate estéril. El pasado que el hombre no sabe asumir libremente, se transforma en un segmento de conducta relativamente autónomo [7], en una montaje de actitudes estereotipadas. Las neurosis no son otra cosa que pensamientos, sentimientos, o comportamientos, que, a causa de represiones precoces y repetidas, llevan una vida autónoma en el sujeto, haciéndole una guerra permanente.

Lo mismo ocurre en la actitud religiosa. El mal que se ha cometido o padecido, los fracasos de los que se ha sido víctima o responsable, los sufrimientos que se han causado o soportado, deben ser reconocidos y asimilados so pena de lastimar y falsear la actitud religiosa. ¿Cuántas gentes no llegan a vislumbrar el futuro con una confianza religiosa, por la simple razón de que recuerdos abrasadores les entenebrecen el horizonte? Una oposición sin vías de solución entre una experiencia del pasado y la voluntad actual, imposibilita frecuentemente al hom-

---

[7] Cf. sobre este punto GOLDSTEIN, *Der Aufbau des Organismus,* La Haya, 1934, pp. 22 y ss.

bre para abrirse a una confianza religiosa. Citemos el ejemplo de Kyo, el héroe revolucionario que André Malraux pone en escena en *La condition humaine,* el cual, para librarse de un pasado que le persigue con sus recuerdos de horror, y despreciando el mensaje religioso que le propone un pastor, va a buscar la muerte voluntariamente en un atentado.

La conversión, por el contrario, se presenta siempre como una relección religiosa del pasado, que, reconocido en su verdad, permite al hombre religioso descifrar los signos de un futuro positivo. San Agustín nos da un admirable ejemplo en sus *Confesiones,* donde, reconociendo retrospectivamente su vida anterior a la luz de la fe, la juzga en verdad, y aprende a asumirla con confianza. Los grandes temas de la religión, encuentran una aplicación concreta en esta interpretación de la historia individual. La fe en la providencia de Dios no surge allí bruscamente como una búsqueda mágica y exasperada, sino que, al contrario, se manifiesta como el arte de descifrar con realismo, el sentido de la existencia. La fe en el juicio de Dios no expresa la angustia, hipnotizada por una mirada implacable, sino que es, a la vez, reconocimiento de la falta pasada y consentimiento a la gracia presente, que el convertido ve ya operante en todas las experiencias anteriores.

La religión bien comprendida es, por lo tanto, capaz de operar la integración del pasado, puesto que se encuentra bajo el signo de «con mayor razón» tematizado por San Pablo *(Rom.,* 5, 9, 15, 19). A los ojos de la fe, nada se pierde, y ningún sufrimiento es vano. Si la asimilación del pasado es la condición necesaria para la orientación religiosa de la persona, dicha asimilación es notablemente favorecida por la religión en razón de los principios de verdad y confianza que ésta asegura al hombre.

B. DIFERENCIACIONES, CONFLICTOS Y SINTESIS

A partir de los tiempos modernos, la religión no se sitúa ya en relación al mundo, como presencia difusa e inmanente propia de las mentalidades cosmo-vitalistas; tampoco en la perspectiva del fundamento constitutivo y de unificación arquitectónica que caracterizaba al cristianismo medieval. Todos los dominios profanos han conquistado, mediante luchas encarnizadas, su autonomía, liberándose de la huella de lo sagrado; y, sin embargo, la religión no puede permanecer extraña al mundo. Sin intentar, de momento, precisar el punto de inserción de la religión en el orden del mundo, observemos simplemente que la armonía entre el mundo y la religión plantea a todo creyente un problema crucial, afrontando el cual se constituye la actitud religiosa.

El universo del niño es aún, en gran parte, indiferenciado, pero el adolescente y el adulto participan inevitablemente del movimiento de humanización y de profanación o desacralización del mundo. La organización de la sociedad, la filosofía, e incluso la moral, se afirman en su autonomía frente a la religión. Cuanto más clara conciencia toma el hombre de sus facultades creadoras, tanto más, en vez de vivir en el reino de los misterios sobrenaturales, coloca su centro de gravedad en esta historia humana que él mismo construye. Lejos de escapar a esta nueva orientación el joven, no podrá concebir su religión sino en el cuadro de este mundo a-teo, siéndole por lo tanto necesario, distinguir los diversos dominios de la existencia, a la vez que encontrar en ellos un nuevo tipo de unidad.

Es decir, que la religión deberá desprenderse de las solidaridades primarias a las cuales estaba ligada. Efectivamente, la religión tiende a apropiarse de todos los valores que religan el hombre a sus orígenes, como la tradición familiar, los movimientos nacionales, los intereses de clase. Muy frecuentemente, los nacionalismos se apoyan en movimientos religiosos, y el principio *cujus regio illius et religio* no se refiere solamente al vínculo forjado por el azar de la historia, sino que expresa una ley profunda de la psicología, según la cual la religión aparece como el fundamento de las relaciones interhumanas. Ahora bien, la civilización moderna quiere asumir directamente sus principios sin intermediario, y tomar posesión de sí misma y del mundo. Desde que no lleva ya en sí los valores humanos, la religión se pone en peligro de encontrarse separada del mundo. El joven religioso deberá, por lo tanto, apropiarse los diferentes dominios de la existencia, reconocer su autonomía, y asumirlos en una actitud religiosa capaz de animarlos sin llegar a confundirse con ellos. Deberá aprender a integrar los particularismos humanos en su religión, sin por ello identificar la religión con lo humano.

Teóricamente, puede admitirse sin dificultad que la emancipación de lo profano restituya al hombre su libertad humana y a la religión su universalidad y transcendencia. En la práctica, cuando se ha realizado «la diferencia entre lo temporal y lo eterno», muchos creyentes se preguntan sobre la utilidad de Dios y de la religión [8] y no faltan apologetas que se arriesguen a señalar la utilidad humana de aquélla. Creemos, por nuestra parte, que en este sentido se desvían de la línea de progreso de la historia humana, esperando salvar la religión mediante su inserción en la red de solidaridades humanas. Utilizando la terminología del segundo capítulo, diríamos que tratan de motivar la religión, pero, desde la perspectiva aquí adoptada, el hombre debe, por el contrario, reconocer que la religión no tiene por misión contribuir a la edificación de un orden humano, sino abrir el hombre a una dimensión nueva, la relación con el Dios Totalmente-Otro.

Para que la religión pueda efectuar la nueva integra-

---

[8] "Mais alors, Dieu, pour quoi faire?" era el título de un número de *Jeunesse de l'Église*, París, 1951.

ción de los valores diferenciados y reconocidos en la plenitud de su autonomía, es preciso que se oriente hacia Dios considerado por sí mismo, única condición que permitirá a la religión ser suficientemente universal para englobar los intereses humanos sin alienarlos. En tanto que la religión emane de la profundidad oscura de la afectividad, se encierra en límites estrechos que reducen su universalidad. Una religión mágica, constituye siempre un enclave en el seno de la personalidad adulta, y es por ello por lo que usará ritos religiosos destinados a paliar una situación de miseria y de culpabilidad, sin llegar, sin embargo, a englobar la totalidad de la existencia del hombre. Igualmente, la dependencia temerosa frente a un padre protector, no lleva consigo más que una actitud servil y desconfiada respecto de toda empresa humana, incapaz, por lo tanto, de asumir la responsabilidad e inclinada a rehuir toda iniciativa.

Reencontramos aquí el problema del símbolo paternal y de su eficacia estructurante. La religión del Padre puede ser conservadora y hostil a la emancipación del hombre, e históricamente lo ha sido, tanto en el plano colectivo de las civilizaciones, como en el de la vida personal de los creyentes. Por su naturaleza, sin embargo, el reconocimiento del Padre debe liberar, a la vez, al hombre y a la religión, puesto que la religión del Padre es, por esencia, religión de la libertad de los hijos de Dios. Incluso fuera del cristianismo, la religión del Padre no debería fosilizar a los hombres en el temor de una mirada implacable y celosa; de la misma manera, el reconocimiento de un fin y de un supremo perfeccionamiento del mundo, no implica necesariamente la esterilización de las iniciativas de los hombres y la condenación de sus conciencias. Por el contrario, la religión que se estructura en el seno de una relación de filiación, se hace solidaria de todo lo humano, puesto que todo lo perteneciente al hombre adquiere un sentido y un valor para el Padre, a la vez que el hijo descubre en Su luz, que todo lo que daña al hombre y lo aliena ofende al Padre, puesto que El está con los hombres, hace con ellos su historia, y la dignidad de los hijos aumenta Su gloria.

«Un sentimiento religioso en gran parte emancipado de sus orígenes y convertido en funcionalmente autónomo, no puede considerarse como al servicio de otros deseos, incluso si su función inicial hubiera sido de este orden»[9]. A partir del momento en que la religión no es ya funcional, en el sentido de este término estudiado en el capítulo dedicado a las motivaciones directamente humanas, la religión se hace un poder dinámico, incluso para los valores humanos. Ampliando el horizonte del mundo, la religión contribuirá a instaurar una distancia favorable a la emancipación de los campos puramente humanos, pero su separación respecto del mundo humano no será, sin embargo, una ausencia inerte. La religión del Padre constituye, en efecto, un principio vivificante para el conjunto de las empresas humanas. Así liberada de las solidaridades excesivamente humanas, la religión del Espíritu podrá integrar de una manera dinámica todos los intereses humanos que haya contribuido a liberar.

C. IDENTIFICACION CON EL MODELO

Ninguna actitud humana puede estructurarse sin referencia a modelos. La importancia del complejo de Edipo reside, sobre todo, en la posibilidad de identificación que ofrece al niño. Preferimos aquí utilizar el término de *identificación* en vez de *imitación,* que sugiere, más bien, la asimilación interna en un comportamiento social. El término de *rôle,* al que las ciencias sociales recurren gustosas, evoca, por su parte, un cierto mimetismo en virtud del cual el sujeto calca sus actos sobre los que observa. La identificación va más allá, y permite al sujeto, asumir interiormente un sistema de comportamiento, y reorganizarse según el esquema asimilado; más bien

---

[9] ALLPORT, *The Individual...*, p. 64.

que imitar al otro, llega en cierta manera a *ser tal.* En lo más íntimo de mí mismo, el otro, a quien reconozco y a quien amo, se convierte para mí en un principio de comportamiento, no porque la identificación sea en mí objeto de introspección, sino, al contrario, porque cuanto más se hace principio de estructuración interna tanto más pierde el modelo su carácter de doble interior, para hacerse *yo* actuante. Por otra parte, lejos de alienarme, la identificación despliega en mí capacidades que antes no se habían organizado ni expresado.

Que la actitud religiosa se forma por la identificación con modelos, lo prueban los estudios sociológicos. En su gran mayoría, los hombres adoptan el estilo religioso de sus padres. De generación en generación la práctica religiosa se perpetúa en formas más o menos constantes [10], permanencia de la que, sin duda, dan cuenta en gran parte múltiples factores propiamente sociológicos, como es el caso del impacto psicológico de los recuerdos de la infancia, la educación, el aprendizaje, el clima cultural y espiritual de los grupos, e incluso las presiones sociales; pero en estas influencias sociológicas, creemos preciso reconocer también los efectos de la identificación psicológica, que consiste en la asimilación interior de los modelos sociales. En efecto, la experiencia nos muestra lo difícil que es para un hombre, llevar un estilo de vida religiosa diferente del de los padres. Estamos convencidos, que al profundizar el sentido psicológico de los diferentes factores sociales que contribuyen a formar la actitud religiosa, se llegaría a subrayar la importancia de la identificación.

---

10 Ver, por ejemplo, la encuesta realizada en Gante por J. VAN HOUTTE, *De Mispraktijk in de Gentse agglomeratie,* St. Niklaas-Waas, 1963, p. 146.

Identificación cristiana

Todas las religiones proponen sus modelos en la persona de hombres, de figuras divinas o míticas, cuya actitud original y paradigmática ofrece a la consideración de los creyentes. En la era cristiana, Cristo se presenta como el modelo fundamental. Jamás hombre religioso alguno ha vinculado, como El toda su predicación religiosa a Su propia persona. El criterio que se propone de la verdadera religión, no es, finalmente, sino la conformidad con Su propia manera de vivir; la tradición cristiana no ha sido sorda a estas palabras, y el tema de la *Imitación de Cristo* constituye el polo de convergencia de las diversas escuelas de espiritualidad.

En cuanto a la fe cristiana realmente vivida, por el común de los creyentes, en las encuestas realizadas entre intelectuales y adolescentes casi nunca encontramos referencias a Cristo. Sin duda, la religión es siempre más rica y más compleja de lo que dejan entender las expresiones conscientes, pero es significativo que a las cuestiones de la experiencia religiosa y sobre el fundamento de la fe en la Providencia, los católicos no piensan casi nunca en citar el testimonio de Cristo. No se puede evitar la impresión, de que la encarnación de Dios en Jesús no ha modificado, directamente al menos, su religión. Sin duda, los preceptos evangélicos inspiran más o menos la vida moral de los cristianos, y la institución eclesial por sus ritos y su enseñanza religa el hombre a Dios; pero no cabe duda de que se reconoce raramente a la persona de Cristo como el modelo de la actitud cristiana, y que no aparece visiblemente como el signo de Dios más que para un número relativamente restringido de fieles.

En su encuesta sobre *Dios y el adolescente,* el P. Babin[11] observa la diferencia que existe entre la fe de los católicos y la de los protestantes. Los adolescentes cató-

---

[11] *Dieu et l'adolescent,* Lyon, 1963, pp. 71 y ss. (trad. española: *Dios y el adolescente,* Barcelona, Herder, 1965).

licos no mencionan la persona de Cristo más que excepcionalmente; por el contrario, entre los protestantes, los adolescentes refieren mucho más habitualmente su fe en Dios, a la persona de Cristo [12]. Nueve de las ciento seis respuestas, mencionan incluso explícitamente a Dios como «Padre de Jesucristo» o como «nuestro Padre en Jesucristo»; en su conjunto, por otra parte, su terminología religiosa es más bíblica. Los jóvenes protestantes insisten netamente en el aspecto soteriológico de la fe, viendo en Dios, ante todo, al Salvador. El P. Babin se pregunta por qué los adolescentes católicos hablan tan poco de Dios, según la revelación que de El mismo nos ha hecho en Jesucristo; por qué expresan una idea de Dios tan sumamente primitiva y cuáles son las influencias respectivas de la enseñanza y de la psicología [13]. Haciendo nuestras sus preguntas, al terminar a la vez que él, nuestra encuesta entre 1.800 adolescentes belgas, llegamos a la conclusión de que una valorización unilateral de la divinidad de Cristo es responsable del relativo fracaso de la formación cristiana. La catequesis olvida con demasiada frecuencia cuál era la pedagogía religiosa del mismo Cristo. Efectivamente, Cristo se dirigía en primer lugar a los hombres al nivel en el que podían entenderle, a saber, el de una «sabiduría evangélica», y el de una experiencia de Dios como Padre de la que Cristo mismo es el modelo y el maestro. Es en su humanidad visible donde se transparenta su actitud filial hacia Dios. Existen numerosos cristianos, que en nuestra opinión no han tomado jamás conciencia de que Cristo era realmente hombre, y, a causa de una formación teológica desequilibrada, se inclinan a interpretar la humanidad de Cristo como un velo que cubre su divinidad. Sin embargo, es en la plenitud de su humanidad real, como Cristo es el modelo de la actitud religiosa, y donde se manifiesta como el revelador del Padre.

---

[12] *Dieu et...*, cit., p. 181.
[13] *Ibid.*, p. 72.

Pertenencia religiosa y religión sociológica

Asociamos la pertenencia comunitaria y la identificación, porque la sociedad, como tal, presenta igualmente ideales de comportamiento y modelos a imitar. Nos limitamos aquí a evocar esta dimensión social y la categoría de identificación, dejando a los lectores la tarea de remitirse a la abundante bibliografía de sociología religiosa [14].

Scherif y Courtrie [15] han mostrado que las actitudes del hombre son solidarias de su grupo de pertenencias. La comunidad es, por lo tanto, a la vez *objeto de una actitud*, en tanto que se adhiera a ella deliberadamente, y una *fuente de actitud*, en tanto que da los modelos de comportamiento y enseña los juicios de valor.

Los sociólogos consideran la pertenencia en sí misma como una actitud, y es, en efecto, una organización más o menos estable y dinámica, de la vida afectiva y perceptiva de los miembros. Desde nuestro punto de vista, consideramos la pertenencia como un elemento que interviene en la formación de la actitud.

Numerosos estudios de sociología religiosa, han mostrado que esta relación recíproca entre el individuo y la comunidad, se realiza igualmente en el caso de una actitud religiosa. El creyente, escoge el grupo religioso que representa y simboliza sus valores y sus conductas y, en revancha, la comunidad a la cual se adhiere inspira su actitud personal. Uno de los objetos particulares de la sociología religiosa, consiste en el estudio de las formas específicas de conducta religiosa suscitadas por las diferentes pertenencias.

Toda pertenencia no es, sin embargo, estructurante para la personalidad religiosa, y, por regla general, la

---

[14] Cf. M. ARGYLE, *Religious Behaviour* [3], Londres, 1965; H. CARRIER, S. J., *Psycho-Sociologie de l'appartenance religieuse*, Roma, 1960.

[15] *The Psychology of Ego-Involvments: Social Attitudes and Identification*, Nueva York, 1947.

pertenencia precede a la actitud personal. El hombre nace en una cierta cultura religiosa y forma parte de una comunidad antes de comprometerse en una opción personal. Sabido es el lastre que aquella pertenencia involuntaria, puede suponer para esta actitud. Es, precisamente, con vistas a purificar la religión de su anonimato sociológico, por lo que numerosas sectas intentan reclutarse exclusivamente sobre la base de adhesiones voluntarias, es decir, de conversiones, y los sociólogos consideran este rasgo, como una de las características distintivas de la secta. Se encuentran igualmente cristianos que prefieren no dar educación religiosa a sus niños, para permitirles adoptar en toda libertad, a la edad madura y mediante una elección personal, la fe religiosa. Las defecciones masivas entre los católicos (bretones o limburgueses, por ejemplo) que emigran hacia las grandes urbes, parece indicar que, por ser excesivamente tradicional, su fe no estaba asumida de una manera personal. Sin embargo, en nuestra opinión, este índice no deja de ser ambiguo, porque, si bien es verdad que una actitud auténticamente personal presenta un mayor grado de estabilidad, es más heurística y capaz de encarnarse en nuevas formas comunitarias, no lo es menos, que el hombre religioso, de una o de otra manera, precisa reconocerse en una comunidad dada, y si la distancia es excesivamente grande entre el antiguo y el nuevo medio social, el hombre encontrará con dificultad las formas que le permiten expresarse en él. Privada de modelos objetivos, su actitud religiosa estará casi infaliblemente condenada a morir de inanición.

Los intelectuales cuyos testimonios hemos recogido, insisten en la necesidad de encontrar la garantía de una fe objetiva en la comunidad religiosa. Desconfiando de las impresiones subjetivas, intentan descentrarse de sí mismos y verificar su fe por la autenticidad de una expresión comunitaria. Esta preocupación de vivir la fe en solidaridad con los otros, no emana de una necesidad de sostén o de aprobación social, sino que, por el contrario, procede de un juicio crítico de verdad, según el cual, es solamente verdadera, la actitud humana que se manifiesta en formas objetivas y universales y que se presenta, por lo tanto, en comunión con los otros.

Las defecciones religiosas que se constatan en numerosos creyentes separados de su comunidad y reimplantados en medios extranjeros, da todo su peso a una cuestión frecuentemente planteada por los psicólogos y sociólogos, sobre si existe o no una diferencia profunda entre la actitud personal y la afiliación institucional. La tendencia general, se inclina, fácilmente, a no tener por verdadera más que la actitud estrictamente personal.

Los resultados de las encuestas realizadas ponen de relieve que, en medios católicos, los adolescentes no han asimilado todavía su religión institucional. Su credo y sus prácticas cultuales, no parecen penetrar en su actitud ante Dios. ¿Cómo explicar, si no, la ausencia casi total de la mención de Cristo en sus respuestas? Las entrevistas y otros contactos personales, nos han convencido, de que la mayor parte de los cristianos viven dos planos, el de la personalidad individual y el de la personalidad institucional, pero sería erróneo restringir su personalidad a las solas convicciones y prácticas individuales, y habrá que decir más bien que su verdad es doble, puesto que la adhesión a la comunidad es, la mayoría de las veces, el efecto de una convicción deliberada. En este sentido forma parte de su actitud personal. En la comunidad encuentran una personalidad ampliada que no saben sostener sino por la identificación social e inmediata. La comunidad los transforma, y los eleva, por algún tiempo, por encima de sí mismo. Escuchando la palabra religiosa, y haciéndose visiblemente solidarios de su Iglesia, adoptan una actitud cristiana, incapaces de mantener en medio de sus otras solidaridades humanas, en lo profesional, lo familiar, lo intelectual, etc. En estos casos, es preciso considerar su pertenencia como auténticamente religiosa, pero reconociendo al mismo tiempo que el desnivel entre la personalidad individual y la personalidad institucional, atestigua una grave insuficiencia de su actitud religiosa.

A veces, en ciertos medios psicológicos, la cuestión de la solidaridad institucional se falsea por una óptica deliberadamente anti-dogmática y anti-constitucional. Existen psicólogos, en efecto, que consideran las desafecciones de los adultos, con relación a las instituciones y a los dogmas de su religión, como una señal de progreso en la actitud personal, lo cual, en nuestra opinión, no es cierto más que en los casos en que los creyentes se liberan de una institución a la cual no se adhieren sino en razón de una educación no asimilada o bajo la acción de presiones sociales; pero, desde el momento en que los creyentes se solidarizan con su comunidad religiosa, es evidente que su afiliación a la Iglesia confiere a su religión, un carácter más personal y mejor estructurado.

Citemos a este propósito el experimento realizado por Kelley[16], quien hizo el ensayo de medir la conciencia de afiliación religiosa y sus efectos, mediante la lectura de textos religiosos adaptados a diferentes poblaciones. Ello le llevó a constatar, que las actitudes presentan una mayor estabilidad, en los casos en que la lectura de textos despierta la conciencia de la afiliación religiosa, concluyendo que depende de la conciencia que se tenga de la pertenencia al grupo. Ello confirma nuestra interpretación de la personalidad institucional, pero Kelley observa igualmente que los sujetos de edad más avanzada, se dejan influir más difícilmente por el esfuerzo destinado a despertar en ellos la conciencia de su pertenencia. Desgraciadamente su estudio no nos orienta en cuanto a la calidad de la actitud personal de estos sujetos, e ignoramos si los adultos presentan o no una síntesis más profunda entre las dos personalidades, o si la búsqueda de una cierta unidad interior les ha conducido al abandono de la identificación institucional.

En la actitud religiosa, la identificación social reviste todavía otra significación muy específica y propiamente

[16] "Salience of Membership and Resistence to Change of Group-Anchored Attitudes", *Human Relations,* 1955, pp. 275-289.

teológica. De vocación comunitaria, la religión debe reunir a los hombres en una comunión fraternal, y el hombre no puede marchar ante Dios en toda verdad, sino cuando sabe asociar a los otros a su empresa personal, porque ante Dios, el hombre no está jamás solo, sino que la filiación es, por esencia, comunitaria, y por ello el sentido comunitario es un buen criterio para juzgar la actitud religiosa.

De nuestra exposición resulta, que la actitud religiosa es una de las más complejas, y que, entre los dos polos que la componen, no se realiza fácilmente la armonía. La actitud religiosa supone una gran libertad y una verdad integral frente al pasado, y exige un gran ardor y una gran luz para convertir el pasado en fuente de fe y en prenda de esperanza. La actitud religiosa requiere una superación de los condicionamientos naturales que ligan la religión a sus motivos afectivos, y sus solidaridades humanas, pero, al mismo tiempo, le es preciso animar e integrar el conjunto de los valores humanos sin reducirlos a servidumbre. A fin de cuentas, debe realizar la paradoja de ser a la vez una religión profundamente personal y extremadamente comunitaria.

Para el cristiano, la integración religiosa tiende a efectuarse por la identificación con el modelo único que es el Hombre-Dios. Nuestras encuestas atestiguan la dificultad de realizar la síntesis de estos diversos elementos, descubriendo en qué medida muchas formas religiosas son desfallecientes y, si ello no basta para convencernos, pensemos en las ambigüedades y los malentendidos de que, a lo largo de la historia, son responsables los diferentes grupos religiosos, como la negativa repetida a la emancipación humana, los privilegios concedidos a los particularismos grupales sobre la solidaridad humana, las tomas de posición en materia social o política que testimonian, más en favor de la vinculación a formas religiosas, que de una verdadera sinceridad humana. La dificultad para realizar semejante integración nos indica que la actitud religiosa no se realiza sin una previa conversión, que ha de triunfar sobre múltiples resistencias.

III. CONVERSION Y RESISTENCIA

Podemos profundizar el examen de la actitud religiosa, tomando como tema la conversión, que nos revela, efectivamente, con una intensidad particular, las tensiones que habitan en la actitud religiosa y el esfuerzo de verdad que ésta exige.

Al psicólogo [17], la conversión religiosa se le presenta como una disgregación de la síntesis mental y su sustitución por otra nueva síntesis, de manera que la conversión es una especie de reestructuración de la personalidad. El término de *conversión* se emplea frecuentemente, en psicología o en sociología, para designar el cambio de opinión en materia política, estética o social [18]. Sin embargo, es raro que tales conversiones afecten al hombre en su profundidad, mientras que una verdadera conversión religiosa alcanza siempre la raíz y el principio, en que se organiza la personalidad. Es en su alma misma, donde, al decidir su adhesión a una religión, el hombre se compromete en una nueva alianza con Dios, con los hombres, y con el mundo. Todo ello trataremos de demostrarlo en el presente parágrafo.

A. TIPOLOGIA DE LA CONVERSION

Cuanto más lejos está de las estructuras somáticas, tanto más amenazada se halla la tipología de hacerse compleja y arbitraria. Por lo tanto, no es nuestro propósito, construir un cuadro estructural circunstanciado a los diferentes tipos de conversión, sino definir cinco tipos

[17] Cf. M. T. L. PENIDO, *La conscience religieuse*, París, 1935, pp. 41 y ss.

[18] Así J. STOETZEL, *Théorie des opinions*, París, 1943, p. 307.

distinguibles merced al análisis fenomenológico y que se correspondan a procesos psicológicos distintos. En nuestra exposición, haremos abstracción de la conversión al cristianismo de los pueblos paganos, tema sobre el cual el lector podrá acudir a la bella monografía del pastor Allier [19], y tampoco abordaremos el problema de índole especial planteado por la conversión a una secta [20].

1. *La conversión de los movimientos de «revival»* (despertar religioso) ha sido estudiada sistemáticamente por la psicología religiosa, desde que, en 1899, Starbuck [21] le consagró una obra publicada bajo el título de *Psicología de la Religión,* primer estudio sistemático de esta materia. El autor analiza exclusivamente la conversión de los adolescentes en el medio evangélico, que era el suyo, avanzando incluso la tesis de que la conversión es un fenómeno propio de la adolescencia. Aun aceptando que esta ley no tenga el alcance universal que le atribuye Starbuck, no deja de ser cierto que el tipo de conversión descubierto por este autor es sumamente frecuente, incluso en los movimientos actuales de «revival» religioso, como, por ejemplo, el de Billy Graham. Una conversión de este tipo se desarrolla en tres tiempos. En el primero, el predicador se dirige a un sujeto neutro u hostil a la religión. Después, despierta en él sentimientos de desazón moral, fase depresiva en la que Leuba [22] distingue una sucesión típica de sentimientos, que intensifican progresivamente la depresión del candidato; a saber, sentimientos de culpabilidad, humildad, impotencia, miseria absoluta y desesperación. Llegado al punto cero, el predicador arrastra a sus interlocutores hacia una autosuperación en la entrega religiosa, que les permitirá reencontrar la paz del alma, fase ascendente, que Leuba descompone en una serie de

---

[19] *La psychologie de la conversion chez les peuples non civilisés,* 2 vols., París, 1925.

[20] Cf. H. CARRIER, *op. cit.,* pp. 71-84.

[21] *The Psychology of Religion,* Nueva York, 1899.

[22] "Studies in Psychology of Religion", *American Journal of Psychology,* 1896, pp. 309-385.

sentimientos simultáneos, como la esperanza, la confianza, la seguridad de salvación, el amor, la alegría, el sentimiento de novedad, la paz y la luz.

Lo característico de este tipo de conversión es, al parecer, la acentuación del aspecto de miseria moral. El mensaje de salvación es allí de importancia subjetiva muy particular, puesto que el sujeto busca salvarse de su desazón moral, y, por ello, es innecesario decir que el quebrantamiento efectivo confiere a tal conversión una intensidad dramática, a la vez que constituye igualmente su mayor fragilidad. Sin embargo, los sociólogos han pretendido verificar la importancia relativa de este tipo de conversión, incluso en aquellos medios que la favorecen especialmente. Señalemos, por ejemplo, la investigación realizada por Zetterberg [23] entre 376 fieles de una secta sueca, cuyos dos tercios son conversos. El 16 % de estos sujetos solamente, corresponde al tipo analizado por Starbuck, y hablan de un cambio repentino de «función» *(rôle)*, y de un brusco tránsito desde una vida de pecado, a la vida religiosa; para el 55,8 %, la conversión consiste en la identificación de una nueva función a realizar, de manera que, sin haber vivido en el sentido de pecado, ha hecho sin embargo la experiencia crucial de un determinado momento de certidumbre confiada en la fe; el 28,2 %, en fin, ven en una conversión la lenta asimilación a un *rôle* religioso.

2. *La conversión religiosa como solución de un problema humano*

El psicoanalista De Sanctis [24], distinguía dos tipos de conversión: la «conversión de renacimiento» y las «conversiones por sustitución de complejos». En el primer caso, según De Sanctis, un «complejo religioso infantil»

[23] "The Religious Conversion as a Change of Social Roles", *Sociology and Social Research*, 1952, pp. 159-166.

[24] *La Conversione Religiosa*, Bolonia, 1924, pp. 101 y ss.

despierta y se impone a la conciencia con ocasión de un incidente de fuerte valor emotivo. El segundo tipo de conversión, según De Sanctis, resulta de la lucha en la que se enfrentan dos sistemas psicológicos bien distintos. Entre los adolescentes, por ejemplo, las tendencias sexuales pueden bruscamente convertirse en tendencias religiosas, transformación que, recurriendo a la teoría psicoanalítica, De Sanctis llama sublimación.

Este autor ha tenido el mérito, de aislar el tipo de conversión por sustitución, y no es raro que los hombres descubran bruscamente en la religión la solución a sus perplejidades humanas. La religión puede, por ejemplo, asegurarles definitivamente un reconocimiento, hasta entonces vanamente esperado, de su medio humano, o bien les abre un remanso de paz, cuya ausencia se hacía sentir cruelmente en el tumulto de sus pasiones insatisfechas. Citemos, por vía de ejemplo, el caso de una muchacha gravemente deprimida y obsesionada por la idea del suicidio, que se sentía abandonada por su familia y sobre todo rechazada por su padre. En el curso de un viaje a Italia oyó una conferencia sobre la Iglesia, Cuerpo Místico de Cristo, y, de repente, se hizo la luz en su mente, descubriendo que, todo lo que deseaba hasta entonces, le era dado de una forma más maravillosa en la Iglesia, Cuerpo Místico de Cristo, portadora de una fuerza vivificante y de una comunión con los hombres. De hecho, la vida de Cristo, sensiblemente presente por los sacramentos, se comunica a la humanidad, contribuyendo a formar la gran familia humana unida en el amor. Sin duda, se trataba de una experiencia verdaderamente cristiana, de una conversión auténtica. Pocos son, incluso los cristianos, que han descubierto hasta ese punto el misterio de la Iglesia. La convertida experimentó durante algunas semanas sentimientos de paz y alegría, en el curso de las cuales, se hizo adoctrinar y bautizar. Su director espiritual, impresionado por la profundidad de sus intuiciones teológicas, le aconsejó incluso el ingreso en una Orden contemplativa... Mejor teólogo que psicólogo, parecía no darse cuenta de que, las llamadas vocaciones de crisis ceden frecuentemente ante las crisis de vocación. La realidad del Cuerpo Místico, admirablemente vivida durante algunas semanas, respondía en la convertida a una avasalladora necesidad de ternura y de fuerza vital. La depresión se reinstaló lentamente, ahogando su fe y minando su gozo y, más aún, la amarga decepción de una recaída en la neurosis despertó en ella todos los sentimientos anteriores de rebelión. Sin duda, conservó su fe en Dios y en la Iglesia, pero la religión se le había convertido en una carga pesada, y sentía gravitar sobre su persona la violencia de un Dios exigente, de quien no podía «librarse» y a quien no podía «matar». Fueron necesarios largos años para permitirle realcanzar, en cierta medida, las verdades que había presentido en la cumbre de una afectividad exaltada.

En este tipo de conversión encontramos bajo una forma exacerbada el proceso descrito al tratar los motivos de la religión; esto es, la misma situación límite de frustración, la misma anticipación afectiva de un valor sustitutivo, la misma decepción consecutiva al recurso religioso, y la misma necesidad de recorrer un largo camino de purificación afectiva, antes de reencontrar la fe ya entrevista en un relámpago afectitvo.

Señalemos también otro caso de conversión súbita, provocada en el curso de un tratamiento psicoanalítico, y del que Ch. Berg ha publicado una relación completa [25]. Esta vez, sin embargo, la conversión no fue más que una veleidad puramente subjetiva, motivada exclusivamente por necesidades afectivas.

---

25 *Deep Analysis. The Clinical Study of an Individual Case*, Londres, 1947, especialmente el capítulo VII.

3. *Conversión «progresiva»*

Toda conversión no es, sin embargo, tan dramática, y puede darse el caso de que un principio de fe religiosa, se elabore continuamente en la intimidad del sujeto, que al fin de un camino áspero, tanto en lo intelectual como en lo espiritual, llega a constatar, y no sin asombro, que se ha vuelto un hombre distinto. En su novela *Loss and Gain,* considerada como autobiográfica, Newman saca a escena un joven anglicano, cuyas opiniones religiosas no dejan de evolucionar cuasi imperceptiblemente hasta el día en que, discutiendo con un amigo de problemas religiosos, se dio cuenta de que, en el fuero interno, era ya católico. Tomando el esquema de Penido [26], podemos decir que aquí la destrucción y reestructuración de la síntesis mental, ha ocurrido simultáneamente, en un doble proceso activado por un solo principio inmanente.

4. *La conversión provocada por una experiencia dramática*

Sacudido en lo profundo por una situación dramática, el hombre ve, a veces, derrumbarse su visión del mundo, y, en el desplome de valores que daban un sentido a su vida, recurre a Dios como al único valor subsistente tras el cataclismo. Tales conversiones ponen en movimiento los procesos psíquicos y los movimientos religiosos, estudiados a propósito de las situaciones límite. Sin duda, los convertidos adoptan una conciencia más clara de la verdad manifiesta en las situaciones extremas, esto es, la indisponibilidad del hombre sobre su vida, y la precariedad ante el destino y la muerte de todos los valores humanos. Sin embargo, ha de tenerse en cuenta que los dramas humanos, no se reducen jamás a una sola explicación, y en razón de su esencial ambigüedad, pue-

[26] Cf. nota 17 de este capítulo.

den impulsar al hombre hacia una hostilidad contra la religión. Por otra parte, el efecto del trauma emotivo no persiste siempre.

Como conclusión de una investigación realizada entre 76 conversos, el sociólogo Iisager[27] estima que la experiencia dramática o decisiva, es mucho menos relevante que la reflexión personal; el incidente dramático no opera, por lo tanto, más que si es asumido personalmente por un sujeto que busca la verdad.

5. *Conversión mediante experiencia religiosa*

Si bien toda conversión supone una experiencia religiosa, creemos deber aislar un tipo de conversión en cuyos orígenes se encuentra una experiencia propiamente religiosa determinante del sentido de la adhesión consecutiva. Tales son las conversiones en las que la presencia de Dios se manifiesta súbitamente y por sí misma como un valor radicalmente nuevo. Los signos de la presencia divina pueden ser de orden diverso, como un amor humano, la lectura del Evangelio, el simbolismo del culto, etc.; y, sin que no se haya dado anteriormente ni interrogación progresiva ni incidente dramático, una súbita iluminación revela a Dios más allá de la dispersión de la existencia. Sin duda, tales conversiones están igualmente super-determinadas, pero la polarización religiosa, es en ellas tan intensa y decisiva, que no resulta legítimo hablar de valor de sustitución. La conversión de Claudel[28], tan admirablemente relatada en uno de sus textos autobiográficos, constituye el caso ejemplar de este tipo de conversión como consecuencia de una experiencia religiosa.

---

[27] "Factors Influencing the formation and change of political and religious attitudes", *Journal of Social Psychology*, 1949, pp. 253-265.

[28] Ver: *Ma conversion*, en *Pages de Prose, recueillies et présentées par A. Blanchet*, París, 1944, pp. 275-280.

B. EXPERIENCIA RELIGIOSA, RESISTENCIA Y REESTRUCTURACION PROFUNDA

Es digno de notarse, que una conversión repentina no resulta casi nunca segura. Sólo aparece como plenamente acabada la conversión lenta, en la que la fe, en busca de sí misma, intenta encontrar la verdad última, e incluso los conversos que consideran a su fe como inquebrantablemente cierta, no dejan de conquistar esta seguridad mediante el triunfo sobre poderosas resistencias internas.

Tomando el testimonio de Claudel como guía de nuestro análisis, comenzaremos por citar largos extractos de él: «... una dulce emoción en la que se mezclaban sentimientos de espanto e incluso de horror. Mis convicciones filosóficas se mantenían intactas como si Dios las hubiera dejado desdeñosamente donde se encontraban y nada hallase en ellas que necesitara cambiarse. La religión católica me seguía pareciendo el mismo tesoro de absurdas anécdotas y sus sacerdotes y fieles me inspiraban como antes la misma aversión rayana en la repugnancia y el odio. En una palabra, el edificio de mis opiniones y de mis conocimientos seguía de pie y no encontraba en él defecto alguno; lo que ocurría era que yo mismo había salido fuera. Un ser nuevo y formidable se me había revelado con exigencias terribles para un joven y un artista como yo era, y me era imposible conciliarlo con nada de lo que me rodeaba. La única comparación que puedo encontrar para expresar tal estado de desconcierto interior, es la de un hombre a quien se arrancase súbitamente de su piel y se le transportase, en un cuerpo extraño, a un mundo desconocido. Era verdad lo que más repugnaba a mis opiniones y mis gustos y a ello debía conformarme quisiese o no. ¡Ah, pero no ocurriría cosa tal sin haber ensayado cuanto me era posible para resistir!»

«La resistencia duró cuatro años y creo poder afirmar que peleé digna y lealmente, sin omitir nada y utilizando todos los medios de combate, debiendo abandonar una tras otra las armas que se revelaban inútiles. Esta fue la gran crisis de mi existencia...»

Nada prueba mejor que esta larga cita, la reestructuración que sufre la personalidad, por el hecho de la conversión religiosa. Al justificar la existencia misma, le es esencial a la religión encontrarse en el centro del sujeto y, sin embargo, para el joven Claudel, recién convertido, el sello de la religión no es total sino en apariencia. Todo lo que constituye la estructura de base de su personalidad, su conducta moral, sus convicciones filosóficas, sus juicios espontáneos de valor, sus solidaridades humanas, le resulta ajeno. Arrancado a sí mismo, desdoblado en su personalidad, siente la llamada de Dios, a la vez como una realidad conmovedora y como una violencia pavorosa. La conversión no llegará a ser efectiva, sino en el momento en que su personalidad se haya organizado nuevamente a partir de esta intencionalidad, también nueva.

Incubación

La desproporción tan grande que existe entre las certidumbres anteriores y la adhesión nueva, nos impide interpretar semejante conversión, a la manera de James [29], como la irrupción de tendencias «subliminales» a nivel del *yo*. Sin duda, en casos de conversión súbita, recuerdos y sentimientos religiosos no conscientemente percibidos habitaban ya en el sujeto; pero ¿cómo explicar la nueva luz, por un fenómeno de automatismo religioso o una «incubación» subconsciente prolongada? James se refiere a casos patológicos donde los recuerdos inmersos en lo subconsciente aparecen como la fuente de las perturbaciones aparentes; pero, a la luz de la psicología clínica, debemos oponer radicalmente estos dos casos de desdoblamientos de la personalidad. La personalidad del enfermo se encuentra en tensión entre el sujeto consciente

[29] *The varieties of religious experience*, Lect. IX.

y las ideas y comportamientos extraños que se le imponen, de manera que no encuentra ningún medio de referirlos a los criterios normales de la experiencia y de razón. Por el contrario, en la conversión, el conflicto que divide la personalidad es aquel que opone, la verdad religiosa a la que el sujeto da su consentimiento, y todo aquello que surge de las capas afectivas de la personalidad.

Creencias patológicas y fe religiosa

Una breve comparación entre la conversión y las creencias aberrantes hará luz sobre la diferencia radical que separa ambos fenómenos. Permítasenos ilustrar la creencia patológica, por el ejemplo de la perversión fetichista, que el psicoanálisis explica como una forma de creencia. Aun conociendo la anatomía femenina, el sujeto fetichista rehúsa, en su imaginario inconsciente, reconocer que la mujer está desprovista del miembro viril; afectivamente, rechaza su saber y mantiene inconscientemente la imagen de la mujer «fálica», perpetuando con ello la actitud del niño, que, después de haber adquirido conocimiento de la anatomía femenina y de la ausencia del *fallus* en la mujer, repudia la nueva información empíricamente adquirida, y conserva la «creencia» en el *fallus* femenino. Como dice Freud, «adopta frente a esta creencia una actitud dividida» [30], o, dicho de otro modo, lo que emerge de lo «subliminal», de lo inconsciente, son las creencias desmentidas por la realidad, pero a las cuales el sujeto no deja de adherirse, denunciando la realidad conocida.

Este análisis de los procesos subyacentes en el fetichismo, muestra cuán grande es la diferencia de estructura de estos dos casos. Una cierta analogía en el des-

[30] Cf. O. MANNONI, "Je sais bien, mais quand même", *Les Temps Modernes*, 1964, pp. 1.262-1.284. FREUD, *Fetischismus* (1927), *G. W.*, XIV, pp. 311-322.

doblamiento de la personalidad, puede inducir a error a un observador superficial, pero, en realidad, la transposición pura y simple de los esquemas heredados de la patología a los casos de la conversión religiosa, no hacen más que oscurecer los fenómenos. A la inversa de las «creencias» mórbidas, la verdad descubierta en la conversión se impone a toda la persona como una realidad verdadera. En lugar de conservarla de una manera marginal como una creencia ciega, se la interroga y se la deja a su vez interrogar. Si hay duda, es que la verdad que acaba de hacer irrupción, obliga a revisar las certidumbres anteriores que aparentemente son las mejor fundadas. En las creencias patológicas, por el contrario, el sujeto duda de su no-verdad, pero se niega, inconscientemente, a plantearla como problema. En la conversión, la relación entre la conciencia y la creencia, es, por lo tanto, inversa de la que presentan los casos patológico o el caso de «incubación». Solamente el concepto psicológico de resistencia, permite explicar el desdoblamiento de la personalidad que acompaña a la conversión en sus comienzos.

La resistencia contra la conversión

La experiencia clínica, ha permitido a Freud articular el concepto de resistencia. Convencido de que solamente una completa verdad sobre sí mismo puede liberar al hombre de sus conflictos psicológicos, Freud no proponía a sus enfermos más que una sola regla: decir libremente todo lo que se presenta al espíritu; pero, al mismo tiempo, notó que las dudas, los silencios, las desviaciones, los reconocimientos velados, solían perturbar el discurso de sus analizados precisamente en los momentos más neurálgicos. Pese a su buena voluntad, los sujetos se encontraban incapacitados para atenerse a la regla fundamental de la psicoterapia, y ello hasta tanto que las palabras verdaderas les hubiesen liberado efectivamente. Una resistencia que no emana del *yo* consciente, se opone en consecuencia al reconocimiento de la verdad. Otro sujeto viene a interponerse entre ellos. En lo que aspira a la luz de la conciencia, un censor selecciona tan sólo, aquello que no es excesivamente penoso para el *yo*.

Este fenómeno de la resistencia, que Freud ha descubierto en los casos patológicos, lo vemos operar igualmente en otras muchas situaciones. Basta observar las reacciones de pudor, para reconocer en ellas estos mismos procesos de defensa y de selección. El hombre oculta a sus propios ojos y a los demás, todo aquello que amenaza con disminuirle y hacerle sufrir. Si por naturaleza el hombre está abierto a los demás, puede también ocultarse a ellos, para preservar una interioridad siempre amenazada. La resistencia, lo mismo que el pudor, es un fenómeno normal que, considerado en sí mismo, representa una reacción defensiva de la salud.

De esa misma manera, es como el convertido se defiende contra Dios, cuya intrusión desorganiza una personalidad costosamente edificada en el curso de las experiencias y de los compromisos anteriores. Aquí también, la resistencia representa una crítica espontánea que emana del centro mismo de la personalidad. Surge de la sedimentación que, durante largos años, los pensamientos y las opciones vitales no han cesado de acumular en el preconsciente. Por sí misma, la razón está abierta a la verdad, pero se le oponen recuerdos afectivos. La vehemencia, profundamente afectiva de la resistencia, se manifiesta en juicios de valor espontáneo, tales como los que se encuentran dispersos en la obra de Claudel: «es demasiado absurdo», «es demasiado estúpido», «es demasiado vergonzoso»... En la perspectiva de nuestro tema, valdría la pena estudiar con detenimiento el sentido del pudor religioso, que, como los psicólogos clínicos saben por experiencia, es más intenso y profundo aún que el pudor sexual. ¿De qué fragilidad interior es ello un signo?

Del trauma afectivo a la reestructuración de la persona

La irrupción de Dios en la existencia humana merced a una conversión súbita, es del mismo orden que el trauma afectivo [31], cuyos efectos extraordinarios se conocen gracias a la psicología clínica. Durante los primeros años de su existencia, todo hombre opone salutíferas resistencias a los peligros interiores, tales como el sentimiento de culpabilidad o la nostalgia de la intimidad afectiva; pero la súbita irrupción de una fuerte emoción, con ocasión de un duelo o de un primer impulso amoroso, puede derribar estas resistencias. Las costumbres mejor asentadas son abandonadas y las convicciones más firmes derribadas. De la misma manera, una súbita irrupción religiosa puede vencer las resistencias mejor establecidas, aunque éstas se reorganizaran y recomenzaran la lucha, en tanto que la personalidad no haya sido reestructurada en su profundidad. Para que cese el desgarramiento es preciso que el convertido se esfuerce pacientemente en reorientar los juicios de valor habituales y las reacciones afectivas una vez llevados éstos hasta el plano de la conciencia. Utilizando una feliz expresión de Freud, diremos que la conversión no se termina sino cuando la persona ha sido profundamente reestructurada mediante una elaboración *(Durcharbeitung)* [32] de sus recuerdos y de sus sentimientos. Alrededor de su nuevo centro de gravedad, el sujeto debe tejer una nueva red de relaciones significantes con el mundo y con los hombres, a través de la cual, y después de una época de desdoblamiento íntimo, la integración religiosa de la personalidad es factible. Las condiciones psicológicas pueden favorecer el perfec-

---

[31] Cf. W. H. CLARK, *The Psychology of Religion,* Nueva York, 1958, pp. 215-216.

[32] Cf. FREUD, *Erinnern, Wiederholen und Durcharbeiten, G. W.,* X, pp. 125-136 (trad. española: *Recuerdo, repetición y elaboración, O. C.,* t. II, pp. 345-350).

cionamiento de esta conversión, y así se obtiene una mayor suavidad, la ausencia de una angustia excesivamente intensa, o de la capacidad intelectual para objetivar una situación; pero jamás una conversión se realiza si no es por la toma de conciencia y el reajuste de las resistencias.

La necesidad de certidumbre y sus peligros

Que en el dominio religioso, los hombres son raramente escépticos, es la conclusión que se obtiene de una investigación realizada por Thouless[33] entre 138 estudiantes universitarios, cuyas respuestas a 26 proposiciones religiosas expresan una convicción bien clara, ya en sentido negativo, ya en sentido positivo. Lo mismo ocurre, aunque en menor grado, para las proposiciones que expresan una tesis política, puesto que las ideas políticas también conciernen al hombre en el conjunto de su comportamiento, y, como las religiosas, están preñadas de consecuencias prácticas. Por el contrario, las otras creencias profanas no suscitan adhesión o repulsa sino en débil medida. Thouless piensa, que esta necesidad de formarse una convicción en materia religiosa, explica hasta cierto punto el carácter súbito de numerosas conversiones, en las que los sujetos aceptan de golpe posiciones, que no ha mucho rechazaban con igual convicción.

Podemos admitir la explicación que da Thouless de los hechos observados en su encuesta; cada vez que las ideas le impulsan a comprometerse, el hombre tiene necesidad de hacerse una convicción. Esta necesidad, se encuentra confirmada por otros fenómenos. En primer lugar, se da el hecho, asombroso a primera vista, de que pocos hombres sean verdaderamente agnósticos. Muy frecuentemente, aquellos mismos que niegan a la razón toda posi-

---

[33] "The Tendency to Certainty in Religious Belief", *British Journal of Psychology*, 1935, pp. 16-31.

bilidad de conocer y de justificar la fe en Dios, no dejan de usar principios filosóficos para probar que Dios no existe. De una tesis agnóstica, pasan naturalmente a una crítica filosófica de la religión, que contradice aquélla y, análogamente, se observa a veces, entre los creyentes, un radicalismo y una intolerancia que hace suponer un paso brusco de la carencia de fe a la fe, puesto que el endurecimiento de la posición religiosa, se explica, en efecto, por la necesidad psicológica de unificar la personalidad y defenderla contra toda problematización que la amenazara de disgregación.

La necesidad de certidumbre puede también manifestarse por una búsqueda de experiencias extáticas. Allier ha estudiado este fenómeno entre «los pueblos no civilizados» convertidos al cristianismo [34], mostrando cómo «la búsqueda sistemática de la emoción, considerada como el mejor medio de provocar la crisis, conduce, casi fatalmente, a no estimar como reales sino las conversiones precedidas de un trauma afectivo». El convertido, mal orientado por el predicador, busca en la experiencia afectiva el signo tangible de la conversión interior.

Podemos ahora terminar este estudio sobre la conversión señalando que, en el desgarramiento que la precede y que la sigue, es palpable la integración que la religión opera en el hombre. Las resistencias son los signos negativos de la reestructuración profunda, cuyo fruto es la actitud religiosa, y es preciso no errar en cuanto a la facilidad aparente o el goce y la generosidad que iluminan al nuevo convertido. Debemos recordar aquí, la ley psicológica, según la cual, la más insidiosa de las resistencias se encuentra precisamente allí donde se admiten con tanta mayor facilidad las verdades descubiertas, cuanto que no comprometen la personalidad toda. La facilidad de llegar a una convicción, es frecuentemente el síntoma de una disociación entre la razón y la afectividad profunda.

---

[34] *La psychologie de la conversion chez les peuples non civilisés,* París, 1952, I, p. 302.

IV. *AUTONOMIA HUMANA Y ASENTIMIENTO RELIGIOSO*

A. LA FE, CERTIDUMBRE SIN GARANTIA

Nuestro análisis de la actitud religiosa no se ha referido hasta ahora a uno de sus componentes esenciales: *la naturaleza relacional de la actitud.* Nuestro estudio de la resistencia era, por su parte, también excesivamente formal, limitándose a considerar la localización de la resistencia y, correlativamente, la manera cómo la religión llega a reajustar, en su profundidad, la persona. No es, sin embargo, un hecho despreciable la resistencia que opone el creyente a un Dios que se presenta como persona. Vamos, ahora, a examinar esta relación interpersonal, que define la actitud religiosa en todo lo que implica de rupturas, de conflictos y de apaciguamientos.

Los conceptos de integración y de estructura, podrían inducir a error, al significar una manera de ser estable y organizada. El término de estructura, en efecto, implica dos características; es una organización jerárquica que integra las diferentes esferas de la personalidad, unificándolas alrededor de un centro. En los casos de la actitud religiosa, es la fe en Dios la que ejerce el poder de integración. El estudio de la conversión nos ha mostrado que esta integración se realiza, frecuentemente, a costa de una lucha encarnizada. Una vez que la persona se haya estructurado en torno al factor religioso, su fe resistirá a los cambios excesivamente contingentes. Sería un grave error, sin embargo, imaginar que esta estabilidad de la actitud religiosa se acompaña de una lucidez plenamente transparente, o de una conciencia segura de poder descansar sobre lo ya adquirido. Porque es intencional, la actitud religiosa se refiere a un Dios, al que se tiende, más que se posee. En la fe, Dios no se ofrece sino en respuesta al asentimiento humano.

Si queremos comprender los conflictos inherentes al

asentimiento religioso, nos es preciso profundizar en esta realidad paradójica de la fe religiosa. Aquí, nuestro método será el de una fenomenología del acto de fe. Utilizando los datos empíricos que nos proporcionan los estudios psicológicos, trataremos de comprender el sentido de la fe en cuanto relación con el Otro. Procuraremos obtener los diferentes momentos de su coherencia, para lo cual, partiremos de los hechos religiosos, pero superando el nivel simplemente empírico en la medida en que nuestra reflexión nos lleve a elucidar el tipo ideal de la fe religiosa, al que se refieren los creyentes en sus esfuerzos y en sus dificultades.

Dios, objeto y fundamento de la fe

Es evidente que, al ser relación con Dios, el acto de fe tiene a Dios por «objeto»; es decir, Dios es el término y el contenido de la fe. La religión no se refiere a un concepto, sino a una realidad, la persona divina en sí misma. Incluso cuando el cristiano confiesa verdades dogmáticas, se refiere, a través de ellas, directamente a Dios en persona. Siendo así, son visibles las dificultades psicológicas que implica el acto de fe. ¿Cómo referirse a una persona invisible y que además se da por centro de la existencia humana, sin pretender por ello reabsorber todas las otras actividades humanas? Y por otra parte, ¿cómo relacionarse personalmente con Dios a través de un sistema dogmático? Estas dificultades las encontraremos a medida que avancemos en nuestra exposición, pero antes debemos intentar comprender en sí mismo el acto de fe.

La fe, repitámoslo, tiene a Dios por objeto en su persona y en sus manifestaciones. Para el creyente, Dios es, a la vez, el término de sus aspiraciones íntimas, y la persona en quien confía y con quien cuenta, para el cumplimiento último de su existencia. La fe religiosa es, por lo tanto, siempre e indisociablemente una convicción intelectual, una obediencia y una relación de amor.

La complejidad del acto de fe corresponde a la del concepto de la paternidad divina. El creyente afirma que Dios ha creado el mundo, que lo sostiene en la existencia, que lo asume y que es su fin último. Por ser Dios autor de la ley que debe humanizar y divinizar al hombre, se obedece a su palabra de prohibición y de promesa. En fin, la fe es igualmente un acto de amor, porque la presencia del Dios de gracia es fuente de dicha y garantía de perfección última.

El término de *encuentro,* que hoy se emplea frecuentemente, designa esta relación personal con el Dios vivo. Reconozcámoslo, sin embargo, que tomado en sentido propio, supone una presencia inmediata y una reciprocidad de un orden distinto al de la fe.

El hombre que cree *en Dios,* cree también *por Dios,* en razón de Dios. Sólo El, es, finalmente, el fundamento de la fe religiosa, tan frecuentemente falseado en el planteamiento clásico de los motivos de fe. Se buscan las razones en las cuales apoyarse para creer en Dios, se las discute, y se las pesa; mientras que algunos las encuentran poco convincentes, otros, por el contrario, las juzgan tan evidentes, que su fe no es ya más que un corolario de sus convicciones racionales. Esto es olvidar, que la fe en una persona es una intencionalidad amorosa e intelectual, y que supera todos los signos que manifiestan a esta persona.

No carece de interés el recordar aquí, la pregunta que hiciera Pascal: «¿Qué es el *yo?*» No es ni su belleza física, ni su inteligencia, ni siquiera su carácter. Es el centro de todo ello, pero más que todo ello. No lo alcanzo jamás, si, a través de todos los aspectos que emanan de él, no voy directamente al corazón de su ser. Solamente la palabra permite tal cosa, y por ello, la fe es del orden de la palabra, y, aun fuera de la creencia en una revelación histórica, tiene siempre el carácter de la escucha de una palabra. No es un azar, el que, en numerosas tradiciones religiosas, las figuras proféticas escuchen la inspiración divina y la comuniquen en forma de oráculos.

La palabra, en efecto, es el medio auténtico por el cual una persona se revela y se entrega a otra, haciéndose al otro presente como totalidad de sentido y de consentimiento. El contenido de lo dicho, es secundario frente al decir mismo, porque en la palabra, la persona se hace ser para otro. Interiormente, la acogida es ante todo escucha del otro, que, permaneciendo siempre más allá de lo que hace y manifiesta, como centro de cualidades y de iniciativas, instituye en la palabra, una relación en la que hace entrega del corazón de su ser. Análogamente, la fe religiosa no se funda en los intermediarios entre Dios y los hombres. Ningún motivo, ni racional, ni afectivo, la justifica, a fin de cuentas, sino que tiende a Dios mismo, escuchándole y respondiéndole en el asentimiento. Se funda sobre Dios en persona, de manera que el objeto de la fe y su motivo coinciden.

Nuestra fenomenología de la fe como acogida y don de la palabra, no intenta reducir la fe a la palabra sola, porque, dejada a sí misma, la palabra tan sólo expresaría la ausencia del otro y la imposibilidad de establecer con él una verdadera comunicación. Toda una presencia de vida, manifiesta en múltiples signos, precede y subyace al intercambio de la palabra, confiriéndole su densidad existencial. Es preciso, por lo tanto, reintegrar nuestra fenomenología de la palabra en el movimiento que anima el conjunto de nuestro estudio, y que va de la experiencia a la actitud de fe. Nuestra intención en esta sección es señalar la novedad que la palabra introduce en una presencia experiencial: el Otro como tal se nombra y se manifiesta. En la fe, según nos es ofrecida por la palabra, todos los indicios de una presencia anónima, pueden recibir el coeficiente de una presencia personal. Tal es el momento en el que la actitud está formada y personalizada, y se puede hablar de experiencia religiosa o cristiana en el sentido plenario del término.

Los intelectuales de que antes hablamos, ponen adecuadamente de relieve, este carácter específico de la fe religiosa que excede toda experiencia. Invocan los indicios sobre los que su fe se apoya, pero dan cuenta igualmente de la ruptura que separa a éstos de la intencionalidad de la fe.

Los no creyentes, reprochan a la fe su ceguedad, y no cabe duda de que, a los ojos de la razón científica, la fe no es razonable, en el sentido de que no se apoya sobre la razón, aun cuando no faltan signos que avalan su razonabilidad. Pero ¿será acaso antirrazonable por el simple hecho de depender de un orden distinto al de la razón raciocinante? De este modo, el amor humano tampoco lo sería; por otra parte, la fenomenología nos ha enseñado que una cierta dosis de fe es esencial a todo juicio humano, y la misma razón científica supone una fe que la precede y la subyace [35]. Por lo tanto, no se puede, sin más, oponer fe y razón.

Certidumbre por el asentimiento

Una persona no presenta jamás otra garantía que ella misma. En relación con otro, la certidumbre no precede al asentimiento, sino que lo acompaña y es su fruto. Lo mismo ocurre en la fe religiosa. Cuando el hombre se dirige a Dios, querría, ante todo, saber en quién cree, pero no lo sabe hasta el momento mismo de creer. *Scio cui credidi* (2 *Tim.*, 1, 12). La fe religiosa no presenta, por lo tanto, ninguna de las garantías familiares a la razón raciocinante, ni la deducción ni la inducción, y, sin embargo, es una certidumbre. Se la podría comparar al movimiento, cuya problemática abriera Zenón en los orígenes de la filosofía. A los ojos de la razón discursiva, el movimiento es imposible, porque jamás el análisis de sus elementos podrá recomponer la totalidad, y, sin embar-

---

[35] Cf. M. MERLEAU-PONTY, *Le Visible et l'Invisible*, París, 1964, pp. 17 y ss.

go, en el acto mismo de realizarlo, el movimiento existe e impone su evidencia. La negación racional de Zenón se transforma en certidumbre de un orden diferente, y, análogamente, cuando, renunciando a la urgencia de una certidumbre previa, el creyente interpreta positivamente los signos de Dios y se compromete en el asentimiento al que éstos le invitan, ve instaurarse una certidumbre de otro orden, una certidumbre que no se funda en una garantía previa, sino que la recibe al vivirla.

Sin embargo, el creyente no posee jamás la fe como una adquisición asegurada, sino que, en todo momento, puede retirar su confianza de Dios; entonces, su certidumbre se oscurece de la misma manera que se esfuman los recuerdos oníricos.

El acto de fe, tal como lo acabamos de describir, no tiene nada de «fideísta», ni de confianza apoyada en una vaga tendencia afectiva o justificada por el solo apoyo de una tradición religiosa. La fe es un acto consciente realizado por la persona toda, y su certidumbre es una luz que ilumina la existencia humana y la hace más razonable.

El consentimiento, más allá de una garantía previa, no puede operarse sino en virtud de un compromiso personal deliberado. La receptividad de la escucha religiosa, no tiene ya el carácter «pathico» de las experiencias sacrales arcaicas, porque el hombre creyente no padece a Dios como puede ser afectado por lo sagrado, sino que la acogida que se dispensa al Totalmente-Otro procede de una disposición razonada y querida. Es la obra de la razón práctica que decanta los deseos humanos, prescribe sus límites a las exigencias de la razón razonante, y se dispone a la escucha de Dios.

El acto de fe es, por lo tanto, un acto de suprema libertad, incluso si la actitud de obediencia que en él va implicada, produce, tanto en los creyentes como en los no creyentes, una impresión de no libertad. La fe supone la libertad interior; no puede vivirse sino cuando las actitudes morales y las condiciones psicológicas han predispuesto al hombre para acoger a otro. Cierta humanización y cierto equilibrio psicológico les son indispensables; pero a su vez libera al hombre, puesto que dilata su ser en una relación interpersonal. No es preciso señalar que cualquier violencia exterior, ya sea física o sociológica, suprime las condiciones mismas del acto de fe.

La fe interrogativa

La fe es al mismo tiempo certidumbre e interrogación, puesto que la evidencia de su objeto, aunque real, no es nunca total. Las realidades de la fe no se imponen a la razón con rigor absolutos ni determinan irresistiblemente el afecto y la voluntad. Al seguir reclamando la razón, en su dominio, garantías que basten a saciarla, la fe deberá, a cada instante, sustraerse a esta empresa imperialista de la razón, y no podrá mantenerse sino a costa de una incesante lucha contra ella; el salto en el vacío no dejará jamás de renovarse. La duda metódica de la razón, durará en tanto persista la fe, pero, lejos de disminuirla, constituye el medio donde se descubre la certidumbre misma de la fe.

Por otra parte, el asentimiento a la fe no es jamás total. Como todo proyecto humano, se lleva a cabo progresivamente, encontrando en toda experiencia una ocasión nueva para realizarse. Hay, por lo tanto, una duda inmanente a la fe, de orden distinto que la duda de la razón. La fe duda por fidelidad a sí misma. De la misma manera que el amor, la fe debe verificarse, hacerse verdadera. La fuente de la «duda fiel» no es, por lo tanto, la exigencia racional, sino la dialéctica de la fe misma. Es la voluntad misma de unión con Dios la que requiere del hombre que se interroge metódicamente, tanto sobre Dios como sobre la relación que mantiene con El. En la fe, Dios aparece a la interrogación humana, a la vez, como nuevo dominio de interrogación y nuevo criterio de examen.

Las dudas de fe no tienen necesariamente un carácter culpable, sino que, de acuerdo a la doble trayectoria que acabamos de describir, son inherentes a la fe misma, jamás, sin duda, perfecta. El acto de fe no está menos superdeterminado que los otros comportamientos humanos, y las dudas de fe tampoco se hallan libres de toda impureza egocéntrica, de toda contaminación de servilismo y de orgullo, pero sería vano pretender distinguir las dudas positivas y las dudas negativas. Mixtión viva de pasión, de razón y de conciencia moral, el hombre no se interroga jamás con plena inocencia, ni sobre Dios, ni sobre sí mismo. Aquí, más que en ninguna ocasión, es válido el precepto de no juzgar.

En nuestro análisis del acto de fe, hemos hecho abstracción de toda creencia dogmática particular; en la sección siguiente, examinaremos el problema específico que plantea el acto de fe en Dios, cuando esta fe incluye la aceptación de verdades dogmáticas.

B. FE DOGMATICA

Aquí, plantearemos sobre todo los problemas psicológicos suscitados por la fe dogmática, sin tocar al aspecto teológico propio de tal fe, sino en la estricta medida en que una referencia doctrinal sirva para aclarar las estructuras psicológicas. Por otra parte, reservamos para nuestro estudio sobre la patología religiosa todas las críticas que los psicólogos, como Freud y Jung, han formulado contra la religión dogmática. Es un hecho que sus críticas se refieren a un tipo de fe dogmática que podemos, con pleno derecho, considerar como aberrante o patológico.

Diversos estudios han demostrado la frecuencia con que el adulto abandona la fe dogmática. Sirva de ejemplo una encuesta realizada entre 500 estudiantes universitarios americanos [36], en la que se demuestra, que, aun per-

---

[36] G. W. Allport, J. M. Gillespie, J. Young, "The Religion of the Post-War College Student", *Journal of Psychology,* 1948, pp. 3-33.

maneciendo religiosos, la mayor parte de ellos son infieles a la fe dogmática de su primera educación religiosa, y un 56 % rechazan sus antiguas vinculaciones eclesiásticas. En el capítulo consagrado a la motivación, hemos observado una evolución análoga entre los ex combatientes. Es de señalar, sin embargo, que los sujetos de estas encuestas pertenecen en gran parte a comunidades protestantes en las cuales existen un amplio margen de libertad en el asentimiento a las creencias dogmáticas y a las prácticas religiosas, e ignoramos la medida en que el medio católico es afectado por este movimiento de desafección dogmática. En las páginas precedentes, hemos tenido la ocasión de interpretar ciertos casos de abandono de la fe dogmática, como la negativa opuesta a representaciones religiosas excesivamente impregnadas de sentimentalismo y de ensoñaciones infantiles. Sin embargo, esta razón no es siempre la más importante. La dificultad psicológica relativa a la fe dogmática, puede también motivar el abandono de esta fe, para estudiar lo cual tomaremos una vez más como fundamento, el testimonio de los intelectuales antes citados.

La mayor parte de ellos, insisten en diversas ocasiones en la discordancia que constatan entre un saber de fe y la experiencia vivida; entre lo que su afiliación religiosa les enseña, y lo que llegan a traducir en su actitud práctica en medio del mundo. Saben lo que deben creer y reconocen no tener ninguna objeción de principio contra las verdades dogmáticas, pero estas verdades no impregnan ni su actitud religiosa concreta, ni sus relaciones con el mundo; es decir, no consiguen convertirse en los principios reguladores de una religión práctica, y, en tanto que no pasan de ser un puro saber teórico, están irremisiblemente lastradas, por un coeficiente de irrealidad. Son simplemente ideas y, con Kant, podríamos decir que son ideas vacías, puesto que ningún dato de la intuición sensible les proporciona contenido alguno.

Entre los intelectuales, esta impresión de irrealidad es incluso tan intensa, que les impide rehabilitar las verdades dogmáticas mediante una reflexión sistemática. Son muchos los que aun planteándose el problema de saber si no es preciso atribuir este hiato, entre las creencias dogmáticas y la vida religiosa, a una carencia de preocupación intelectual por los problemas religiosos y de estudio sistemático, no dejan de mostrar sus reservas, por temer que, una reflexión propiamente teológica, les extravíe en construcciones teóricas alejadas de la vida real, y finalmente desprovistas de toda garantía de verdad.

Es preciso no interpretar erróneamente el objeto de tal escepticismo, que no se refiere a algunas tesis teológicas accesorias, sino a lo que constituye el centro mismo del mensaje cristiano: la redención de los pecados por la muerte en la cruz de Cristo, Dios hecho hombre, la potencia salvífica de los sacramentos, la doctrina del pecado original, etc.

El eco inmenso obtenido por el libro del obispo anglicano Dr. Robinson prueba que este sentimiento de ruptura entre las verdades dogmáticas y la religión efectiva es, hoy día, un fenómeno sumamente extendido. El título mal intencionado de la traducción francesa[36a], no debe inducirnos a error; no se trata para Robinson de sustituir la fe en Dios por una vaga religión humanista, sino, más bien, de superar, dentro del cristianismo, el desnivel existente entre la fe en verdades puramente especulativas y una relación a Dios viva e inscrita en lo real humano.

Es preciso reconocer, que las observaciones de Robinson coinciden exactamente con las quejas de nuestros sujetos: «Por muchas exposiciones teológicas que se escuchen, no nos afectan, nos dejan fríos, y no nos conciernen tal como somos realmente.» He aquí los hechos capitales que la psicología religiosa no puede eludir.

Una reflexión honesta debe, a nuestro parecer, hacerse en tres fases. Debemos, en primer lugar, considerar el hecho observado en sí mismo; debemos, a continuación, confrontarlo con la naturaleza de la fe religiosa, tal como

---

[36a] *Dieu sans Dieu*, París, 1964.

la hemos analizado precedentemente. De esta confrontación podrá, en fin, resultar un juicio debidamente fundado.

Es preciso tomar en serio las críticas hechas por los creyentes, que padecen cierta discordancia entre fe dogmática y religión vivida. Su escepticismo se justifica doblemente. Cualquier idea teórica ha de encontrar su punto de apoyo práctico, so pena de quedar aislada de la vida y no ser más que una quimera. Sin caer por ello en un grosero empirismo, es preciso admitir que, para no reducirse a meras abstracciones, las ideas referentes al hombre de manera tan personal, deben afectar a su modo de existencia, y arbitrar los juicios de valor que emitimos sobre el hombre y sobre el mundo. La contemplación no es más que una evasión en lo imaginario, si no comporta fuerzas creadoras para la *praxis*. En materia de religión esta necesidad de vincular la idea al comportamiento efectivo, es tanto más fuerte cuanto que, por su naturaleza misma, toda idea auténtica sobre Dios expresa un lazo interpersonal que compromete la existencia toda. Si no polariza la totalidad del hombre, y se presenta como ajena a toda aplicación, la verdad dogmática resulta ser un producto puramente cerebral, a la manera de múltiples afabulaciones mitológicas. Bien entendido, que, por aplicación práctica no se quiere decir necesariamente una *praxis* moral específica que diferenciase visiblemente los cristianos de los otros hombres, pero es preciso que, conforme a su proyecto de englobar y estructurar la personalidad entera, la convicción religiosa contenga posibilidades positivas de reinterpretación de la historia humana y de orientación de vida. Si el dogma no encuentra en el mundo ningún eco que revele su densidad existencial, es porque se reduce a una simple ideología estéril.

Para el teólogo, este sentimiento tan extendido entre los creyentes de un desdoblamiento entre la religión teórica y la religión efectiva, constituye un aviso y un criterio de autenticidad religiosa. La experiencia vivida de los creyentes, no es, sin embargo, el único criterio de verdad, y nada más ajeno a nuestra intención que redu-

logía a una teología de la experiencia. La fe insistimos en ello, no es, por definición, como nerosos psicólogos, una fe infantil, ni su reli- eligión autoritaria, sin perjuicio de que, como nos, pueda sin duda llegar a serlo; pero no nentable, que numerosas encuestas, lo más americanas, sobre la religión autoritaria, uicio, según el cual todo dogmatismo reli- bién un dogmatismo psicológico, de ma- gión dogmática suponga necesariamente oritario. Es esta falta de discernimiento, parte las conclusiones de estas encuestas.

De suyo, la fe dogmática introduce en un diálogo, en el que el hombre escucha lo que Dios dice de sí mismo y de sus planes sobre el hombre y sobre el mundo. Si se toma la fe dogmática por el carácter de intencionalidad con que ella misma se presenta, es evidente que, a la escucha de la revelación, el creyente pretende alcanzar a Dios tal como es y no tal como el hombre lo desea. El descentramiento de sí mismo y este acceso al Otro que se expresa en la palabra, está bien lejos de la religión infantil. La fe dogmática va en contra de cualquier motivación subjetiva; el Dios de la revelación es *en principio* lo contrario de un Dios hecho a la imagen de los deseos del hombre, y decimos sólo *en principio,* porque el hombre que escucha a Dios le interpreta según su propia mentalidad; por ello el esfuerzo de desmitificación sigue siendo una tarea constante del pensamiento religioso.

Para juzgar, como psicólogo, de la discordancia entre fe dogmática y religión vivida, debemos, por lo tanto, inspirarnos en dos criterios. Por una parte, la palabra introduce necesariamente una ruptura en los vínculos naturales existentes entre Dios y los hombres, y, por otra parte, esta palabra debe, sin embargo, coincidir efectivamente con la actitud religiosa concreta. Dos son los obstáculos a evitar: el subjetivismo religioso, y la separación entre la verdad y la vida.

Se podría profundizar aquí el sentido de los dogmas cristianos, y mostrar que no formulan una verdad tan abstracta como absoluta, sino que expresan la historia del proyecto de salvación del mundo por Dios. Por su historia, la revelación despliega un orden, el de la Paternidad divina, que se manifiesta, progresivamente, instaurando el «reino de Dios». Sería preciso, además, mostrar que la historia religiosa se inscribe en la historia humana sin superponerse, pero perfeccionándola desde su propio interior. No pretendemos hacer aquí obra de teólogo, pero seríamos infieles a nuestra misión si no explicitásemos las consecuencias religiosas que la fe dogmática tiene para el creyente.

Constataremos, en primer lugar, que un conflicto se presenta ineluctablemente. No es por la simple prolongación de sus empresas humanas o incluso de su intuición religiosa inicial, como el hombre podrá acceder a una relación religiosa estructurada por la palabra. Sin duda, la palabra de Dios responde en cierto sentido a un deseo del hombre, pero, tomando la iniciativa e instaurando su reino, Dios obliga al hombre a revisar sus concepciones sobre el mundo, sobre su propio misterio personal y sobre Dios mismo. Dios sacia al hombre, pero no sin frustrar en cierta manera sus deseos. Lejos de ser una «proyección religiosa», la fe dogmática es, ante todo, asentimiento.

En nuestra época, la discordancia entre religión espontánea y fe dogmática se ahonda, tanto más cuanto que el hombre se enraíza profundamente en el mundo que construye, y deja de vivir ingenua y pasivamente, a la manera del hombre antiguo o medieval, en el universo simbólico del que aparece suspendido el mundo visible. El centro de gravedad de la existencia se desplaza hacia lo terrestre, y esta revolución del universo mental del hombre contemporáneo, implica, para el pensamiento religioso, inmensas exigencias; la teología debe abrirse a una nueva dimensión de la existencia, la de la historia que se hace por obra del hombre, y que aquélla debe integrar, a la vez que se deja renovar por ella. Toda verdad, ya sea humana o divina, puede contribuir a revelar mejor el sentido de la historia religiosa, puesto que toda realidad forma parte de la red que religa el hombre a Dios.

Por su naturaleza conflictual, la verdad de la relación del hombre con Dios se descubre de una manera necesariamente progresiva. El hombre no puede acceder a los misterios fundamentales de la paternidad divina sino mediante el descubrimiento continuo de sus verdaderas dimensiones. Creemos, que, por regla general, una actitud de vida inspirada por los principios éticos del Evangelio, constituye una primera fase de lenta preparación a la intelección de las realidades dogmáticas. Una actitud de estilo evangélico es el asiento normal de la fe en la palabra. El hombre a la escucha de la palabra, debe descubrir a Dios, y, como lo recordara Pascal, Dios no se descubre más que a través de las vías del Evangelio, seguir las cuales exige, no lo olvidemos, caminar paso a paso hacia El.

Los estudios de sociología religiosa, amenazan con falsear nuestra óptica. Hasta aquí, en efecto, se han limitado esencialmente al estudio de la práctica religiosa, pero, por ello mismo, fortalecen la tendencia a medir la fe cristiana por el solo criterio de la fe cristiana realizada a través de su expresión normal en la citada práctica.

En nuestra perspectiva dinámica, la fe realizada debe ser, más bien, considerada como el hogar que irradia en una población más o menos afectada por la predicación cristiana y que incluso influye imperceptiblemente en la civilización a-tea de la sociedad contemporánea. Por muy útil que sea conocer la cifra de la práctica religiosa, es preciso no considerarla como índice unívoco de la fe. Una práctica dominical del 20 % al 30 %, tal vez no sea tan catastrófica como a primera vista aparece. ¿Quién sabe en efecto el número de creyentes que se encuentran ya en el «camino del Evangelio» avanzando hacia el Dios en quien creen? Y, por otra parte, ¿se sabe acaso cuánto ateísmo práctico se oculta detrás de la práctica religiosa de ciertos «creyentes»?

Al término de esta exposición sobre la fe dogmática,

querríamos volver de nuevo al problema general del asentimiento religioso, tomando sucesivamente en consideración las dos tendencias humanas que dan especial relieve a la naturaleza conflictual de toda especie de fe: la autonomía humana y la afirmación de los valores terrestres.

C. LA LIBERTAD CARGADA POR EL OTRO

Las entrevistas anteriormente citadas, han puesto en claro que el asentimiento a la fe se realiza en el hombre contrariando profundas y secretas tendencias. Dos puntos, sobre todo, cristalizan el conflicto: el concepto de la omnipotencia divina y el hecho de la Iglesia en tanto que institución.

La idea de la omnipotencia de Dios, evoca la de una dependencia fatalista y una subordinación servil. En un primer momento, el hombre no ve cómo conciliarla con la libertad humana. ¿Acaso no parece contradecir uno de los datos esenciales de la fe, a saber, que el hombre recibe de Dios una tarea humana a realizar? La idea de la omnipotencia de Dios constituye una dificultad, incluso en el dominio de la relación religiosa, que aparece ante nuestros sujetos como apertura a diversas posibilidades, de manera que, en el interior mismo de la actitud religiosa, existirían una pluralidad de posibles opciones. Las verdades dogmáticas que la Iglesia católica propone con la rigidez y la exigencia de todos conocida pueden aumentar las tensiones de la fe, y no faltan creyentes que abrigan la impresión de que, para responder a la llamada de Dios, el hombre libre debería poder describir por sí mismo la verdad religiosa, confesándose incapaces de concebir un asentimiento libremente dado a un sistema dogmático elaborado e impuesto autoritariamente.

Las prescripciones morales de la Iglesia chocan frecuentemente con la conciencia de libertad, incluso entre los creyentes que las aceptan en principio. Es la afirmación moral en tanto que tal, la que encuentra la mayor resistencia por parte de los intelectuales entrevistados. La discordancia percibida entre sus convicciones personales y ciertas doctrinas morales más o menos oficiales (por ejemplo, la limitación de la natalidad), no son sino expresiones fraccionarias de un problema más general, a saber, el sentimiento de que la ética es por excelencia la tarea que el hombre tiene la responsabilidad de asumir personalmente, en la cura dinámica de la promoción de los valores morales. No se trata de practicar una moral inferior a las exigencias de la Iglesia, pero se tiene la impresión de que, exigiendo la obediencia a leyes impuestas desde fuera, la Iglesia roba al hombre parte de la dignidad esencial al ser moral. Lo que motiva la resistencia espontánea a la autoridad moral de la Iglesia, es el hecho de que, al someterse a un sistema moral ya elaborado, el hombre no se siente interpelado como sujeto ético. Una inversión paradójica parece producirse enervando el dinamismo ético del Evangelio.

Hemos referido los fenómenos tal como pueden presentarse, e insistimos en el hecho de que no hacemos sino dar cuenta de los testimonios de creyentes deseosos de permanecer fieles a su Iglesia y superar sus conflictos interiores.

En efecto, esta voluntad de libertad que se yergue frente a la dependencia y la obediencia, no es más que el primer tiempo de un movimiento tendente a reencontrar una armonía donde las tendencias humanas y las verdades de fe, se corrigen y se manifiestan mutuamente en su respectiva verdad. En el nombre de la libertad, se refuta la idea de la omnipotencia divina; pero es preciso que la idea de la paternidad divina, tal como Cristo la ha revelado, restituya al hombre su verdadera libertad en el interior de una vinculación religiosa. El padre se manifiesta como Aquel que respeta la autonomía del hombre, y que sostiene su responsabilidad. En cuanto al conflicto que opone una ética creadora a una moral de obediencia a las leyes eclesiásticas, no contamos con testimonios que esbocen explícitamente una reconciliación, por lo que preferimos limitar nuestra reflexión al primer punto, por otra parte netamente el más esencial en el acto de fe.

Para el teólogo, la omnipotencia de Dios no excluye la libertad humana, sino que, al contrario, la funda. Por otra parte, en opinión de nuestros creyentes, aparece como un poder tiránico que no deja nada por hacer al hombre. En este primer momento, el hombre concibe la relación como mutuamente exclusiva y es por lo tanto significativo que, en nuestros sujetos, la idea de Dios creador evoque más bien una sucesión temporal de iniciativas diversas. Dios implanta al hombre en el ser, pero, después de esta presencia inicial, se hace en cierta manera distante, confiando al hombre las tareas por realizar, hasta el momento en que aparezca, al fin de la historia, para pedirle cuentas y llevarlas a su perfeccionamiento.

Se diría que, para poder surgir, la creatividad humana tiene necesidad de una especie de espacio vacío liberado de la potencia creadora de Dios. No es inútil el recordar a este propósito el mito freudiano del padre primitivo, omnipotente, propietario de todos los bienes, cuyo asesinato, únicamente, podía liberar al hijo. En esta interpretación de los orígenes de la religión, la representación mítica del padre es evidentemente la misma del conflicto edípico, pero, precisamente por esta razón, no es pura fantasmagoría. En el problema vivido por nuestro sujetos, reconocemos el reflejo de este conflicto esencial. En el momento en que aparece la libertad, el hombre la concibe como una libertad total. Es preciso que, en un segundo momento, acepte fundamentarla en el Otro, para que no sea una libertad vacía. Ya en el simple plano de sus iniciativas temporales, el hombre debe elegir las situaciones orientadoras de su opción; su libertad debe apoyarse sobre los datos que se presten a la realización efectiva de sus posibilidades.

Análogamente, la religión espera del hombre que se acepte como querido por Dios en su libertad misma, esto es, fundando su libertad en Dios, y renunciando a una libertad con tendencia a quererse exclusiva. Interpretamos la idea de la omnipotencia dinámica de Dios, como el correlato mítico de una libertad que se cree todavía soberana, y es natural que, en el primer momento de la confrontación, este concepto de la omnipotencia divina en su abstracción radical parezca aniquilar la libertad del hombre.

La fe, como superación de una libertad que se quería absoluta, es un asentimiento que se estructura de acuerdo a los tres momentos del tiempo. El hombre acepta fundar su origen en un Dios creador y consiente en comprometer su libertad hacia un futuro que le solicita, pero del que no dispone. En fin, en su voluntad actual, se reconoce llevado por una voluntad absoluta que le mantiene y le implanta en la existencia. «Conócete a ti mismo», la famosa divisa délfica tenía, en su formulación original, un sentido no psicológico, sino religioso: «Conócete a ti mismo y sábete hombre y no dios.» La libertad, en su germinar, es total y desea por lo tanto la auto-divinización. La religión es un acto de humildad en el consentimiento a la verdad sobre sí mismo.

En psicología, la libertad es, desde muchos puntos de vista, un dato altamente problemático. En nuestras consideraciones precedentes la hemos tomado al nivel de la conciencia vivida, pero es preciso dar un paso adelante, del brazo de ciertas teorías psicológicas, para descubrir hasta qué punto el conflicto de la autonomía y del asentimiento a la fe es fundamental y constitutivo de la religión.

Pensamos en la teoría psicológica de L. Szondi sobre el vínculo entre el tipo paroxístico y el tipo religioso *(homo sacer)*, vínculo que Dostoyevski ha ilustrado tan admirablemente. Esta teoría de Szondi prolonga la tesis de Freud, según la cual la religión sería esencialmente la sublimación del impulso agresivo y, por desconcertante que sea esta teoría psicológica, estamos convencidos de que puede proporcionar un esclarecimiento profundo sobre el problema que nos ocupa [37].

La libertad emerge de las pasiones, y Platón se había ya dado cuenta de ello, cuando distinguía en el alma una dinámica afectiva (el *thumos),* capaz de aliarse, ya al deseo, para conferirle su fuerza agresiva, ya a la razón, para darla la virtud de la fuerza y la cólera de la indignación moral. La libertad, pues, aparece sobre un fondo de impulso agresivo; si no fuese así, no comprometería al hombre en su totalidad y no llegaría a ser un poder creador; pero a nivel del impulso, puede ser, tanto un poder de destrucción como de creación. La libertad surge en la oposición y se hace negación, antes de convertirse en consentimiento creador. La teoría de Szondi nos explica que, cuanto más fuerte es el impulso primero, salvaje y destructor, tanto más intensa podrá ser la sublimación en el asentimiento religioso. Constitutivo de la religión, el contraste entre la autonomía y el asentimiento, lleva sus raíces hasta la vida impulsiva y los procesos de sublimación.

D. LA ASIMETRIA DE LO TERRENAL Y DE LA RELIGION

La libertad no es acósmica, sino que entra en juego en las realidades que efectúa y en la sociedad que instaura. En los tiempos modernos el hombre ha adquirido una conciencia más aguda de su libertad, no solamente en un retorno reflejo sobre sí mismo, sino en la afirmación del mundo humano que está en trance de construir. El dominio técnico sobre la naturaleza y la conciencia de la dimensión histórica del mundo humano, tienen por resultado el identificar más que nunca al hombre con su acción, y hacerle cada vez más difícil el con-

---

[37] Cf. *Trieb-pathologie,* vol. II, *Ich-Analyse,* Berna, 1956, pp. 361 y ss.

cebir el perfeccionamiento de la condición humana en una línea propiamente religiosa. La integración de los valores terrestres en la actitud religiosa, ha llegado a ser para los creyentes un problema crucial. Para el hombre contemporáneo, la máxima evangélica que invita a perder la vida para ganarla, parece significar que la divinización del hombre en la relación con Dios, no puede obtenerse más que por la renuncia de su condición propiamente humana; pero, al mismo tiempo, el creyente guarda la convicción de que el Creador del mundo no puede ser un Dios malo y envidioso, dedicado a la destrucción de su propia obra.

En este horizonte asimétrico entre las tareas terrestres y su integración religiosa, es donde el conflicto, entre la voluntad de autonomía y el asentimiento, adquiere toda su amplitud. Entre los dos, no puede haber ni coincidencia ni exterioridad. La religión debe englobar los valores terrestres, sin por ello absorberlos, y el compromiso humano debe ser la puesta en práctica de la actitud religiosa, sin jamás agotarla.

En el próximo capítulo, veremos que el ateísmo es, esencialmente, el estallido de esta polaridad asimétrica entre lo terrestre y lo religioso.

CONCLUSIONES

La actitud religiosa, en tanto que estructuración de toda la personalidad en función de la relación con Dios, supone una libertad interior, para la que el hombre está raramente capacitado antes de la edad adulta. Debe haber resuelto la confusión afectiva de los ímpetus religiosos pasionales. El silencio que el Totalmente-Otro opone a sus demandas humanas, aparece como la prueba decisiva llamada a purificar la religión. Por otra parte, el hombre debe, ante todo e incluso mediante la rebelión, hacer la experiencia de su autonomía y de sus capacidades creadoras, antes de poder descubrir la paternidad de Dios y el sentido de la filiación. La relación con el Otro, exige también que el hombre se libere de los lazos sincréticos y egocéntricos establecidos durante su infancia con los hombres y con Dios. Sin ello, el creyente busca en Dios un padre sustitutivo y aumentado que pueda responder a sus demandas egocéntricas. No es sin duda más fácil reconocer a Dios por sí mismo que amar a un hombre de verdad.

En cuanto a la filiación religiosa, si bien es lícito calificarla de infancia espiritual, no deja por ello de encontrarse en los antípodas del infantilismo, puesto que implica una doble exigencia psicológica y religiosa. Es preciso, ante todo, que el hombre haya adquirido un cierto grado de libertad efectiva, por su desarrollo psicológico y gracias a los despliegues de sus facultades en un compromiso humano. Sin embargo, estas condiciones no bastan. La escucha de la palabra, en efecto, problematiza al hombre todo entero. A los ojos de la fe, es esencial que la formación psicológica del hombre culmine en un consentimiento, y, por ello mismo, todo lo humano, el pasado, sus proyectos, y su autonomía adquirida, debe reinterpretarse a la luz de la fe. Este movimiento de consentimiento y de reinterpretación, no puede hacerse más que en el interior de una conversión profunda que supere múltiples resistencias. La fe es un sufrimiento, una pasión. La palabra de Dios es una espada que hiende el ser hasta la raíz, pero la filiación libremente asumida devuelve al hombre a una infancia espiritual, de la que la primera infancia, paraíso perdido, no es más que la prefiguración arcaica. La integración religiosa de la persona realiza una pacificación de todo el ser sobre un fondo de dolor aceptado. En una palabra, es plenitud en la ausencia, unión sin confusión, divinización en la humildad.

Muchos contemporáneos creen sentir en la actitud religiosa un regusto de infantilismo, cuando no sospechan una falta de virilidad. Por otra parte, la sociología nos enseña que, en Occidente, la práctica religiosa ha llegado a ser más corriente entre las mujeres, cuando, por doquier, son los hombres los encargados de las cosas referentes a la religión. Muy frecuentemente, el pudor religioso revela una secreta aprensión a que la religión no sea una actitud verdaderamente viril, libre, y adulta. Este temor es un indicio, como un acto fallido. El pudor religioso da testimonio de la proximidad entre la infancia espiritual y el infantilismo humano que todavía viven estos creyentes. Si no sintiesen secretamente la religión como una especie de impotencia humana, la vivirían sin reticencia comprometidos plenamente en el proyecto de un libre asentimiento. En tales casos, parece que por su inmersión en un infantilismo arcaico, la infancia espiritual le es todavía sensiblemente próxima. Permítasenos citar, a título de confirmación, los testimonios de creyentes a quienes la religión causaba a la vez vergüenza y temor. Esta situación es el reverso de la obediencia religiosa servil y de una profunda angustia ante el pensamiento del juicio de Dios. La sospecha de infantilismo es tanto más insistente, cuanto que, para juzgar la religión, el hombre no religioso torna imaginariamente al momento del conflicto y con frecuencia rehúsa la entrega en nombre de su dignidad de hombre entendida en términos de autonomía, contingente, pero lúcidamente asumida.

Una cierta hipocresía religiosa en las relaciones humanas, y el desabrimiento sentimental de la oración, no han favorecido sin duda la realización de la libertad espiritual de una filiación auténticamente asumida. Se ha dicho muchas veces, que en ningún dominio el peligro de infantilismo es tan grande como en la religión. Enraizada en sus orígenes en la constelación familiar, la actitud religiosa amenaza, más que ningún otro comportamiento, con conservar los rasgos que la han conformado durante la infancia. Así, la tan común exaltación pseudomística de la Virgen María, es eco de una falsa infancia paradisíaca.

Descubrimos otro índice de infantilismo religioso, en la acentuación, excesiva en ciertas épocas, de virtudes «pasivas», como la humildad, la obediencia, la castidad, y la pobreza, que ha contribuido notablemente a desvirilizar el cristianismo, y ha oscurecido el sentido de la verdadera humildad ante Dios, correlato de una valiente posición ante los hombres, y ha desnaturalizado la verdadera obediencia, que es también audacia en la verdad. Por otra parte, un cierto masoquismo humano ha enmascarado demasiado el dolor de la fe, y la humildad respetuosa ante Dios y ante los hombres ha tomado frecuentemente la figura del narcisismo infantil.

Por el contrario, la actitud religiosa libre e íntegra, será la inversa de esta religión desvirilizada. Es heurística y no deja de inventar nuevos medios para edificar la sociedad humana y el reino del Espíritu. Al ser realista, mide su verdad en relación con los vínculos éticos con los hombres. En el rito, sabe unificar todo el hombre, puesto que el rito, en efecto, es una expresión total y libre del hombre reconciliado. Expresa el cuerpo reconocido en su fuerza y en su belleza, inserta al hombre en su lugar en la sociedad humana, y contribuye a edificar la comunidad religiosa, cooperando, por la lectura simbólica que realiza de todo el cosmos, a unir lo terrestre a lo religioso.

La actitud religiosa verdadera, es un equilibrio dinámico, difícil de alcanzar y mantener, que debe integrar numerosos contrarios, suponiendo un contacto efectivo con la humanidad en trance de hacerse, a la vez que un asentimiento lúcido a un Dios que es, al mismo tiempo, Totalmente-Otro y presente en el seno de la historia humana. En la segunda parte, consagrada a la psicología religiosa genética, veremos cómo la actitud religiosa puede instaurarse progresivamente al hilo de los descubrimientos que el hombre hace de su humanidad y del misterio de Dios. Pero antes, en el siguiente capítulo, examinaremos cómo las tensiones internas de la actitud religiosa contienen los gérmenes del ateísmo.

CAPITULO V

EL ATEISMO*

En la medida en que aparece como un debate existencial y una opción contra la actitud religiosa, el fenómeno del ateísmo concierne al psicólogo de la religión.

Señalemos, ante todo, que estas posiciones doctrinales en cuanto tales, no dependen del dominio de la psicología religiosa. No faltan pensadores que nieguen la posibilidad de formar un concepto válido de Dios: tal es la tesis del agnosticismo y del neopositivismo. Otros, por su parte, juzgan este concepto contradictorio en sí mismo; tal es la conclusión ontológica de Sartre. Otros, incluso, piensan que la afirmación de Dios es metafísicamente incompatible con la de la libertad humana: tesis defendida por Merleau-Ponty en algunos de sus escritos. Todas estas negaciones ateas de la idea de Dios, penden del pensamiento filosófico, y el psicólogo no puede negar al hombre el derecho de elaborar, en plena lucidez y con toda honestidad, una visión atea del mundo. Sería absolutamente intolerable, sospechar *a priori* secretas motivaciones psicológicas de tal actitud.

---

* En este capítulo, el autor se limita a estudiar someramente el ateísmo como alternativa a la actitud religiosa en el devenir del hombre adulto. Un estudio más detallado del ateísmo desde la perspectiva de la psicología religiosa, lo ofrece el autor en su colaboración en el diccionario sobre el tema, cuya publicación internacional prepara la Editorial Herder. En dicho estudio se dedica especial atención a los procesos psicológicos subyacentes en el ateísmo y a la justificación psicológica de la crítica atea. *(N. del T.)*

La metafísica no es, sin embargo, un palacio de ideas intemporales. Piensa la vida real, e incluso en ella, es la existencia misma la que se hace conciencia, siendo raro que la ruptura entre la negación metafísica de Dios y su contestación existencial sea radical. La mayoría de las veces, las tomas de posición ateas en filosofía, se apoyan en una crítica de los atributos que la teodicea clásica confiere a Dios [1]. Se cree que, dichos atributos, están en contradicción con la concepción del hombre, tal como entiende promoverla el pensamiento moderno; frecuentemente, el ateísmo es una consecuencia de la antropología. Un texto de Proudhon expresa perfectamente la óptica de este ateísmo antropológico: «El hombre se hace ateo cuando se siente mejor que su Dios.»

El recurso a la antropología en el ateísmo contemporáneo, compromete directamente a la psicología en cuanto que es ciencia del hombre concreto. Sin estar obligados a tratar de las verdades últimas y las estructuras esenciales, la psicología debe, por lo tanto, examinar los procesos psíquicos que actúan en una antropología atea. La tarea que le incumbe es desvelar las tendencias esenciales por las cuales el hombre plantea su realización humana fuera de la actitud religiosa e incluso contra ella. El ateísmo psicológico se define en relación al hombre religioso.

El psicólogo, en tanto que tal, no debe tomar posición en este plano y no debe elevar sus observaciones y sus reflexiones al nivel de un pensamiento trascendental. Simplemente observa las razones psicológicas que el hombre se da para comprometerse en una actitud atea, a la que considera como una de las posibilidades humanas, que trata de comprender psicológicamente, de la misma manera que trata de hacerlo con la actitud religiosa. Aquí también, su óptica es la neutralidad, benevolente a la vez que crítica.

---

[1] Cf. A. DONDEYNE, "L'athéisme contemporain et le problème des attributs de Dieu", en *Foi et réflexion philosophiques, Mélanges Franz Grégoire*, Lovaina, 1961, pp. 462-480.

Presentaremos, en primer lugar, algunos datos de hecho; después, consideraremos diversos procesos psicológicos que pueden conducir a la actitud atea; reservando para otra obra, el examen del ateísmo patológico, puesto que pueden existir motivaciones mórbidas en el origen de un cierto ateísmo, como también en el de ciertas actitudes religiosas.

I. ¿EL ATEISMO ES UNA POSICION NETA O UNA RELIGION LARVADA?

El ateísmo no es fenómeno tan extendido como podría inducir a creer el uso polémico del término. Sin duda la mentalidad atea se extiende cada vez más en los países del mundo libre lo mismo que en las democracias socialistas. Nada permite prever el alcance futuro de este fenómeno, pero es de esperar que afecte progresivamente a sectores cada vez más amplios de la población.

En cierto sentido, el ateísmo está en la línea del progreso histórico. Naturalmente religiosa en sus orígenes, la humanidad ha descubierto paulatinamente que la sociedad y la existencia son posibles sin Dios. Ha sido preciso esperar a tiempos muy recientes, para que los pensadores adopten una posición anti-teísta con vistas a liberar al hombre y edificar la sociedad futura en una perspectiva humanista. Hace cuatro siglos apenas, el ateísmo declarado era aún impensable, mientras que actualmente, más que una simple hipótesis de vida, ha llegado a ser, incluso para el creyente, un punto de referencia siempre presente y un motivo permanente de interrogación sobre sí mismo. Es preciso interpretar las estadísticas a la luz de esta historia del pensamiento religioso. El siguiente cuadro proporciona los datos observados en 1947[2]. Faltos de otras encuestas nos es imposible evaluar, ya el sentido, ya

---

[2] Cf. *Sondages*, París, 1948, febrero.

la intensidad del ateísmo, pero es altamente probable que su curva no cese de elevarse:

	Creen en Dios	*Creen en la inmortalidad del alma*
Brasil	96 %	78 %
Australia	95 %	63 %
Canadá	95 %	78 %
U. S. A.	94 %	68 %
Noruega	84 %	71 %
Gran Bretaña	84 %	49 %
Holanda	80 %	68 %
Suecia	80 %	49 %
Dinamarca	80 %	55 %
Checoslovaquia	77 %	52 %
Francia	66 %	58 %

También aquí es de señalar que la creencia, tanto en Dios como en la inmortalidad, aumenta ligeramente con la edad:

de 21 a 29 años:	62 %	54 %
de 30 a 49 años:	66 %	58 %
de 50 a 64 años:	71 %	61 %

Las estadísticas referentes al ateísmo son siempre de difícil interpretación, y, de hecho, si la afirmación de la existencia de Dios es una certidumbre de fe, su negación constituye también un juicio del orden de la fe. Cuando el creyente ha pesado todos los argumentos favorables al teísmo, le queda todavía por dar el salto de lo visible a lo invisible y son muy complejos los procesos psicológicos que se inscriben en la oquedad que media entre la razón y la fe. Ahora bien, la negación de Dios participa inevitablemente en la misma complejidad que la afirmación de Dios, y, si quiere justificar su posición, el ateo está obligado a impugnar los signos en los que se apoya el creyente. No hay por lo tanto nada de extraño, en que la posición del ateo sea frecuentemente un tanto problemática, como lo prueba la encuesta realizada por el I. F. O. P. en 1958[3]: el 17 % de los sujetos se declaran ateos; el 13 % declara firme su convicción; el 2 % declara que no lo es; el 6 % ha puesto su convicción en duda; el 10 % no ha hecho tal cosa; y, entre los ateos convencidos, un 24 % reconocen discutir frecuentemente de religión.

La frontera entre el teísmo y el ateísmo es un tanto indefinida. Más atrás, nos hemos ya referido a las civilizaciones deístas de la antigüedad, en las que se afirmaba la existencia de un Ser Supremo en cierta manera personal, pero que permanecía inactivo *(deus otiosus),* y no han faltado etnólogos que, basándose en la ausencia total de culto, las hayan considerado como francamente ateas. Sin duda, ello era cierto desde el punto de vista práctico, pero las creencias teístas se reanimaban en los momentos de cataclismo cuando no parecía haber para el hombre ninguna otra salvación, que el recurso al autor de la vida.

A partir del siglo XVIII, un ateísmo práctico de este tipo no cesa de difundirse minando la fe de los creyentes. Por el hecho mismo de la desacralización del mundo moderno, Dios es eliminado de los dominios que afectan al hombre de manera más inmediata, como son la política, la economía, la medicina, las artes, la historia e incluso la filosofía y la moral, y la afirmación de Dios se encuentra relegada, en numerosas ocasiones, al plano de los debates puramente teóricos sin incidencia alguna en el compromiso existencial. ¿Puede hablarse en estos casos de una actitud verdaderamente religiosa? En nuestra opinión, solamente una óptica dinámica permite situar este tipo de actitud deísta. Cuando ha desaparecido toda inquietud religiosa y el hombre no ve en Dios más que la cifra metafísica, sin incidencia ninguna en la existencia, aparece una actitud propia y prácticamente atea, incluso en el caso de que el hombre no afirme todavía

---

3 *Sondages,* 1959 (núm. 3), p. 19.

una posición filosófica de este tipo. Una posición semejante la consideramos bastante difundida en los medios obreros. Por el contrario, entre los intelectuales, en la generalidad de los casos, el sujeto pretende dar consistencia a su fe filosófica, e incluso cuando llegan a reducir la religión a la dimensión del solo compromiso humano, creen perfeccionar así la obra de Dios, o, al menos, realizar en su presencia una obra humana. En esta perspectiva, Dios no es un Dios inactivo, ni un Dios distante reducido a una pura Mirada. A veces estos sujetos se preguntan a sí mismos si son todavía creyentes, confesando no saber bien lo que les separa de los ateos. Pero el sentido de su reflexión no es en manera alguna unívoco. ¿A qué concepto de Dios refieren su actitud? Tal vez estiman que la verdadera fe, debería ocupar en su vida un lugar semejante al que ocupara el antiguo sagrado.

Entre otros creyentes, la fe religiosa se afirma más claramente, pero no saben aún integrarla en su vida humana. Reconocen sin dificultad la doble dimensión horizontal y vertical de la existencia, y esta distinción determina el ritmo de su vida tendida entre ambos polos, Dios y la humanidad. Para numerosos creyentes, la familia es el único terreno en el que ambas dimensiones coexisten. Se habla a veces, cediendo al simplismo y la facilidad, de cristianos de domingo, olvidando lo tremendamente difícil que es integrar en la fe un mundo a-teo. Son raros aquellos que realizan con éxito esta integración; pero la fe es una intencionalidad y no algo que se posee, y, por lo tanto, mientras se afirma como un vector dinámico y heurístico, permanece viva. Solamente cuando la separación se hace sistema puede hablarse de ateísmo práctico.

Estas consideraciones nos permitirán abordar la cuestión tantas veces debatida. ¿El ateo busca una religión de sustitución?

Muchos autores, fenomenólogos, sociólogos e historiadores, han observado que cierto número de movimientos humanitarios presentan caracteres calificables de religiosos. Tal es la razón por la cual algunos los consideran como místicas o religiones sin Dios. Desde este punto de vista el marxismo sería un fenómeno ejemplar, puesto que, en efecto, propone un ideal de sociedad perfecta que debe instaurarse al fin de nuestra historia, interpretando todas las civilizaciones que le han precedido en función de lo que consideran como principios últimos. En su opinión, aquéllas pertenecen a la proto-historia que prepara la realización del hombre y de una sociedad perfectamente humanizada, con vistas a cuya realización integral exige de sus fieles una obediencia y una dedicación sin reservas. Análogamente, algunos han podido encontrar en el psicoanálisis un humanismo integral destinado a relevar a la religión. El mismo Freud ha hablado del psicoanálisis como de la nueva religión científica e ilustrada, que liberaría definitivamente al hombre de la culpabilidad, restaurándolo en su poder sobre su vida y su ética. Conocida es la mística humanitaria que inspiraba los primeros discípulos de Freud, asegurándoles una cohesión y un espíritu en cierta manera apostólico.

En los movimientos de este género, el sociólogo Yinger cree encontrar lo que denomina «caminos contemporáneos de salvación»[4], cuya inspiración religiosa se manifestaría en el paralelismo de sus formas sociales con las propias de las instituciones religiosas: Credo, ideas de salvación, autoridad, culto, nueva fraternidad... Spengler veía, incluso, en el ateísmo, la nueva manifestación mística del antiguo espíritu religioso, y, no sin ironía, Sartre le hacía eco afirmando que «un ateo era un original..., un fanático lleno de tabues, que se obligaba a probar la verdad de su doctrina por la pureza de sus costumbres; encarnizado contra sí mismo, y contra su felicidad, hasta el punto de privarse del medio de morir consolado; un maníaco de Dios que veía Su ausencia por doquier y que no podía abrir la boca sin pronunciar Su

---

[4] *Religion, Society and the Individual,* Nueva York, 1957, p. 95.

nombre; en una palabra, un señor con convicciones religiosas. El creyente, por el contrario, no las tenía, puesto que, desde hace dos mil años, las certidumbres cristianas habían tenido el tiempo suficiente de hacer sus pruebas..., y hoy eran el patrimonio común»[5].

Como lo hemos explicado ya, nos parece falso desde el punto de vista de los principios, e injusto tanto frente a los ateos como frente a los creyentes, calificar de religiosos estos movimientos humanitarios. Hay en esta terminología, una confusión que revela otra más profunda referente a la interpretación psicológica de los fenómenos. Pretender encontrar el espíritu religioso en el entusiasmo laico o en el marxismo es hacer de la religión y de los diferentes humanismos, las emanaciones de las mismas tendencias. Esto es tanto como decir que las intenciones explícitas del hombre carecen de importancia, y que todos los valores son intercambiables. Es preciso una psicología de las necesidades y de las tendencias particularmente engañosa, para dar lugar a tales aberraciones.

Nos separamos, por tanto, radicalmente de van der Leeuw, cuando escribe que *«la religión de la huida... es el ateísmo»*, o también «pueden sustituir a dios por el diablo, pero el diablo también, en el lenguaje de la fenomenología, es una especie de dios. Pueden volver de dios al hombre, pero esta huidad les lleva simplemente a la potencialidad original»[6]. Análogamente, rehusamos aceptar la teoría de Jung que cree poder descubrir en las místicas humanas los rasgos de una religión reprimida. Jung no tendría ocasión de afirmar esta tesis, si previamente no hubiese reducido la religión a la simple toma de posesión del hombre por sí mismo. Para él, en efecto, la religión no es más que una manera de reconocer los «arquetipos» presentes en el inconsciente colectivo, y, por consecuencia, asumir lo que es constitutivo de lo humano en tanto que tal. En estas condiciones, toda mística no religiosa, no es más

---

[5] *Les Mots,* París, 1964, p. 79.

[6] *La religion...,* p. 582.

que una forma disfrazada de enfrentarse con las potencias inconscientes. Los apologetas y los psicólogos cristianos que recurren a Jung para probar la naturaleza profundamente religiosa del hombre, no sospechan, desgraciadamente, que tal confusión priva a su religión de toda sustancia.

El debate se reduce, en el fondo, a la cuestión esencial de si la necesidad de absoluto es naturalmente religiosa. Como lo hemos mostrado en nuestro tercer capítulo, la afectividad es el punto de origen de la necesidad de absoluto; por otra parte, dados sus orígenes narcisistas, es esencial a la afectividad el ser deseo de totalidad. No es por lo tanto extraño que las místicas humanitarias que entusiasman a sus fieles con el ideal de una sociedad perfectamente armoniosa, proyecten en el futuro humano, un recuerdo arcaico de plenitud afectiva.

Atendiendo a esta raíz, es natural que, dichas místicas, emparenten con la religión a través de numerosos rasgos, cuya fuente común es un profundo deseo de plenitud encontrado en una unión armoniosa. La religión, por su parte, se enraíza en este deseo y tal es la razón de que Freud la llame *ilusión*. Pero la diferencia que separa la religión de estas místicas, es, pese a todo, de tal manera radical, que estos dos movimientos no dependen ya de la misma realidad psicológica. Hemos insistido suficientemente en ello en el tercer capítulo para poder aquí contentarnos con una simple referencia. La separación que la palabra, la ley, y el asentimiento al Totalmente-Otro introducen en el sujeto, transforman profundamente la relación del hombre con Dios. Se nivelan a veces estas diferencias de estructuras acudiendo a un vocabulario hidráulico de este tipo: «los ateos canalizan hacia un objeto humano su necesidad religiosa»; pero aquí también la imagen disimula la asimetría de dos situaciones. Las místicas humanitarias refieren el deseo de felicidad total al futuro humano que el hombre debe realizar por sus propios medios. Si tales místicas son superiores o inferiores a la religión, y si respecto a ellas debe hablarse de verdad o de ilusión, es algo que no corresponde decidir al psicólogo, cuya tarea consiste, solamente, en señalar a la vez la proximidad y la distancia absoluta que caracteriza sus relaciones con la religión.

Ciertamente, todo ateísmo no es una mística, y sí es muy posible que, de hecho, la mayor parte de los hombres pretendan llenar su falta de religión mediante «valores de sustitución» [7] como los anteriormente descritos, al mismo tiempo que critican el deseo religioso, muchos de nuestros contemporáneos parecen renunciar a toda mística en razón al carácter ilusorio que le atribuyen. Merleau-Ponty ilustra bien este idealismo humanista en su reflexión sobre *Le Heros, l'homme:* «La fe despojada de sus ilusiones no es tan siquiera el movimiento por el cual, uniéndonos a los otros y sintetizando nuestro pasado y nuestro presente, damos sentido a la totalidad de cuanto es, de manera que el discurso confuso del mundo se termina en una palabra precisa. Los santos del cristianismo y los héroes de las revoluciones pasadas no han hecho otra cosa. Simplemente han procurado creer que su combate estaba ya ganado en el cielo o en la historia. Los hombres de hoy no tienen este recurso. El héroe de nuestros contemporáneos no es Lucifer, ni siquiera Prometeo; es el hombre» [8].

Entre nuestros contemporáneos, el realismo puede adoptar un carácter bastante decepcionante. En una encuesta realizada entre jóvenes franceses, de dieciséis a veinticuatro años de edad, la media del conjunto de respuestas referentes a los tres valores esenciales de la vida, proporcionó las cifras siguientes: 79 % la salud; 58 % el dinero; 46 % el amor; la fe religiosa aparece a la cola con el 12 %. Cinco jóvenes entre diez omiten el amor en la determinación de estos tres primeros valores, ocho la

---

[7] Cf. E. ERIKSON, "Identity and the Life Cycle", *Psychological Issues,* 1959, Nueva York, 1959, pp. 64-65; G. W. ALLPORT, *The Individual and his Religion,* pp. 78-80.

[8] *Sens et non-sens,* París, 1948, p. 380.

amistad y nueve la fe religiosa[9]. En relación a este realismo escéptico, la pasión amorosa, el fervor artístico o la preocupación político-social, revelan una grandeza que los acercan a las místicas religiosas.

Ocurre que los fenómenos secundarios acentúan la aproximación entre los movimientos humanitarios y la religión; tal ocurre con la exaltación mística de un individuo particular o de un grupo. Podemos asistir a tales apoteosis comparables a la de los emperadores en el mundo helenístico. Piénsese en el culto de la razón en tiempos de la Revolución francesa y de su entronización litúrgica en Nuestra Señora de París, o, más recientemente, en el culto de la personalidad en la U R S S, cuando Stalin se hacía otorgar, entre otros títulos divinos, el de padre omnisciente y todopoderoso[10]. En el entusiasmo cuasi religioso de estas místicas terrestres, se ven renacer entre los hombres las aspiraciones arcaicas a la omnipotencia, que proyectan sobre una figura simbólica, con la esperanza de que ésta a su vez les asegure la satisfacción de sus deseos de seguridad y de dicha. Ante tales espectáculos, se comprende el desprecio o la desconfianza que ciertos ateos mantienen frente a la religión. ¿Acaso no desencadena los mismos procesos ilusorios alienantes del hombre respecto de sus verdaderas posibilidades?

Hemos dejado hasta aquí en suspenso, el carácter más específico del ateísmo humanista: siendo esencialmente proyecto de dicha humana, tiende a realizar este proyecto para el hombre. Si todo ateísmo humanista acentúa con fervor de cruzado su negativa a la religión, no deja de matizar sus juicios de valor sobre la misma, desde la simple negación al combate anti-teísta. El ateísmo, en efecto, puede intensificar en grados bien diversos su carácter de humanismo cerrado. En las místicas humanistas el ateo se compromete en la prosecución de su fin,

---

[9] *Les 16-24 ans* [2], París, 1963.

[10] Cf. G. GURVITCH, "L'effondrement d'un mythe politique: Joseph Staline", *Cahiers Internationaux de Sociologie,* 1962, pp. 5-18.

sin distinguir claramente entre religión y humanismo, y, consagrándose enteramente a su ideal, se proyecta en el futuro de los valores a realizar, de manera que su ateísmo será una mística sin Dios. Si, por el contrario, considera que su misión es realizar formalmente su proyecto por el hombre y para el hombre, su ateísmo tomará los rasgos de un antiteísmo militante. La fe religiosa no es para él otra cosa, que una degradación aberrante que despoja al hombre de sus valores humanos.

Sin duda, el ateísmo se acompaña siempre de una cierta nota de antiteísmo; un humanismo ateo declarado siente, oscuramente al menos, que la religión limita los valores humanos de forma considerada como intolerable.

Para comprender el antiteísmo en lo que tiene frecuentemente de deliberadamente exclusivo y militante, nos es preciso sacar a luz los dinamismos psicológicos que afilan su aguijón.

II. PROCESOS PSICOLOGICOS PROPIOS DEL ATEISMO

A. DEFENSA CONTRA LO DIVINO

En las antiguas religiones, lo sagrado y lo divino eran ya considerados como amenazas para el hombre. El tabú tenía precisamente por función, proteger al hombre de la destrucción que le amenazaba al contacto de una realidad de distinto nivel ontológico. El hombre tiene, por lo tanto, desde siempre, la tendencia a protegerse contra Dios o contra los dioses[11].

Podría incluso ocurrir, que este temor a lo sagrado y a los tabues, alimente en el hombre un fondo de agresividad que, so pena de destrucción, no puede manifestarse abiertamente. Esta agresividad encontraría instintivamen-

---

[11] Cf. M. ELIADE, *Traité...*, pp. 393-394.

te las formas de compromiso que la permitieran coexistir con el respeto y, en este sentido, los ritos severos a los cuales se sometían los sacerdotes, los reyes y los adivinos, revelan una hostilidad larvada [12].

En una religión personalizada, este movimiento de defensa toma otras formas. El creyente puede sustraerse a la mirada de Dios negándolo mágicamente. También ocurre que la entrega de sí en el asentimiento religioso, provoca un exceso de angustia; para protegerse de él, el hombre se le opone, a veces abiertamente, pero, más frecuentemente, negando inconscientemente la realidad de la llamada divina.

En la psicología infantil como en la clínica, la negación es un proceso psicológico bien conocido que no se puede identificar al histrionismo o a la mala voluntad. La negación es más espontánea, más impulsiva y raramente es lo suficientemente consciente como para constituir un «pecado contra el Espíritu». Es una resistencia que emana del fondo afectivo. Esta naturaleza poderosamente afectiva de la resistencia a la fe es frecuentemente asombrosa. La acusación de ceguedad deliberada que se hace a veces contra tal actitud, no provoca sino una intensificación de la angustia y de la resistencia. Sin poder aportar datos estadísticos en apoyo de nuestra aserción, tenemos la convicción de que esta resistencia espontánea, está en la base de numerosos casos de ateísmo práctico e incluso teórico.

El anticlericalismo que se encuentra entre un gran número de creyentes se explica sin duda por este proceso de defensa más o menos inconsciente. Se exige tanto más del sacerdote, y se está tanto más atento a sus deficiencias, cuanto más se puede desviar hacia él un movimiento inquietante de defensa contra la fe.

---

[12] Cf. FREUD, *Totem und Tabou, G. W.*, IX cap. 3.º (trad. española: *O. C.*, II, pp. 459 y ss.).

B. LA RAZON, DUEÑA DE SI MISMA

Desde sus primeras especulaciones sobre el mundo y sobre el hombre, la razón filosófica implicaba una tentación de ateísmo práctico. En la mentalidad de los pueblos pastores, la divinidad se alejaba hacia una trascendencia infinita hasta el punto de separar finalmente a Dios del mundo de los hombres, dejando así el campo libre a las empresas de la inteligencia.

En los siglos XVIII y XIX, el racionalismo ha reivindicado fieramente su voluntad de no someter la razón sino a las solas leyes que hubiera podido obtener por sí misma. Con ocasión de su conversión al racionalismo, Taine expresaba muy claramente este sentimiento de liberación que el hombre puede experimentar desprendiéndose de la fe para afirmar la plena autonomía de la inteligencia: «La razón apareció en mí como una luz...; lo que cayó en primer lugar ante el empuje de este espíritu de examen fue mi fe religiosa...; yo estimaba excesivamente mi razón para creer en otra autoridad distinta de la suya; yo no quise que la regla de mis actos y la conducta de mi pensamiento dependiese más que de mí. El orgullo y el amor de mi libertad me liberaron» [13].

La religión implica tres rasgos que deben enfrentarse con este deseo de autonomía del que la razón extrae su fuerza creadora. En primer lugar, no se reconoce al Totalmente-Otro sin admitir, previamente y por principio, que el fondo de las cosas es misterio y que escapa, por lo tanto, a la comprensión exhaustiva a la que aspira la inteligencia humana. Desde que aparece, la razón ambiciona elucidar plenamente la totalidad del misterio, reconduciéndolo a la categoría de problema, o, lo que es lo mismo, a una dificultad de comprensión que un día, aunque éste sea el final de los tiempos, podrá ser aclarada.

---

[13] En *De la Destinée Humaine* (escrito autobiográfico).

En segundo lugar, la aceptación de las verdades religiosas dadas por la tradición hiere igualmente la razón, porque se dan por verdades eternas y la razón científica nada tiene que ver con este tipo de verdades. La razón, en efecto, no ejerce su dominio más que sobre verdades relativas que es capaz de organizar e incrementar poco a poco.

En fin, la revelación cristiana impone la autoridad de las verdades exteriores que, por principio, escapan al dominio de la razón. Por su naturaleza misma, este carácter extrínseco de las verdades dogmáticas, está llamado a intensificar las resistencias que la razón está siempre tentada de oponer a la religión.

De otro lado, las encuestas recientes permiten creer que el conflicto entre la ciencia y la fe, pierde urgencia, al menos para los creyentes. Una encuesta realizada por Allport en 1948, revela que el 70 % de los estudiantes universitarios, creen en la concordancia posible entre la ciencia y la fe [14]. En la encuesta realizada por el I. F. O. P. en Francia en 1958, solamente el 14 % de los sujetos, entre los dieciocho y los treinta años de edad, piensan que la fe se contradice con la ciencia moderna. Análogamente, a los ojos de los jóvenes, salvo un 7 %, la religión no es hostil a la dicha humana [15]. La óptica es ciertamente diferente según los medios. Los no creyentes ven una oposición entre religión y ciencia o progreso social. En estos medios, una cierta imagen de la religión anti-humanista se mantiene más permanentemente; la constancia de las esterotipaciones sociales es un fenómeno general, innumerables veces observado por la psicología. Esta ley de la psicología social no basta sin embargo ,para explicar el eco actual de los conflictos que han opuesto en otros tiempos la religión con el mundo moderno; el recuerdo de las antiguas oposiciones de la fe y la ciencia o el progreso social, ha influido profundamente en nume-

---

14 "The Religion of the Post-War College Student", *Journal of Psychology,* 1948, pp. 3-33.

15 Cf. *Sondages,* París, 1959, núm. 3.

rosos contemporáneos nuestros; incluso, si para ellos la hostilidad entre los dos dominios no es actual, no es menos cierto que los malentendidos del pasado, han dejado la impresión perturbadora de que la religión ha fracasado [16]. Más que las ciencias, es su propio pasado el que testimonia contra la religión.

De todas maneras el clima científico ha cambiado sensiblemente. Se ha denunciado el mito del cientismo. Se ha mostrado que toda razón científica supone una fe perceptiva o, como dice Husserl, una fe originaria. La razón, en efecto, no se hace dueña de sí misma sino en la docilidad y el consentimiento a lo real, sea éste del tipo que sea. Ahora bien, lo real nos rebasa, porque nos precede, nos rodea y nos engloba. Nos da a pensar, pero escapando indefinidamente a la posesión exhaustiva que la razón pretende.

Por otra parte, la renovación teológica ha aprendido a percibir mejor en las verdades religiosas lo que es histórico y lo que es eterno, y, sobre todo, ha hecho luz en torno a su especificidad, esto es, su pertenencia a un orden de realidad distinto, de manera que no puede confundírselas con abstracciones eternas. Si los signos que manifiestan a Dios son eternos, las ideas que dan cuenta de ellos están inscritas en la historia de las civilizaciones y del pensamiento. En estas verdades religiosas, más que en cualquier otro dominio del conocimiento, el hombre no debe contentarse con registrar teorías hechas.

Que el imperialismo racionalista ha sido fecundo para la cultura y ha purificado la religión, nadie lo duda. En efecto, las primeras edades del pensamiento religioso como las del pensamiento científico, han estado marcadas por un sincretismo en el que la teología se mezclaba a la ciencia mítica. Esta perspectiva, da todo su peso al reproche que el ateísmo lanza contra la religión, acusándola de ser un mito y una proyección. En el mito y en

[16] P. M. KITAY, *Radicalism and Conservatism toward Conventional Religion*, Nueva York, 1947.

la proyección, en efecto, el hombre vive en el exterior de sí mismo en los objetos sobre los cuales ha colocado su propio contenido. Le importaba, ante todo, recuperar lo que había abandonado al mundo simbólico; piénsese, por ejemplo, en la explicación del mal físico o biológico por la influencia de los poderes demoníacos. ¿Acaso no constituye tal explicación la proyección de experiencias interiores y psicológicas sobre la estructura del mundo? La aparición de las ciencias físicas y de las humanas, debía inaugurar el estudio de las leyes de la naturaleza y, a la vez, llevar a cabo la crítica de las proyecciones míticas. Se comprende que, en todo pensamiento religioso, los ateos puedan sospechar la persistencia de este oscurecimiento de la realidad. El hecho mismo de aceptar misterios revelados, puede dar la impresión de que la razón renuncia, desde el principio, a comprender, y que lo que persigue en el pensamiento simbólico, es la búsqueda y la esperanza de un modo superior de inteligencia. De hecho, la mayoría de los científicos y los creyentes saben hoy que las realidades de la fe no se interfieren para nada con las leyes científicas. El conflicto es, hoy día, de un orden distinto y más radical: es en la interpretación filosófica del mundo y de la existencia, donde renace la tensión entre la trascendencia de la fe y la autonomía de la razón. La sospecha de pensamiento mítico y proyectivo se desplaza hacia este campo vital, en el que el hombre compromete la totalidad de su ser. Aquí, los límites de los problemas son difusos, y la oposición entre la razón y la fe podrá siempre resurgir renovada sin cesar por un poderoso deseo humano de emancipación y de poder.

C. EL DEMIURGO O EL HIJO REBELDE

Numerosas mitologías antiguas, sacan a escena la figura del demiurgo, o hijo rebelado, que mata al padre avaro y tiránico, a fin de hacerse dueño del mundo y de sus poderes. Por otra parte, el mito de Prometeo simboliza directamente al hombre héroe que roba su poder a los dioses envidiosos. La resistencia a Dios Todopoderoso no está aquí, inspirada por el miedo, sino por el deseo de sustituirse al padre, eliminándolo y haciéndose su igual. Es extraordinario que Freud haya podido interpretar en esta misma línea al cristianismo, considerándolo como la religión del hijo que reemplaza al padre después de la muerte de éste. Freud ha proyectado sobre el cristianismo el antiguo mito del demiurgo rebelado. Ello se debe a que este mito contiene una verdad profunda al expresar el deseo más secreto del hombre, el deseo de ser su propio padre, de fundarse a sí mismo, de no depender más que de sí mismo en sus poderes y en su dicha. Este deseo de sustituirse al padre es un dinamismo tan potente y originario, que aparece en el corazón mismo del conflicto que el hombre debe atravesar para humanizarse: el complejo de Edipo. Freud, fascinado por la presencia universal de este conflicto, ha creído descubrirlo, con una virulencia oculta, en el cristianismo.

Nietzsche decía que el hombre es por naturaleza un ser rebelado, y Heidegger, por su parte, señala en la técnica el efecto de una secreta actitud de rebeldía[17]. La prueba es la mística tecnológica contemporánea, que se levanta ante nuestros ojos. Más que las exigencias de la razón científica, es el ejercicio de un poder técnico sobre el mundo lo que implica un fermento de ateísmo. El hombre pone en ella su voluntad de autonomía, que ya el conflicto de Edipo hacía surgir como una oposición al padre.

Un texto de J. Rivière, en muy poco anterior a su conversión al catolicismo, expresa también este extraordinario deseo de disponer de sí mismo que impulsa a Rivière contra la llamada de la fe cristiana: «Me basta conmigo mismo y con mi vida, incluso si ésta ha de ser un inter-

---

[17] Cf. R. Bohem, "Pensée et technique", *Revue Internationale de Philosophie,* Bruselas, 1960, pp. 1-27.

minable sufrimiento. Prefiero padecer a consentir, a cambio incluso de la eterna felicidad, a una dominación aun cuando ésta sea instantánea», «... me niego a preferir a Dios a mí mismo y no creo que nos exija nada distinto al perfecto e integral desarrollo de nosotros mismos» [18].

Recientemente, A. Mitscherlich, sociólogo y psicoanalista alemán, ha proclamado abiertamente su deseo de ver instaurarse una «sociedad fraterna», una vez eliminado el símbolo paternal del que Dios es la figura más alta y más opresora [19]. Ciertamente, el mito de Prometeo puede considerarse como pasado. El hombre no pretende ya divinizarse en un gesto de desafío frente al padre, y simplemente intenta consagrarse a su tarea humana. En la idea de Mitscherlich, la promoción de una sociedad fraternal no tiene nada de mítico y, al contrario, lleva un acento resueltamente humanista, con toda la resignación que este término implica en el realismo de nuestra época. Queda, sin embargo, sin inspirarse ya en el deseo de sustitución, la oposición al padre que se siente con la misma intensidad, como condición esencial para la realización del hombre.

D. EL GOCE LEGITIMADO

El conflicto entre la voluntad de autonomía y la autoridad divina, se precipita frecuentemente a partir del problema del goce y de la felicidad. En particular, sucede que el deseo de goce sexual hace estallar la actitud de fe. Simone de Beauvoir lo atestigua en su autobiografía [20].

Ya en la mentalidad cosmo-vitalista, la participación en el misterio de la vida eclipsaba la religión. No se tenía, sin embargo, conciencia del conflicto porque el cosmo-

---

[18] J. Rivière et P. Claudel, *Correspondance*, París, 1963, pp. 65 y 67.

[19] *Auf dem Weg zur vaterlosen Gesellschaft. Ideen zur Sozialpsychologie*, Munich, 1963.

[20] *Mémoires d'une jeune fille rangée*, París, 1958, pp. 137-138.

vitalismo hacía descender lo divino a la vida y a la celebración misma del placer. Aquí igualmente, como en todas las otras tensiones entre lo humano y la religión, la afirmación judeo-cristiana de la radical trascendencia personal de Dios, debería colocar al hombre ante una opción decisiva: la renuncia al absoluto de la vida y del goce, es la condición de la fe en Dios. Seguramente la antítesis entre la religión y el goce, debe ser superada. Hemos visto ya que en el Edipo, la identificación con el padre tiene por efecto ordenar y legitimar el goce sexual. La ética religiosa, por su parte, prolonga y perfecciona esta ley del crecimiento humano, sin impedir que la promesa ilusoria de la dicha insuperable contenida en el despertar sexual, se sienta más o menos como inconciliable con la fe religiosa.

Es inútil insistir sobre el hecho de la desconfianza que diversas influencias dualistas han mantenido vivas en los medios cristianos, pudiendo intensificar el conflicto hasta los extremos límites de lo tolerable y aun más allá.

CONCLUSIONES Y REFLEXIONES

En el interior mismo de la religión, una cierta angustia ante lo sagrado y ante la divinidad, incita al hombre a defenderse contra la presencia divina y contra las exigencias de la religión. Esta defensa puede tomar la forma de la negación, de la ironía, o del pudor ante las cosas religiosas: se prefiere filtrar sus llamadas y mantenerlas a distancia. De esta actitud puede resultar cierto ateísmo práctico, pero el ateísmo declarado se funda en otros motivos psicológicos.

Estos motivos no es preciso buscarlos en los episodios secretos y excepcionales. Es en los impulsos y en los deseos más elementales donde se inscriben. Todo poder humano implica su germen de ateísmo. En el judeo-cristianismo, la tensión natural entre Dios y el hombre, que se erige en dueño de sus poderes y sus alegrías, se encuentra intensificada por el hecho de que la naturaleza personal y trascendente de Dios acentúa la heteronomia de la religión con relación a lo humano. Cuando Dios deja de estar inmerso en la naturaleza, el mero despliegue de las potencias humanas, no puede bastar para acceder directamente a la participación del mundo divino. Al ser radicalmente Otro, Dios exige una espiritualización y una fidelidad como ningún otro dios ha exigido nunca. Es, precisamente por esta razón, por lo que el ateísmo declarado y militante debió, necesariamente, nacer en clima cristiano, respondiendo aunque de manera negativa, a las absolutas exigencias de Dios, consecutivas a la separación entre lo divino y lo terrestre.

Nuestra reflexión crítica sobre el ateísmo puede contentarse con volver esencialmente sobre los temas que hemos ya desarrollado en el capítulo sobre la paternidad divina y la filiación humana. De hecho, a los ojos del creyente, el acto de fe no disminuye en nada al hombre; la autoridad de Dios no suprime la autonomía humana; sus verdades no oscurecen la razón; sus exigencias no destruyen la felicidad y la dicha. El creyente sabe por la experiencia que hace del asentimiento religioso que, en el fondo, no ha renunciado sino a la sola desmesura de la suficiencia humana, a la pretensión del salvarse y de realizarse por sí mismo. Pero, visto desde el exterior o después del conflicto vivido, el asentimiento religioso aparece como una disminución humana; porque el impulso primero y fundamental del hombre le orientan hacia una suficiencia siempre más firme, le opone, naturalmente, a un Dios que se presenta como gracia. En el acto de fe, el hombre acepta su finitud, pero sin desvalorizarla por ello. Se puede decir que el consentimiento religioso pone de relieve el principio de la realidad, que Freud reconociera como revelador de la verdad, en su confrontación con el principio del placer; pero, como en todo conflicto, los términos de la oposición no descubren su verdadero sentido sino después de la resolución de aquél. De aquí, el inevitable malentendido que separa los ateos de los creyentes; en realidad desde el punto de vista de las exigencias del humanismo, unos y otros hacen valer puntos de vista análogos, pero, a menos de encerrarse en el agnosticismo, los ateos tienen inevitablemente la sensación de que el humanismo de los creyentes es un humanismo incompleto, puesto que se encuentra obligado a sacrificar a Dios los poderes humanos más legítimos.

Condiciones particulares pueden agravar aún más este debate entre teísmo y ateísmo. Tal es el caso de la ambigüedad de motivaciones que frecuentemente condicionan el comportamiento religioso, y que ha servido para confirmar a ciertos psicólogos en una actitud de ateísmo despectivo. En el curso de los capítulos anteriores, hemos tenido suficiente ocasión de criticar estas formas religiosas, y ello nos dispensa de insistir ahora en el tema. Nos parece suficiente, en este análisis del ateísmo, hacer luz sobre el conflicto universal y fundamental que no cesa jamás de oponer el teísmo y el ateísmo en un enfrentamiento del que emerge la verdadera religión.

SEGUNDA PARTE

ESBOZO DE UNA PSICOLOGIA GENETICA

Sería pretencioso, en esta hora, pretender describir en su conjunto la génesis de la personalidad religiosa, y ello porque, en primer lugar, no se trata de una constante psicológica. Sin duda, el niño es esencialmente un ser en devenir, pero su desarrollo no sigue una línea uniforme, a la manera de un organismo cuya expansión fuera determinada por las solas leyes de su evolución interna. Las comparaciones que se pueden establecer entre los análisis realizados en medios diferentes y en épocas también diferentes, prueban que, las particularidades que caracterizan cada medio educativo, producen divergencias sensibles en el crecimieno psicológico del niño. El niño es un ser abierto, polimorfo, y, precisamente, corresponde a la educación desarrollar tal posibilidad con preferencia a otras.

El polimorfismo del niño hace enteramente aleatorio el estudio científico de su crecimiento psicológico. Si la observación metódica permite discernir diversos estadios en la evolución infantil, le queda aún el interpretarlos según la mentalidad misma del niño. La psicología científica sufre frecuentemente la tentación de comprender dicha evolución según criterios del adulto, y, por otra parte, resulta difícil evitar toda referencia al adulto, una vez que se adoptan los esquemas de pensamiento científico pertenecientes a su lenguaje y a su mentalidad. Los educadores religiosos se han dado exacta cuenta del peligro que amenaza de racionalizar el mundo del niño; es esta intuición pedagógica la que sustenta su notoria desconfianza ante la psicología teórica [1]. Sucede sin embargo

[1] Citemos como ejemplo la opinión de H. Lubienska de Lenval, célebre pedagoga religiosa, que afirma "no esperar nada de la

que, reaccionando contra la reducción del niño a los patrones negativos de un preadulto, los pedagogos llegan a considerarle como un adulto, responsable de sus opciones de vida, capaz de comprender las relaciones interpersonales, y, en una cierta medida, de llegar a la inteligencia vívida de los misterios religiosos. Así se puede leer en ciertas directivas pastorales, que la Iglesia católica trata a los niños como espiritualmente adultos, pero tal vez no es ésta sino una manera más de centrarlos sobre el adulto[2]. En el esbozo que sigue a continuación, trataremos de evitar este doble obstáculo, prestando igual atención a la diferencia que separa al niño del adulto e, inversamente, a su referencia al adulto, puesto que es un adulto en devenir.

A continuación, vamos a esbozar algunos jalones del crecimiento religioso del hombre, tal como se manifiesta en el mundo occidental. Por muy limitadas que sean las investigaciones positivas utilizadas, nos permitirán caracterizar algunos momentos decisivos de la mutación en la actitud religiosa. Ningún criterio de análisis se corresponde adecuadamente a la evolución religiosa del individuo, que desborda infinitamente los elementos fijados por la psicología. Es, por lo tanto, imposible determinar los estadios del crecimiento religioso y se debe renunciar a determinar la curva de la «maduración» religiosa, ya que las diversas etapas de la evolución afectiva intelectual y social se superponen y condicionan recíprocamente; pero, en cuanto a algunos elementos, sí es factible sacar a luz los momentos en que el niño descubre una nueva dimensión, entra en conflicto, o se apropia personalmente de uno u otro dato que le presenta su medio religioso.

El niño es un ser religioso a su manera. Es diferente del primitivo, puesto que pertenece a nuestro universo cultural y religioso y pretende integrarse en él. Si ciertos

---

psicología sabia"; cf. *L'éducation du sens religieux,* París, 1964, pp. 92-93.

[2] Cf. *A l'écoute du Seigneur. Guide I,* fascículo A, Tournai, 1962, p. 19 (Centro diocesano de enseñanza religiosa).

rasgos le aproximan a diversas culturas primitivas, es por ser esencialmente polimorfo. En él se encuentran mezcladas y en potencia todas las posibilidades que constituyen el fondo común de la humanidad. Como tendremos ocasión de precisar, el niño piensa en Dios, pero de una manera original, que jamás se encuentra entre los adultos; es decir, de acuerdo con un antropomorfismo ingenuo y abierto. Estos momentos de la evolución, que podemos fijar, serán precisamente aquellos en los que comienza a delinearse claramente un contenido religioso hasta entonces indiferenciado. Estos momentos de mutación son siempre momentos de opción por una forma específica y determinada.

Ninguna fatalidad existe en esta evolución, y en cada encrucijada del camino, el niño tiene la posibilidad de detenerse; pero, si lo hace, ya no es quien antes era, porque al rechazar una cierta posibilidad de evolución, se fija en un sentimiento y sobre una imagen o un concepto que constituían ya parte de su acervo, pero que ahora va a mantener endureciéndolos. Cerrándose así a ciertas virtualidades de su polimorfismo anterior, el niño se modifica.

Todos los puntos a estudiar, ya se trate del antropomorfismo del niño, de su comportamiento mágico o de su egocentrismo, deberán enfocarse a la luz de este criterio que restituye los fenómenos en su devenir dinámico. Al salir el niño del antropomorfismo originario los conceptos religiosos precedentes comienzan a tomar una clara significación antropomórfica en el sentido peyorativo del término. Sin duda lo eran ya anteriormente de manera más flexible y abierta y le servían de medios apropiados para representarse a Dios de una manera, infantil sin duda, pero que en ningún caso llegaba a desnaturalizar su imagen. Solamente hay deformación verdadera de la idea de Dios en el niño, en el caso de conservar la imagen antropomórfica más allá del estadio normal; esto es, en contradicción con su evolución afectiva e intelectual en los otros dominios. Desde que inicia la crítica de su religión, es preciso que el niño sea capaz de sustituir sus primeras representaciones, por concepciones más adecuadas so pena de identificar a Dios con conceptos que, válidos anteriormente, estarían ya afectados de un coeficiente negativo de infantilismo.

Por otro lado, si el educador no respeta el universo mental del niño, y le impone sus propios conceptos de adulto elaborados a través de siglos de cultura, estos conceptos no podrán ser para el niño signos capaces de conducirle al Dios vivo. Nada es más difícil para el adulto que comprender al niño, y está en peligro, bien de considerarle como su igual, bien de tratarle como a un inferior; en ambos casos transfiere sobre el niño esquemas de pensamiento y de comportamiento extraños a su psicología, hasta el punto de llegar a cortar toda relación efectiva con él.

CAPITULO I

LA RELIGION DE LA NIÑEZ

Religiosidad «natural» en el niño

Propiamente hablando, nada es natural en el niño, puesto que el universo cultural en el que va a ingresar, contribuye a formar y definir sus comportamientos; pero el niño, no es, tampoco, un puro vacío. La idea de Dios no germina en su espíritu por generación espontánea, aunque ciertas características psicológicas pueden favorecer la inserción precoz del niño en el legado religioso. Rousseau sentía repugnancia en admitir un verdadero sentido religioso en el niño; más recientemente, el psiquíatra Rümke [3] manifestaba una gran circunspección en este punto, pero los estudios de psicología positiva, lo mismo que la experiencia pedagógica, han revelado en el niño una gran disponibilidad religiosa. Sobre la base de sus propias investigaciones, Thun [4] afirma, incluso, que la ausencia de todo escepticismo es, hasta la edad de nueve años, la característica esencial de la religión infantil. En una investigación realizada entre los estudiantes daneses, con vistas a comparar la formación de actitudes religiosas y políticas, Iisager [5] ha podido observar la ma-

---

[3] *Karakter en aanleg in verband met het ongeloof* [3], Amsterdam, 1949, p. 48. (Trad.: *Psychology of Unbelief*, Londres, 1952).

[4] Cf. Th. THUN, *Die Religion des Kindes*, Stuttgart, p. 249.

[5] "Factors influencing the Formation and Change of Political and Religious Attitudes", *Journal of Social Psychology*, 1949, pp. 253-265.

yor precocidad de las primeras; de manera que el despertar de los sentimientos religiosos se sitúa entre los siete y los catorce años, mientras las actitudes políticas no comienzan a precisarse sino entre los quince y dieciocho.

La precocidad de los sentimientos religiosos depende de factores psicológicos que vamos a examinar, pero la disponibilidad religiosa del niño no adquiere forma sino a condición de ser precozmente educada.

Influencia de la familia sobre la actitud religiosa

Todas las observaciones han confirmado, que la influencia de los padres es un factor determinante en la formación religiosa. Según la encuesta ya citada de Iisager, los factores de formación religiosa son, por orden de importancia decreciente, la educación familiar, la reflexión personal, la escuela, y, para las actitudes políticas, la reflexión, las discusiones, las lecturas, las influencias de amigos y conocidos. Por su parte, el sociólogo Wach [6] afirma que, en cualquier cultura, la actitud religiosa de los adultos depende estrechamente de la experiencia religiosa que éstos hayan vivido en su medio de origen, especialmente el familiar.

La influencia familiar no se limita a una especie de aprendizaje precoz. Muchos autores subrayan el estrecho parentesco que vincula la familia y la religión. Así, según Murphy [7], la estructura familiar es virtualmente religiosa y, recíprocamente, la religión está profundamente marcada por la psicología familiar. Simbiosis tal, de sentimientos, de estructuras, y de pertenencias, no se realiza en ninguna otra pareja de instituciones. Los sociólogos

---

[6] *Sociologie de la religion*, pp. 28 y ss.

[7] G. MURPHY, "Social Motivation", en G. LINDZEY, *Handbook of Social Psychology*, Cambridge, Mass., 1956, pp. 615-616; cf. A. T. BOISEN, *Religion in Crisis and Custom: A Social Psychological Study*, Nueva York, p. 35.

encuentran, por lo tanto, a nivel del análisis de las instituciones, el parentesco entre la psicología religiosa y la psicología familiar, ya analizada en al capítulo III de la primera parte de esta obra. Sin duda alguna, dicha relación explica la preponderancia de la influencia familiar en la formación de las actitudes religiosas, puesto que si la educación religiosa en el seno de la familia impregna tan profundamente a los niños, es porque aquélla es, al mismo tiempo, el modelo de relaciones y valores religiosos. Los gestos y el lenguaje religioso de los padres, se insertan en una experiencia afectiva que les simboliza inmediatamente, y, de otra parte, en cuanto fuente de felicidad y de autoridad, la familia reclama espontáneamente su prolongación en un universo religioso fundamentante. Por ello, otro sociólogo [8] ha podido constatar que los gestos religiosos son valorizados por la participación familiar, y que, al mismo tiempo, los gestos rituales y la celebración de fiestas religiosas dan a la familia una cohesión particular. Este vínculo marca de manera indeleble los recuerdos infantiles de numerosos adultos y determina sus sentimientos de pertenencia religiosa.

En esta simbiosis entre la religión y la familia, la religiosidad «natural» del niño puede desplegarse sin obstáculo. El niño, en efecto, tiene necesidad vital de un mundo bien hecho, feliz, tranquilizador y estable. Lo sagrado se sitúa para él en una perspectiva de crecimiento vital. Ahora bien, la familia y la religión le ofrecen conjuntamente el universo de sus deseos. Un niño que no creyese en el universo religioso de su familia, debería estar gravemente perturbado; pero, más tarde, hecho adulto, esta misma connaturalidad entre infancia y religión va a dar lugar a una inquietante cuestión. ¿La religión no será, a fin de cuentas, la suprema ilusión del deseo humano nacido de la infancia?

La extraordinaria permanencia de las actitudes reli-

---

[8] J. H. Bossard y E. S. Boll, "Ritual in Familiy Living", *American Sociological Review*, 1949, pp. 463-469.

giosas [9] puesta en claro por numerosas encuestas, se explica ciertamente atendiendo a la influencia preponderante de la educación familiar.

Ciertos adultos se preguntan si no sería deseable sustraer al niño a toda educación religiosa anterior a la pubertad, para dejarle plenamente libre de optar en esta edad, por una concepción de vida, ya religiosa, ya atea; en estas condiciones, piensan que la actitud religiosa del adulto no estaría ya determinada por la presión sociológica o el condicionamiento educativo, sino que pertenecería plenamente al orden del compromiso auténtico y personal. Semejante actitud procede sin duda de una intención de rectitud admirable, expresiva, en los adultos que la profesan, de la nostalgia de una experiencia religiosa original, liberada de las presiones sociales, pero que, en todo caso, no deja de responder a un simplismo típicamente racionalista. La libertad humana, cuando se trata de ponerla en práctica en un mundo de valores culturales, no puede conquistarse más que si las posibilidades humanas que le es preciso asumir, han sido desarrolladas por una educación cultural correspondiente. El libre compromiso religioso debe apoyarse en una experiencia adquirida de los valores religiosos mismos.

La concepción de Dios en el niño

A la edad de cuatro años el niño no tiene dificultad alguna en representarse a Dios. Esta es la edad de oro de su interés por el mundo religioso [10]. El universo de lo divino se sitúa en un orden maravilloso, comparable al mundo de los cuentos de hadas y despierta sentimientos

[9] Ver por ejemplo: "Les attitudes religieuses de la jeunesse", *Sondages,* 1959, 3, pp. 7-10; G. ALLPORT, *The Individual and his Religion,* pp. 39-40; J. VAN HOUTTE, *De mispraktijk in de Gentse agglomeratie,* St. Niklaas-Waas, 1963, pp. 334-337.

[10] E. HARMS, "The Development of Religious Experiences in Children", *American Journal of Sociology,* 1944, pp. 112-122.

de fascinación; pero la ambivalencia de lo sagrado, puesta de relieve por Otto, aparece desde el mismo nacimiento del interés religioso; a los tres años el niño manifiesta frente a lo sagrado un respeto y un temor característico de lo religioso[11], ambivalencia reforzada por el hecho de que la imagen de Dios se perfila detrás de la de los padres y, sobre todo, de la del padre. Parece como si la imagen de Dios se confundiese con las parentales[12], puesto que, como ellas, Dios goza a ojos del niño de la omnipotencia y de la omnisciencia y es un protector a su servicio. Esta representación de Dios es, a la vez, imaginaria y afectiva. Los sentimientos de piedad familiar, sentimientos de dependencia, de confianza, de seguridad, de respeto, se transfieren de los padres a Dios, de manera que, con Bovet[13], se puede hablar de la paternización de lo divino mejor que de la divinización del padre; la intuición de un universo sagrado se precisa, apoyada en los sentimientos que se desarrollan frente al padre.

Hacia la edad de cinco o siete años, el niño comienza a distinguir, conscientemente, a Dios de los padres[14], disociación, a la que no son ajenas, el descubrimiento de los límites paternales[15]. Los padres no saben todo ni pueden todo, y, más aún, el niño comienza a sentir sus contradicciones y sus defectos; pero sería erróneo creer, sin embargo, que bastan estos primeros conflictos conscientes para remitir al niño a un Padre realmente omnipotente y perfecto. Por muy importantes que puedan ser estos momentos negativos en la formación de la imagen de Dios, es preciso que el tránsito al Padre celestial haya

---

[11] A. GESELL, *L'enfant de 5 à 10 ans*[4], París, 1963, pp. 77, 124.

[12] A. GESELL, *op. cit.*

[13] P. BOVET, *Le sentiment religieux et la psychologie de l'enfant*[2], Neuchâtel, 1951, pp. 12-13.

[14] P. BOVET, *op. cit.*, p. 38. Ver también las observaciones oportunas de A. GODIN, *Le Dieu des parents et le Dieu des enfants*[2], Tournai, 1964, p. 104.

[15] A. GESELL, *op. cit.*

sido preparado por el testimonio de los padres. Nada marca tan profundamente el sentido religioso del niño, como el gesto por el cual los padres se asocian con él en un común reconocimiento del Dios Totalmente-Otro. Para medir el efecto de la igualdad humana ante Dios, basta observar el asombro del niño de cuatro años cuando oye a su padre o a su madre llamar por este nombre a sus propios padres: se destruye así el mito de un padre absoluto, a costa, frecuentemente, del escándalo del niño.

De la disociación del padre y Dios, resulta una imagen universal de éste. A los seis años, el niño lo concibe esencialmente como el creador de cuanto puebla el universo y, además, el mundo adquiere una significación dramática universal, porque el niño concibe a Dios como la potencia del bien, en lucha con el diablo, su antagonista.

Se ha hablado, frecuentemente, del antropomorfismo del concepto de Dios en el niño. Manifiestamente, en efecto, el niño se representa a Dios bajo rasgos humanos, de la misma manera que concibe su actuar a la manera de las actividades humanas; pero, progresivamente, de los seis a los once años, su concepto de Dios se espiritualiza. Clavier [16] proporciona indicaciones sobre esta evolución; hacia los seis o siete años, el antropomorfismo es simple y material: Dios habita una casa con terrazas, recoge flores... Entre los ocho y los once años, el niño se representa a Dios bajo el aspecto de un hombre distinto de los demás: truena con los ángeles, no se le puede tocar... A los doce años, se afirma un concepto de Dios espiritualizado (entre las niñas, un 60 % a 70 %; entre los muchachos, un 40 % a un 50 %): está en todas partes, es invisible, no se le puede dibujar... Clavier deforma sus resultados conforme al espíritu racionalista reinante en la psicología de su época. Si se confrontan estos datos con otros, se ve claramente que la imagen antropomórfica del niño pequeño, no tiene el sentido realista que le atribuye Clavier y, ya a los seis años, Gesell ha podido

---

16 *L'idée de Dieu chez l'enfant* [2], París, 1962.

observar una primera dificultad consistente en la intriga del niño por la invisibilidad de Dios aumentada a la edad de siete años. Por otra parte, las citadas investigaciones de Harms muestran que, a los siete años, el realismo humano en la representación de Dios parece constituir un progreso en lugar de ser, como podría creerse, la supervivencia de una etapa anterior, puesto que, con ello, aparece Dios plenamente distinto de un personaje de cuento de hadas como lo es para el niño de tres a seis años. Dios se relaciona estrechamente con la vida humana y, sobre todo, con la vida moral, y, por ejemplo, «vigila los caminos de los hombres en la tierra».

El antropomorfismo se manifiesta igualmente en la manera como el niño se representa la acción de Dios en el mundo. Siguiendo a Piaget, Bovet [17] habla del artificialismo del niño, solidario de su animismo; entre los seis y los once años todos los niños explicarían la naturaleza y el mundo por teorías animistas o artificialistas, entendiendo por este término, como hace Piaget, la tendencia propia del niño a considerar el mundo como fabricado por el hombre o fabricándose a sí mismo, «de la misma manera que procede la técnica humana». Según Bovet, la concepción artificialista permite al niño, en el momento que empieza a dudar de la omnipotencia de los padres, transponer sobre un ser divino las cualidades y las acciones que antes de esta primera crisis atribuía a los adultos. Señalemos, sin embargo, que la teoría de Piaget sobre el artificialismo general del niño, ha sido recientemente puesta en tela de juicio. Creemos por nuestra parte que el término guarda su valor a condición de no endurecerlo, al interpretarlo de acuerdo con la mentalidad técnica del adulto.

El antropomorfismo religioso del niño traduce su tentativa de representarse la realidad de Dios; pero al mismo tiempo, al implicar sentimientos de piedad, de confianza, de admiración y de temor, este concepto antropo-

---

[17] *Le sentiment religieux...*, cit., pp. 51-64.

mórfico de Dios apunta a algo más allá de lo humano y adquiere, por ello, un valor plenamente simbólico. El niño imagina a Dios según un modelo humano, y lo concibe tan real como el hombre, pero, al mismo tiempo, disocia a aquél de éste para situarle en un más allá. El antropomorfismo debe, por lo tanto, comprenderse como una primera forma rudimentaria de pensamiento analógico.

El niño no sabe todavía representarse a Dios de una manera propiamente simbólica, porque antes de llegar a una percepción explícitamente tal, le es preciso tener una concepción de Dios. Las investigaciones realizadas en Lovaina [18], han establecido que solamente a la edad de once o doce años la mayoría de los niños normales aprenden a percibir distintamente la función simbólica de los signos. La vinculación a la materialidad de los signos, disminuye progresivamente con la edad.

B. Mailhot [19] ha puesto en claro, con notable acierto, la influencia curiosa que la catequesis cristiana ejerce sobre la concepción de Dios en el niño de los cuatro a los seis años. Para un 71 % de los niños, Jesús es un término genérico, hasta el punto de hablar de papá Jesús, mamá Jesús y el niño Jesús. Para el 92 % de los niños a los que se ha pedido que dibujen ambas figuras, resulta que Dios y Jesús no son sino un solo personaje. Conciben a Dios bajo los rasgos de un niño que se le parece, pero al que confieren poderes mágicos y que protege a sus padres. El Niño Jesús es también el centro del mundo adulto, niño perfecto, al que sus padres admiran, adoran y sirven. Cuando Jesús se les presenta como un adolescente o un adulto los niños dejan de percibirle en términos religiosos.

¿No asistimos acaso a un proceso análogo a aquel por el cual los niños pasan de los padres a Dios? La omnipo-

---

[18] CHR. VAN BUNNEN, "Le buisson ardent: ses implications symboliques chez des enfants de 5 à 12 ans", *Lumen Vitae*, Bruselas, 1964, pp. 349-352.

[19] "Et Dieu se fit enfant. Réactions d'enfants et de groupes d'enfants à l'âge préscolaire", *Lumen Vitae*, Bruselas, 1961, pp. 115-127.

tencia que desea para sí mismo, la transfieren sobre el Niño divino, a la vez que todo su narcisismo afectivo. Su ideal, elevado hasta la perfección, Jesús, niño modelo, es el centro hacia el cual converge el sentimiento de los adultos.

Los estudios actuales no permiten todavía juzgar el valor religioso que para los niños tiene el culto del Divino Infante, pero no es difícil abrigar la sospecha de que puede constituir un grave peligro para el crecimiento religioso, al acentuar el egocentrismo afectivo del niño sin aportarle la corrección de un descentramiento en dirección del Dios realmente Otro.

Los sentimientos de lo sagrado

Si el niño de tres años manifiesta ya un cierto temor ante las maravillas, la confianza ingenua no deja de dominarle hasta los ocho o nueve años. Las investigaciones sobre este tema, nos permiten asistir al nacimiento de la ambivalencia propia de lo sagrado. En la situación imaginaria en la que los sujetos asisten, por proyección e identificándose con Moisés, a la teofanía de la zarza ardiendo *(test* semiproyectivo), los niños reconocen su miedo según una progresión ascendente correlativa a la edad: jardín de la infancia y primer año, 8 %; segundo año, 21 %; tercer año, 44 %; cuarto año, 47 %; quinto año, 70 %; sexto año, 69 %. Por otra parte, se constata que el sentimiento del respeto religioso debido a Dios, el sentimiento de Su trascendencia, y la idea de lo *tremendum* progresan con la edad. Es preciso, por lo tanto, concluir que los sujetos experimentan progresivamente el sentimiento de pavor religioso como normal y capaz de coexistir con la confianza. La ambivalencia de lo sagrado se percibe mejor e incluso se siente más intensamente con la edad. Los sujetos comprenden mejor, que Dios no es solamente un ser gentil y benevolente, sino también el Todopoderoso que se hace temer. A los diez o doce años, los niños captan el simbolismo del fuego, que ya no es el materialmente peligroso; de manera que, Moisés, aproximándose, no se hubiera quemado corporalmente, sino que hubiera ofendido a Dios, lo que llevaría consigo no una consecuencia física, sino una sanción moral [20].

Otros estudios, confirman el tránsito progresivo desde una confianza ingenua hasta la captación de la trascendencia divina afectada de majestad, de distancia y a la que es preciso aproximarse con respeto y temor religioso [21]. El vínculo entre el sentido del Totalmente-Otro y el sentimiento de pavor es sumamente natural. El hombre religioso depende de ambos polos, y vive la armonía de los contrastes. Incluso la confianza, parece el movimiento segundo consistente en la victoria sobre el temor original. La confesión de San Agustín más atrás citada (capítulo I de la primera parte) expresa admirablemente la dinámica religiosa que es conciencia del Totalmente-Otro, que se descubre con terror, pero en quien el hombre osa poner su confianza.

El que no falten psicólogos que se pronuncien de manera negativa sobre el temor religioso, nos muestra hasta qué punto de aberración puede conducir una representación simplista del equilibrio mental y del ideal de la religiosidad absoluta. Tal psicólogo [22], por ejemplo, concluye que existe una indudable inferioridad religiosa de los alumnos de catequesis cristiana con relación a los de la enseñanza laica, por la simple razón de que entre los primeros se produce un porcentaje más elevado de respuestas positivas al temor de Dios; pero, cosa asombrosa, omite relacionar tales respuestas con las referentes a la bondad de Dios, cuyo número es también más elevado entre los citados alumnos. Señalemos otro estudio más característico de este tipo de error psicológico. Se trata

---

20 Cf. CHR. VAN BUNNEN, "Le buisson...", cit.

21 CHR. VAN BUNNEN, *op. cit.*. pp. 341-354.

22 L. PATIÑO, "L'attitude religieuse chez l'enfant", *Lumen Vitae*, pp. 85-104.

del de Mathias[23] sobre la religiosidad de los adolescentes en una ciudad media de los Estados Unidos. Toda expresión del misterio de Dios o del pavor religioso es considerada negativa, como inconciliable con una religión emancipada que se inspire en los sanos principios de una civilización científica (!). Tales apreciaciones no pueden, en manera alguna, justificarse ni por el debido análisis de las tradiciones religiosas ni por la investigación psicológica; se encuentran entre los antípodas del sentido religioso, en la medida en que desarticulan lo sagrado, y aíslan los momentos que lo componen en una unidad tensional. Ciertamente, hay cualidades de temor muy diferente, como son el temor reverencial, el pavor originario, el sobresalto, el sentido del pecado, la angustia patológica. Los autores familiarizados con los datos religiosos deben cuidar de insistir sobre estas diferentes variedades de temor, pero, de todas maneras, no pueden dejar de reconocer en ellos la modulación evidentemente significativa de un mismo sentimiento religioso fundamental.

Egocentrismo afectivo, creencias y comportamientos mágicos

Para el niño de tres años, las personas y los objetos que le rodean, piensan como él y experimentan los mismos sentimientos: la luna brilla para alumbrarle, y la mesa a quien se golpea siente el dolor. Como lo ha demostrado Piaget, el niño no comienza por la subjetividad, es decir, no experimenta estados subjetivos que posteriormente transpusiera sobre el mundo; por el contrario, el niño está, ante todo, vuelto hacia el mundo exterior; incluso su *yo* se toma por una realidad objetiva. Por falta de conciencia de sí, el *yo* y el mundo permanecen indiferenciados, y el niño atribuye al mundo exterior lo que

[23] *Ideas of God and Conduct,* Nueva York, 1943.

experimenta en sí. Aun es preciso evitar aquí la tentación de fijar la mentalidad infantil en antítesis que la desfiguren, puesto que, no teniendo el niño la noción de lo psíquico, tampoco puede atribuírsele la de lo físico. Para él, las transferencias egocéntricas sobre el mundo exterior carecen del sentido realista que revisten para el adulto más racionalista.

El lenguaje socializado, la envidia y los procesos del complejo de Edipo, introducen en la psicología del niño los principios de realidad, descentrándole lentamente de sí mismo y permitiéndole acceder paso a paso al reconocimiento del objeto y del otro. Esta conversión del psiquismo, no se perfecciona sino muy lentamente, y, durante largo tiempo, Dios permanecerá más o menos cautivo del egocentrismo afectivo, y las relaciones con El, estarán dominadas por las relaciones afectivas con los padres. La dependencia respecto a Dios, podrá vivirse y sentirse como invitación a una obediencia pasiva, y el Dios-Providencia aparecerá como dispensador de todo bien y garante de toda seguridad.

Hemos visto (capítulos II y III de la primera parte), que este egocentrismo inicial de la vida afectiva y religiosa amenaza con alterar definitivamente la relación con Dios y servir de germen a numerosas críticas ateas, porque lo percibido por el niño como verdad religiosa, aparecerá retrospectivamente al adulto como una muestra de infantilismo religioso y, por su parte, esta toma de conciencia va a provocar en el hombre un intento de liberarse de una religión que considera indigna de él.

El mismo egocentrismo o narcisismo afectivo, se revela igualmente como la fuente de todos los rasgos mágicos de la religiosidad infantil. Tres son los tipos de estudios que permiten decantar la mixtura originaria de creencia mágica y de religión sacando a luz la purificación progresiva de la actitud religiosa. Los primeros se refieren al sentimiento de *la justicia inmanente en el universo* y se inspiran en una investigación realizada por

Piaget y la señorita Rambert[24], en la que los autores han podido constatar que el niño de seis años de edad está convencido de que el delito es automáticamente castigado mediante un acontecimiento desgraciado (por ejemplo, el puente se hunde bajo los pies del ladrón que huye). Esta creencia en una justicia inmanente se inspira, según Piaget, en el animismo del niño, que atribuye intenciones al universo, considerando al mundo animado por finalidades que estarán, según los casos, al servicio del adulto o del niño. Tal intencionalismo no es directamente religioso, pero se constata que los niños educados religiosamente, vinculan de manera espontánea esta justicia inmanente a la voluntad de Dios. Aquí, como en el caso de la creencia en Dios y en la Providencia, la mentalidad infantil presenta, independientemente de toda instrucción religiosa, una predisposición afectiva en la que se inserta la creencia de Dios. Es inútil insistir en el hecho de que ésta se encuentre nuevamente desnaturalizada. Esta representación mágica de un castigo automático, decrece con la edad; supone un 93 % a los seis años; un 73 % entre los siete y los ocho; un 54 % a los nueve años; y un 34 % a los once o doce. Otros trabajos han confirmado las observaciones de Piaget-Rambert[25]. Dos investigadores[26] han constatado en las poblaciones africanas, una regresión análoga, que se produce entre los seis y los doce años, de la creencia de la justicia inmanente de las cosas; en revancha, desde los once a los dieciocho, estos mismos grupos presentan una intensificación de la creencia de la justicia inmanente por intervención divina y en la eficacia mágica de los sortilegios. Esperemos que, una inves-

---

[24] *Le jugement moral chez l'enfant* [2], París, 1956, pp 157-260.

[25] I. Caruso, *La notion de responsabilité et de justice immanente chez l'enfant*, Neuchâtel, 1943; R. J. Havighurst y B. L. Neugarten, *American Indian and White Children*, Chicago, 1955, pp. 143-159.

[26] G. Jahoda, "Immanent Justice among West African Children", *Journal of Social Psychology*, 1958, pp. 241-248; H. Loves, "Croyances ancestrales et catéchèse chrétienne", *Lumen Vitae*, 1957, pp. 365-389.

tigación paralela, pronto nos iluminará sobre las reacciones de las poblaciones occidentales, ante la creencia de un castigo automático de las faltas por intervención de Dios.

Si en Occidente esta creencia desaparece de la conciencia explícita en el momento de la pubertad, la psicología clínica nos revela la persistencia de numerosos sujetos. Una fuerte angustia, o una intensa culpabilidad inconsciente, la hacen revivir, y tales creencias afectan profundamente la idea de Dios entre los sujetos creyentes; pero en el adulto, estas formas religiosas corresponden ya a lo patológico mental. En el niño, representa simplemente una mixtión de religión y de creencia mágica. Semejante mixtura es una forma rudimentaria de religión, que, sin embargo, por ser capaz de una purificación progresiva, debe considerarse no como religión inauténtica, sino como una actitud religiosa, que pretende reconocer a Dios a través de los esquemas afectivos e imaginarios propios de esta edad.

El P. Godin y la señorita van Roey[27] han examinado la creencia en una protección de tipo animista entre los niños del medio católico, y han constatado que, entre los seis y los ocho años, el *intencionalismo protector* es netamente menos fuerte que el intencionalismo punitivo. La curva se eleva hasta la edad de doce años para decrecer rápidamente a partir de los catorce, pero es necesario precisar que esta creencia varía según el objeto de la protección considerada. Entre doce y catorce años, parece restringirse a las acciones emprendidas a favor del prójimo. Los autores atribuyen esta característica a la influencia de la religión cristiana. El P. Godin concluye que el niño, de nueve a doce años, asimila el tema de la omnipotencia y de la protección divina en una perspectiva egocéntrica; la oración es omnipotente porque Dios está al servicio del niño.

---

[27] "Justice immanente et protection divine chez des enfants de 6 à 14 ans", *Lumen Vitae,* 1959, pp. 133-152.

Análogamente, en un estudio sobre la eficacia causal de las oraciones de petición, Thouless y Brown[28] han podido constatar su disminución progresiva en el curso de la adolescencia: de doce a trece años, un 35 % creen en ella; de los catorce a los quince, un 29 %; de los dieciséis a los diecisiete, un 19 %; sin embargo, los sujetos de más edad creen en la oportunidad de estas oraciones. Recordemos que en nuestra encuesta sobre los adolescentes de dieciséis a diecinueve años, hemos podido observar el mismo fenómeno. Hay, por lo tanto, un divorcio entre la creencia efectiva en la eficacia de las oraciones de demanda y la esperanza del sujeto; éste esperaría que su oración fuera escuchada, pero no lo cree ya, aleccionado como está por la experiencia de que sus oraciones no obtienen respuesta. Esta contradicción, constituye una prueba para su fe y, como hemos observado, provoca un descenso de la religiosidad, pero da lugar, una vez superada esta crisis religiosa, a la purificación de la fe del creyente que orienta ahora su oración en un sentido más auténticamente religioso.

Los signos simbólicos y los *sacramentos cristianos*, son, evidentemente, la tierra de elección para la mentalidad mágica, y no faltan analogías entre la práctica sacramental y la magia, cuyas acciones son de orden ritual, y cuyas encantaciones se pronuncian en un lenguaje esotérico estimado como propio de los dioses y de los espíritus; la magia se fundamenta en la creencia por parte del hechicero y de la comunidad en la eficacia de sus ritos y de sus fórmulas mágicas[29]; pero la diferencia con la fe religiosa no es menos acusada. En la magia, se cree poder captar la fuerza divina de una manera automática, abstracción hecha de todo acto de «sumisión auténtica» a

---

[28] "Les prières pour demander des faveurs. Recherches sur leur opportunité et leur efficacité causale dans l'opinion de jeunes filles de 12 à 17 ans", *Lumen Vitae*, 1964, pp. 129-146.

[29] Cf. M. Mauss, *Sociologie et anthropologie*, París, 1950, pp. 37 y ss.; Cf. Lévi-Strauss, *Anthropologie structurale*, París, 1958, pp. 184-185.

Dios[30]; pero entre estos dos extremos netamente diferenciados, constituidos respectivamente por la conquista intrépida de una fuerza inmanente a las cosas y la humilde invocación de la gracia divina, hay lugar para toda una gama de actitudes intermedias. En tanto que Dios no es reconocido en su radical trascendencia y alteridad en relación a las fuerzas vitales, la fe religiosa permanece siempre lastrada por las creencias mágicas. En lugar de endurecer la oposición entre magia y religión, se debería considerar la magia como una mentalidad prerreligiosa, en la cual pueden enraizarse el simbolismo religioso y la práctica sacramental. De manera que la mentalidad mágica aparece, como un esquema afectivo e imaginario, a favor del cual el niño puede asimilarse el culto religioso.

A propósito de la eucaristía y del sacramento de la penitencia, el P. Godin y su colaboradora[31] han estudiado los componentes mágicos de la creencia de los niños y preadolescentes en la eficacia de los sacramentos. Sus investigaciones establecen que a la edad de ocho años, la mayor parte de los niños creen que los sacramentos son automáticamente eficaces, con independencia de la conciencia y la actitud del sujeto. A partir de los once años de edad, la práctica sacramental empieza a purificarse, aunque a los catorce aún no ha quedado eliminada toda creencia mágica. Como no se discierne ninguna correlación entre la creencia y la inteligencia, la mentalidad mágica debe atribuirse al estado afectivo de esta edad, aunque las influencias pedagógicas pueden igualmente favorecer su persistencia.

De otro lado, la creencia mágica en los signos y en los ritos, supone un principio de *socialización en la religión del niño,* puesto que rito y signo eficaz, pertenecen a la sociedad. La creencia religiosa mágica resulta, por lo tanto, de un doble movimiento psicológico. El niño

---

30 H. AUBIN, *L'homme et la magie,* París, 1952, p. 227.

31 "Mentalité magique et vie sacramentelle chez les enfants de 8 à 14 ans", *Lumen Vitae,* 1960, pp. 269-288.

reconoce los signos religiosos que le presenta la sociedad y entra en la institución religiosa. Por otra parte, entrando en ella, aporta un fondo afectivo que se puede calificar de ritualista. En efecto, incluso fuera de un contexto propiamente religioso, son muchos los niños de seis a nueve años que consideran que toda suerte de prácticas simbólicas han de producir automáticamente su efecto benéfico, y así, por ejemplo, se les ve marchar de una manera particular, distinguiendo las baldosas y los peldaños de escalera o se les escucha repetir ciertos cálculos o contar determinadas categorías de objetos según los encuentran al azar... Introduciendo el comportamiento ritualista en las prácticas religiosas simbólicas e institucionalizadas, llegan a practicar un ritualismo mágico religioso, el estudio de cuya presencia y evolución constituye uno de los objetos de nuestro centro de psicología religiosa. En particular, nuestros colaboradores[32] se han dedicado al estudio del sentido que los niños confieren a dos signos simbólicos: la lamparilla roja (signo institucional de la presencia sacramental) y la señal de la cruz con el agua bendita (rito de acceso a lo sagrado).

Nos proponemos determinar, a la vez, cuándo y cómo se instaura el sentido del objeto cultual y del rito de acceso, y de qué manera se tiende a Dios a través de estos signos simbólicos. Los resultados obtenidos nos llevan a distinguir muy claramente la actitud de los muchachos y de las niñas. Los primeros, se muestran sin duda más sensibles a estas realidades institucionales y, para ellos, el objeto cultual es un instrumento que juega una función precisa, y el rito, un útil del que es posible servirse. La atención del muchacho se orienta hacia aquello que es preciso hacer y hacia la razón de ser de los objetos que se encuentran en la Iglesia. Hacia los siete años, se manifiesta su formalismo y pretende obtener un conocimiento

---

[32] A. Dumoulin y J. M. Jaspard, *Perception symbolique et socialisation de l'attitude religieuse dans le rite*, Lovaina, 1965 (tesinas de licenciatura en ciencias pedagógicas).

preciso de la función significante del objeto cultual y quiere conocer las reglas precisas del juego. A partir de ocho o nueve años, insiste sobre la obligación de mantener la lamparilla roja en su lugar y sobre la necesidad de señalar su pertenencia al bando de Dios, por el rito del agua a la entrada en la iglesia. El despertar de la conciencia moral da a su ritualismo un carácter particular de obligación; si no se respetan cuidadosamente las reglas institucionales se peca o comete sacrilegio. Hacia los diez u once años, el niño adquiere conciencia de su estado de pecado y juzga necesario un rito purificador antes de su aproximación a lo sagrado. La niña, por el contrario, no se detiene en los gestos y objetos rituales, y manifiesta una predilección más grande por el sentido simbólico que por la práctica material de los ritos. Para ella, la iglesia es el lugar donde lo divino está presente de manera difusa, y cada cosa y cada rito no retiene su atención sino en tanto en que expresa su encuentro personal con Dios. Entre los ocho y los diez años, la presencia divina se personaliza y se convierte en la presencia de Jesús. La lamparilla roja lo recuerda y el rito del agua expresa la salutación que ella le dirige. Si, entre diez y doce años, se adquieren la significación institucional de los objetos y de los ritos, las respuestas del tipo «memorial», «adoración», «respeto», denotan la misma interiorización de la actitud religiosa. Por parte de la niña el gesto ritual significa adoración, y por parte de Dios, bendición.

Una diferencia tan profunda entre niños y niñas en la percepción de los signos y de los ritos, se acompaña de una clara divergencia en la percepción de Dios. En los primeros Dios aparece fuertemente determinado por el concepto de ley; el muchacho está más atento a lo que Dios quiere de él, que a lo que es para él; el muchacho quiere actuar primero conforme a la voluntad del adulto; después, a la de Dios. Por ello, el signo de la lamparilla roja adquiere una significación absoluta e invariable, y expresa la voluntad de Dios. El rito del agua, por su parte, es un instrumento a la disposición del muchacho. «El Dios del niño es trascendente por su fuerza, su poder y su perfección moral»[33]. El Dios de la niña, por el contrario, es un Dios de amor que se da en un encuentro afectuoso, y la lamparilla roja expresa Su proximidad. La niña se interesa más en lo que Dios es para ella que en lo que Dios quiere de ella. Su presencia le atrae, y, desde los ocho años, comienza a distinguir las dos personas divinas, Dios y Jesús. Para la niña, el rito del agua no es tampoco expresión de culpabilidad ni la condición de un encuentro con Dios, sino su simbolización.

No hay ninguna duda que estas dos actitudes religiosas diferenciadas, dependen de una estructuración psicológica muy distinta, encontrándose en ellas los efectos de la diversa manera como niños y niñas han vivido el complejo de Edipo. Más marcado por el conflicto edípico, el niño manifiesta una mayor culpabilidad, e, identificándose al padre, será más sensible a las exigencias de la ley, y, orientándose hacia la acción, será, por todo ello, más apto para captar la trascendencia y el poder de Dios, a la vez que menos capaz de reconocer la significación simbólica de los signos y de los ritos cultuales asumiéndolos en una actitud personal ante Dios. La socialización de la religión, se opera por la aceptación de las reglas y de los signos institucionales, pero esta aceptación está acondicionada por una psicología legalista. Por este hecho, el signo y el significado, coinciden ampliamente. El signo se convierte en una realidad casi autónoma, y produce, por sí mismo, los efectos religiosos, y su referencia a Dios y a la comunidad se reabsorbe, casi completamente, en su presencia material. La niña, por su parte, está más afectada por el ser maravilloso, fascinante, que representa para ella el padre. En la religión será más propensa al misticismo y menos sujeta a la corrupción mágica de los símbolos y los ritos religiosos, pero tendrá también tendencia a desconocer la trascendencia del Dios Totalmente-Otro. La ausencia del legalismo psicológico,

[33] *Op. cit.*, p. 189.

no favorece tampoco el ingreso de la niña en una religión socializada e institucional. No faltan psicólogos desconfiados hacia la institucionalización de la religión, que prefieran este segundo tipo más orientado hacia una relación personal, pero se trata de una opinión teológica que no goza de un acuerdo unánime.

CAPITULO II

LA RELIGION DE LA ADOLESCENCIA

El desarrollo de la inteligencia, el despertar de la amistad, la culpabilidad ligada a los impulsos sexuales, la crisis de independencia y la emergencia del *yo,* van a marcar profundamente la religión de la adolescencia. Estos elementos favorecen intensamente la actitud religiosa, pero, al mismo tiempo, perturban por sus angustias de culpabilidad y sus dudas de fe.

El concepto de Dios

Al término de una investigación, muy cuidadosa, que se proponía extraer, por el método de las asociaciones libres, las diferentes armonías que la palabra «Dios» suscita en el universo mental de los niños y de los adolescentes, Deconchy [1] llegó a distinguir tres tiempos fuertes en el desarrollo del concepto de Dios en el niño. En primer lugar, aparece la «fase atributiva», cuyo punto culminante aparece entre los nueve y los diez años. En ella, el niño piensa en Dios con ayuda de los datos atributivos que le proporciona su formación catequética; los diferentes temas atributivos se organizan alrededor de tres centros que son los atributos objetivos, como la grandeza, la omnisciencia, la omnipresencia, la espiritualidad...; los atributos subjetivos, como las cualidades morales de Dios,

[1] "L'idée de Dieu entre 7 et 16 ans: base sémantique et résonance psychologique", *Lumen Vitae,* 1964, pp. 277-290.

bondad, justicia, etc.; y los atributos afectivos, como la fuerza y la belleza. El centro, constituido por los atributos afectivos, parece ser el factor dinámico, que hace pasar al niño a la segunda etapa de su crecimiento, cuando, hacia los doce o trece años, la tendencia estrictamente atributiva no basta para establecer la trascendencia de Dios. De esta manera, el preadolescente entra en la fase de la personalización de Dios, en la que se insiste especialmente en el tema de Dios-Señor, Dios-Salvador, Dios-Padre. Estos tres temas tienden a perder su especificidad y fundirse. En fin, la fase de la personalización cede el lugar a la de la interiorización culminante hacia los quince o dieciséis años. Los temas subjetivos invaden el concepto de Dios: amor, oración, obediencia, confianza, diálogo, derelicción y temor. Los temas más activos son los de confianza, diálogo y temor; pero el primero únicamente parece favorecer la inserción del desarrollo subjetivo del concepto de Dios en el desarrollo religioso global. El temor y la duda, serían, más bien, elementos perturbadores.

Creemos que estas tres frases coexisten en cierta medida en todos los sujetos, y que su acentuación, según el eje cronológico, depende de la evolución afectiva del adolescente. Su sucesión nos parece altamente significativa y volveremos a insistir sobre ello. Siguiendo a Deconchy, señalemos que el adolescente no presenta casi nunca los temas subjetivos (interiorización) y los temas atributivos simultáneamente. «Por el contrario, los temas atributivos aparecen en conexión muy frecuente con los temas personalistas, mientras que éstos tienen conexiones intensas con los temas de interiorización» [2]. Así, los temas de personalización que constituyen el vínculo cronológico entre la atributividad y la interiorización, unen igualmente el Dios interior con el Dios objetivo, tal como es conocido gracias a los atributos objetivos. Se toca aquí la magna dificultad religiosa ya anteriormente encontrada; al creyente le es sumamente difícil unificar el Dios en sí y el

[2] "L'idée de Dieu...", cit., p. 289.

Dios para él, oscilando entre una religión reducida al pensamiento metafísico, y una religión interior de la que termina por desconfiar. Los temas personalistas están destinados a garantizar una religión objetiva y personal, pero, como lo nota Deconchy, estos temas tienden también, alternativamente, a integrarse en un pensamiento abstracto, o a disolverse en la categoría de la experiencia puramente subjetiva. Señalemos a este propósito lo ya dicho sobre el símbolo paternal de Dios: en la adolescencia, los temas de Dios-Padre y de Dios-Salvador, están tan impregnados de las necesidades afectivas de los sujetos, que su consistencia religiosa no es sino muy relativa.

Sería sumamente temerario pretender reducir a un esquema la evolución religiosa del adolescente; las investigaciones sobre este tema son aún muy insuficientes, y debemos por tanto limitarnos a indicar algunos factores psicológicos que actúan en la evolución religiosa del adolescente, imprimiéndole una orientación específica, y apareciendo como otros tantos fermentos en su evolución y en las crisis por las que debe atravesar.

El despertar de la amistad y la interiorización de la religión

La crisis de la adolescencia hace nacer al hombre a sí mismo. El adolescente experimenta la soledad que le hace padecer, pero a la que, sin embargo no deja de amar, porque la soledad le permite descubrir su propio *yo*. En sus sueños y su recogimiento, le complace hacerse presente su mundo interior y, al mismo tiempo, se despierta en él la nostalgia de una participación en el mundo de los otros.

La experiencia de la soledad se acompaña del descubrimiento de la amistad y suscita el deseo de la participación afectiva y simbólica del universo. Estos elementos psicológicos están más acentuados en la muchacha que en el muchacho y en éste tanto más cuanto mayor es su formación literaria clásica.

Toda esta nueva sensibilidad impregna también la religión de esta edad. Baste recordar los elementos señalados más atrás; el concepto de Dios se personaliza y se interioriza (Deconchy), pero, como lo hemos visto en los capítulos II y III de la primera parte, el Dios personal del adolescente es, sobre todo, el padre providencial que vela sobre él en sus dificultades materiales y morales. El adolescente se muestra particularmente sensible a la amistad con Dios, que responde al dolor producido por la soledad afectiva. Incluso el muchacho de quince a dieciséis años, ve en Dios, antes que nada, el confidente de sus monólogos interiores. Las encuestas que hemos realizado entre centenares de adolescentes belgas de ambos sexos, muestran que la primera cualidad que aprecian en Dios y en Cristo, es su comprensión; y, también, la primera cualidad que piden es la amistad. Frecuentemente y en el mismo sentido el adolescente busca una participación afectiva con el universo. En el grupo de humanidades clásicas, hemos destacado (capítulo I de la primera parte) la existencia de una búsqueda de fusión afectiva y el sentimiento de lo sagrado que lo acompaña. Este ambiente favorece, frecuentemente, la eclosión de una religiosidad de carácter panteísta, en la que se siente a Dios como naturaleza y las correspondencias simbólicas del universo se rodean de un halo de sacralidad [3].

Un segundo rasgo caracteriza al adolescente, a saber, la idealización de sus amigos y de los adultos de los que hace sus modelos; pero la perfección sublime que en ellos descubre no es, en realidad, más que el simple reflejo de la imagen ideal que inconscientemente se hace de sí mismo. Como lo ha demostrado el psicoanálisis, la idealización deriva de un narcisismo afectivo, transfiriéndose sobre el otro la perfección que se desea para sí mismo, y, de esta manera, se la recibe indirectamente de un modelo con el cual es grato identificarse o de un colega ideal con el que se puede instaurar un diálogo elevado. La ideali-

[3] P. Babin, *Dieu et l'adolescent*, Lyon, 1963, pp. 224-225.

zación es un poderoso factor de desarrollo psicológico, pero contiene también un germen de decepción susceptible de degenerar en odio. La religión del adolescente no escapa a este proceso afectivo. Para el muchacho, la idealización religiosa se lleva a cabo en la línea de elaboración de un modelo ideal, de manera que Dios es el ser puro y perfecto hasta el punto de perder su consistencia histórica y su realidad personal[4], convirtiéndose en lo Absoluto del *yo*. La muchacha idealiza preferentemente en el sentido de las relaciones amorosas; Dios es el confidente ideal que comprende todo y que se da enteramente; trazos ambos de idealización que corresponde respectivamente a los rasgos específicos del muchacho y de la muchacha. El primero tiende a realizar su personalidad mediante una imagen ideal, mientras la segunda busca llenar su oquedad afectiva a través de una presencia total. El debilitamiento de la vida religiosa después de la adolescencia, se explica, entre otras causas, por la regresión de la idealización afectiva y por su orientación hacia los hombres, desde el momento en que los sujetos se integran plenamente en su medio.

La figura de Cristo es particularmente apta para servir de soporte a la idealización. Sería muy instructivo saber cuáles son las cualidades de Cristo que suscitan la simpatía de los adolescentes, cuestión sobre la que no disponemos más que de una encuesta rudimentaria efectuada en nuestro centro[5]. Desde los trece a los diecisiete años, sin gran variación de frecuencias, el adolescente simpatiza con el Cristo que arriesga su vida por un amigo, que presenta una personalidad firme y segura de sí, con el Cristo Heroico y con el Cristo Misericordioso y lleno de solicitud por los pecadores; por el contrario, no se aprecia el que Cristo pueda tener amistades privilegiadas, que exija el amar a los enemigos, que a veces se

---

[4] BABIN, *Dieu et...*, cit., p. 229.

[5] X. VIEJO, *L'attitude des adolescents devant le Christ*, Lovaina, 1965 (tesina de licenciatura en psicología).

encuentre aterrado, o que sea tentado por el demonio, ni, incluso, que transforme las costumbres de su tiempo. Estos rasgos representan adecuadamente las tendencias afectivas del adolescente, que pide de Cristo un modelo sobre humano, el amigo perfecto y universal, comprensivo, incluso, para los pecadores.

Culpabilidad y moralismo religiosos

Comenzaremos por resumir las páginas ya consagradas a la psicología de la culpabilidad. El despertar de la sexualidad, con sus problemas de masturbación, suscita una culpabilidad propiamente psicológica, caracterizada por los sentimientos de abandono y de aislamiento social (véase primera parte, capítulo III).

El muchacho sufre más que la adolescente, porque, de un lado, es más sensible a la exigencia de la ley, y, por otro, experimenta el deseo sexual de una forma más marcada por la búsqueda del placer erótico y por la agresividad. Hemos visto ya, que estas preocupaciones morales dan lugar a una intensificación de las prácticas religiosas (primera parte, capítulos II y III); pero como esta práctica está orientada hacia la solución de problemas morales, se encuentra fuertemente descentrada y su finalidad propiamente religiosa es escasa. Aunque esta fase de moralismo favorece el despertar del sentido de pecado, el lastre afectivo es tan pesado que el fin de la adolescencia se acompaña frecuentemente con una desafección frente a la práctica penitencial, e incluso puede llegarse al caso de que en virtud de una sana reacción defensiva, el muchacho se libere de la religión que da pie a su culpabilidad, en el momento en que el sentimiento experimentado llega a ser excesivamente intolerable. Ciertos adolescentes oscilan por otra parte entre un rigorismo moral y un sentimiento de laxitud.

Las preocupaciones morales de los adolescentes desbordan, evidentemente, sus sentimientos de culpabilidad;

la adolescencia se caracteriza, incluso, por la emergencia de una conciencia ética bien caracterizada y específica, fuertemente marcada por el cuidado de realizar el ideal moral del *yo*. Esta orientación ética, constituye también un polo de cristalización de la religión.

El universo religioso del adolescente posee, por lo tanto, una pluralidad de centros: la amistad, la búsqueda de una participación en lo sagrado, en cierta manera panteísta, la culpabilidad y el ideal ético.

La adolescencia parece ser como una segunda fase de la estructuración edípica. Todos los fenómenos del complejo de Edipo, se reproducen en ella a nivel de una experiencia afectiva y de una conciencia intelectual explícita y consciente a sí misma; por ello, es normal que la actitud ética del adolescente se centre, netamente, sobre la perfección del sujeto mismo o, expresándolo en términos más técnicos, que esté todavía fuertemente impregnada de narcisismo. La religión de la adolescencia participa en cierta manera en esta orientación ética, y aporta poderosos motivos a la búsqueda de una perfección moral. Por su parte, el ideal ético ofrece a la religión un apoyo considerable, porque ésta aparece como algo real e importante una vez que es puesta al servicio de la perfección moral del sujeto; sin embargo, el carácter funcional que le imprime su orientación ética, reduce parcialmente la religión de la adolescencia a una finalidad humana y en cierta medida el adolescente pone a Dios al servicio de la realización de su *yo* ideal Sin duda, no cabe condenar esta evolución religiosa, que no deja de ser normal, pero es preciso también tomar conciencia de sus límites inevitables. Después de su adolescencia, muchos creyentes descubren que la puesta en práctica de una ética humana, constituye una empresa propiamente humana que no es necesario apoyar en la religión. En este momento, como ya hemos visto, algunos de ellos abandonan una fe que habían identificado demasiado íntimamente con su humanismo ético. De generación en generación, el hombre debe pasar por la crisis religiosa que la humanidad ha atravesado al comienzo de los tiempos modernos, cuando empezó a disociar moral y religión, y comenzó a descubrir que el hombre es capaz, por sí mismo, de instaurar su humanidad.

El término de moralismo no tiene, por lo tanto, nada de peyorativo en sí mismo, e implica solamente la doble limitación que afecta a la actitud ético-religiosa del adolescente: la naturaleza narcisista de una ética impulsada por el cuidado de establecer un ideal del *yo* y la polarización parcial de la religión hacia una realización ética.

La prosecución del ideal moral se diferencia de acuerdo con los diversos medios sociales, según la manera en que acentúe el papel de la ley de la obligación. Así, en Francia, el P. Babin constata entre los adolescentes de la enseñanza católica, una conciencia netamente más marcada del carácter obligatorio de la moral religiosa; en la enseñanza oficial, por el contrario, el imperativo moral aparece como secundario. Para los primeros, Dios es alguien a quien se debe servir, adorar y amar; como origen y fin de la vida, impone, a quienes quieran venir a El, la práctica de sus mandamientos. Por el contrario, por muy preocupados que estén por la realización de su ideal moral, los adolescentes de la enseñanza oficial conceden una mayor importancia a «las razones del corazón». «El motivo explícito que se invocará para fundar su conducta moral, será la necesidad de un acuerdo subjetivo, digamos incluso simpático, entre el hombre y Dios. Frecuentemente, también será la necesidad de triunfo y de felicidad. El corazón parece imponer un deseo de vivir que se realizará gracias a un acuerdo con Dios, cuya cualidad esencial parece ser la bondad y no la omnipotencia» [6].

Podemos presumir que en un medio religioso más homogéneo y cerrado sobre sí mismo, se encontrará análoga predominancia de la ley sobre la relación personal, pero todavía es preciso matizar la interpretación de este

---

[6] *Dieu et...*, cit., pp. 249 y ss.

hecho, en función de otros datos de la vida religiosa, porque, según hemos visto, entre los adolescentes de la enseñanza católica, Dios y Cristo son, ante todo, los confidentes de una amistad dialogal. La insistencia sobre la ley no deja de tener efectos positivos, puesto que ejerce su potencia estructurante tanto para la humanización de la vida, como para el devenir religioso, en cuanto pertenece a la verdad del símbolo paternal; pero su acentuación excesiva, oscurece los otros componentes del símbolo del Padre, y tiende a subordinar el hombre a Dios como a una voluntad extraña y hostil.

Las dudas religiosas

Según han puesto de relieve numerosas encuestas [7], la adolescencia es la edad propia de las dudas de fe. El 75 % de los muchachos y el 50 % de las jóvenes las han padecido; los primeros, entre los trece y los dieciséis años; las segundas, entre los doce y los quince. En un estudio sociológico referente a 350 sujetos que abandonaron la Iglesia y la fe, Desabie [8] ha podido constatar, que el mayor número de entre ellos habían perdido la fe de los quince a los diecinueve años (el 46 % había a esta edad perdido la fe en la Iglesia y el 35,2 % la fe en Dios).

Entre los adolescentes, las dudas religiosas son profundamente afectivas como lo atestigua su carácter global. Según una encuesta de W. Smet [9], efectuada en Bél-

[7] Cf. STARBUCK, *The Psychology of Religion*, 1899, pp. 232 y ss.; W. H. CLARK, *The Psychology of Religion*, 1959, pp. 137 y ss.; G. ALLPORT, *The Individual*, pp. 99 y ss.; P. DE LOOZ, *Une enquête sur la Foi des Collégiens* [2], Bruselas, 1951; ID., *La foi des jeunes filles de l'enseignement secondaire catholique en Belgique*, Bruselas, 1957; A. GESELL, *L'adolescent de 10 à 16 ans*, París, 1959, pp. 497 y ss.

[8] *Le recensement de pratique religieuse dans la Seine*, París, 1958.

[9] *Godsgeloof in de Jeugd*, Lovaina, 1949, pp. 223 y ss. (tesis doctoral en ciencias pedagógicas).

gica entre una vasta población de adolescentes católicos, resulta que el 44 % de las dudas se refieren a la existencia de Dios, el 27 % al catolicismo tomado en su totalidad, y el 15 % a ciertos dogmas particulares.

Las dudas religiosas del adolescente tienen, al parecer, tres fuentes principales. El adolescente, que al descubrir su mundo interior se encuentra en plena crisis, busca su autonomía. Como toda su vida anterior se había desarrollado bajo el signo de la dependencia infantil, tiene, frecuentemente, el sentimiento de no poder alcanzar dicha autonomía si no es mediante la supresión de todas las tutelas; ahora bien, precisamente la religión puede aparecérsele como el emblema y el fundamento radical de la dependencia, por el simple hecho de que toda autoridad y toda moral se refieren a ella. La tendencia del adolescente a afirmar su autonomía, puede tomar entonces la forma de una rebelde negativa a someterse a toda autoridad. También puede presentarse de manera menos violenta, limitándose a poner en tela de juicio la autoridad. El adolescente no concede a los adultos la misma confianza que antes, y el declinar de su autoridad sacude inevitablemente su religión, fundamentada, en gran medida, sobre ella. Al estar, por primera vez en toda su existencia, en una situación que le capacita y le exige hacer por sí mismo y de manera crítica su síntesis vital, el adolescente se encuentra obligado a repensar sus convicciones religiosas. No puede consentir libremente en ellas, sin conocer momentos de duda, y el despertar de su libertad crítica implica necesariamente la experiencia de que la vida religiosa no es una evidencia. La duda de fe forma parte del tránsito desde el fideísmo propio de la infancia, al asentimiento personal. La preponderancia de la duda global, se comprende en razón, tanto del carácter radical de la puesta en duda, como de que ésta aparezca ligada al descubrimiento intensamente afectivo de su propio mundo interior.

La intensidad de las emociones eróticas, añade un segundo factor de duda, porque causan frecuentemente un sentimiento agudizado de culpabilidad y contienen la promesa de una plenitud de goce, de una entera posesión de sí mismo, y de la unión afectiva con otro.

No se puede, por lo tanto, asimilar sin más las conmociones eróticas de la adolescencia a la cuestión de la pureza moral, y, como el adolescente ignora, más aún que tantos pedagogos excesivamente puritanos, la manera de separar los vectores afectivos que atraviesan su naciente erotismo, se siente tentado, a veces, de rechazar la ley moral y religiosa por la simple razón de que parece inhibir el desarrollo normal de sus riquezas afectivas. El texto ya citado de Simone de Beauvoir (primera parte, capítulo V) constituye un testimonio lacerante de crisis religiosa provocada por el despertar de la sexualidad. Recordemos, igualmente, las dudas de fe que un sentimiento agotador de culpabilidad puede engendrar en el adolescente, en razón de su impotencia, más de una vez experimentada, para satisfacer las exigencias de la pureza.

Las dudas de fe pueden tener otra fuente en la crisis de confianza general que sufren muchos adolescentes en el curso de las tempestades afectivas propias de la pubertad [10]. Rota su paz interior, dudando del amor de los otros, sean parientes, educadores, camaradas o amigos, el adolescente experimenta, a veces, el sentimiento intenso del absurdo de la vida. Ahora bien, ya hemos insistido en ello (primera parte, capítulo III), la confianza religiosa no puede establecerse más que sobre la base de un cierto sentimiento de bienestar. Es cierto que la experiencia de lo absurdo y la angustia ante la carencia de sentido, pueden igualmente suscitar un movimiento de esperanza en Dios; pero la experiencia nos enseña que el hombre encuentra raramente el camino de la vida religiosa a partir de un vacío afectivo total; debe sentirse amado de una u otra manera, y precisa que el orden hu-

---

[10] Fr. MITZKA (*Die Glaubenskrise im Seelenleben,* Innsbruck, 1928, p. 20)) cree que los motivos afectivos son los más frecuentes en las dudas religiosas.

mano le presente ciertas aperturas positivas. Aquí nos permitimos reenviar a lo que nuestro análisis de la experiencia religiosa nos ha revelado al respecto. La experiencia directa del medio estudiantil universitario, nos ha enseñado que, frecuentemente, la crisis religiosa de los jóvenes encuentra su origen en un conflicto con los padres que provoca una rebelión contra la autoridad religiosa, pero, además y sobre todo, es causa de un sentimiento general de disforia destructor del impulso de confianza implicado en la actitud religiosa. Es preciso insistir en ello; las dudas de fe, constituyen una experiencia que purifica la religión cuando, al menos, no están provocadas por un sentimiento, generalizado y no ajeno a lo patológico, de lo absurdo. Una encuesta realizada por Delooz[11], ha podido constatar, incluso, una correlación ligeramente positiva entre las dudas religiosas y las motivaciones más finas y espiritualizadas de la religión. Hacia los quince años, las dudas comienzan a reabsorberse. «Los adolescentes, más que rechazar las ideas, buscan en la incertidumbre: creo a medias y no creo a medias»[12]. En general, entre los dieciséis y los diecisiete años, las dudas se han aplacado, y el adolescente ha hecho su opción. Si más tarde las dudas reaparecen, son de tipo más intelectual, lo que, claro está, no implica que sean menos intensas; pero, después de la adolescencia, el joven creyente reflexiona más libremente sobre el sentido de la existencia. Debe hacer su síntesis mental del mundo, y más descentrado de sí mismo y deliberadamente comprometido en la sociedad humana, se interroga sobre las diferentes concepciones de la vida que encuentra ante él, sobre la necesidad humana de la fe religiosa, y sobre el sentido de una religión institucionalizada. Más objetiva, tal problematización forma parte de su esfuerzo por asumir personalmente la religión de la que es heredero; por lo tanto, el hombre no alcanza la verdadera fe religiosa,

---

[11] Cf. *La foi des jeunes filles...*

[12] A. Gesell, op. cit., p. 529.

personal y reconocida en su finalidad trascendente, más que hacia la edad de treinta años. La experiencia común prueba que, después de la adolescencia, debe rehacerse toda la formación religiosa, no porque el niño y el adolescente no fuesen auténticamente religiosos, sino porque el hombre no accede a la madurez requerida para una opción personal semejante y para el conocimiento de la realidad, antes de su entrada en la vida adulta.

En cuanto a la actitud religiosa de los adultos, lo que hemos ya dicho de la actitud religiosa (primera parte, capítulo IV) sirve para poner en claro las líneas esenciales: libertad creadora, acceso al Otro, reconocido en su alteridad; reconciliación y filiación, solidaridad humana e integración de la relación con Dios y del compromiso temporal. Se cometerá un error, si se piensa que la actitud religiosa adulta, se elabora mediante un crecimiento espontáneo a favor de las circunstancias de la vida; formación del vínculo sexual, experiencia parental, compromiso profesional..., son acontecimientos que solamente constituyen el medio donde la religión del hombre llegado a la plena integración de sus recursos humanos, puede desplegarse libremente.

Pero, en realidad, lo que se llama la religión adulta excede el nivel de los criterios propiamente psicológicos, porque, en primer lugar, las normas de la psicología no bastan para definir al hombre adulto ni al hombre normal. Dos son los elementos que concurren a caracterizar esencialmente el adulto: la libertad creadora, y el reconocimiento de lo real y del otro. Es decir, que el adulto es precisamente el hombre en cierta medida liberado de sus determinismos psicológicos y que ha llegado a superar su universo interior hecho de impulsos y de exigencias afectivas. El adulto, por así decirlo, ha franqueado el muro del psicologismo y, como lo atestigua nuestra primera parte, la actitud religiosa trasciende las motivaciones psicológicas desde que es vivida como presencia y apertura al Otro. Es intercambio y reconocimiento. Más allá de las necesidades y de las angustias, instaura una relación nueva. La religión adulta, consuma la ruptura entre Dios y los movimientos psíquicos del hombre y trasvalúa la religiosidad psicológica.

Guardémonos, por lo tanto, de ceder al espejismo de los mitos psicológicos, siempre inclinados a reducir el hombre adulto y su religión. Después de seguir hasta la edad adulta la curva de la evolución religiosa, la psicología debe dejar el campo libre a la comunión de Dios y del hombre.

EPILOGO

Del doble estudio realizado en torno a la estructura psicológica del acto religioso, y a su evolución a través de las principales fases de la vida, se ha obtenido una conclusión única. La experiencia global del mundo y de los otros es la matriz donde germina la religión, *a la vez* que su impugnación constante. Toda fórmula unívoca se ha revelado insuficiente. Dios no se impone al hombre como fin de sus deseos ni se integra en la total coherencia del mundo. El mundo no es el mismo para todos ni en todo momento, sino que el hombre es conducido por sus deseos hacia fines cambiantes y contradictorios. Dios polariza los deseos humanos, pero *simultáneamente* los niega; da al mundo su consistencia, y, *por ello mismo,* plantea el más esencial de los enigmas.

No existe progreso religioso natural que se mantenga por sí mismo. Si es cierto que la experiencia religiosa abre el hombre a la presencia del Otro, también lo es que resulta incapaz de nombrarle si no es iluminado por el discurso religioso. Una vez que el hombre haya realizado sus aspiraciones humanas podrá orientarse tanto hacia la religión como hacia un humanismo ateo, y no conviene olvidar que el dios vislumbrado por muchos hombres al término de sus tendencias, sus necesidades y sus deseos, ofrece la ambigüedad de un silueta excesivamente humana para ser la de un Dios verdaderamente Otro, y, sin embargo, demasiado absoluta para ser, tan sólo, la imagen del hombre.

Presente ya en la experiencia mundanal, Dios deja en ella, la oquedad que permite al hombre plantearse el problema de su ser. Ante las motivaciones y las exigencias humanas de que es objeto, Dios se hace silencio y abandona al hombre en el naufragio de su duda sobre la verdad o irrealidad de la experiencia religiosa. *A la vez* que salvación ofrecida a la esperanza humana, Dios frustra el deseo religioso mediante la abisal e insalvable separación de su alteridad, pero, todo ello, proclamando ante el hombre el mensaje de su paternidad e instándole a participar en la alianza de la filiación.

El reconocimiento de la paternidad divina, no deja de arrostrar dudas y conflictos; porque si bien puede presentarse como el vértice de todas las ilusiones, también implica una temible amenaza para los deseos más poderosos y secretos del hombre. El reconocimiento de la paternidad divina, puede llegar a aparecer, en ciertos momentos, como la suprema negación de la humanidad y, para descubrir su sentido íntimo, el hombre ha de pasar por una profunda conversión que transforma la raíz de su ser y la medula de sus aspiraciones religiosas.

De esta manera el misterio de Dios se revela al hombre que, marchando por los caminos de su humanidad en devenir, sabe escuchar al Totalmente-Distinto, más allá de todas las aspiraciones y todos los deseos que apuntan hacia El.

El estudio psicológico del hombre y de su religión, nos enseña cuáles son los dinamismos psicológicos que actúan en la instauración progresiva de la relación religiosa y en qué medida excede ésta al hombre psicológico. Es aquí cuando la psicología debe callar, para que la sola Palabra se pronuncie a sí misma: «Una vez hablé, no hablaré más. Dos veces, no añadiré palabra» (*Job,* 39, 35).

INDICE

ESTE LIBRO SE TERMINO DE IMPRIMIR
EL DIA 30 DE ENERO DE 1975, EN CLOSAS-
ORCOYEN, S. L., MARTINEZ PAJE, 5, MA-
DRID-29, UTILIZANDO PAPEL FABRICADO
POR TORRAS HOSTENCH, S. A.,
DE BARCELONA